博碩文化

博碩文化

博碩文化

超實用！
利用 AI 提高數據整理與統計運算分析

ChatGPT 與
Excel

必備省時函數
的巧妙運用

張雯燕 著、ZCT 策劃

提供大量應用實例，
有助提昇工作效率

98

快速了解公式及
函數重要知識點

08

實戰 ChatGPT 大師級
函數提示技巧與範例

18

93

方便查詢函數功能、
語法、參數與實例

03

熟悉學術、生活及
職場應用的必備函數

13

除了傳統函數外，
也介紹最新版函數

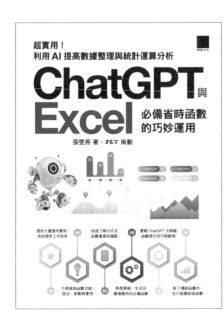

作　　者：張雯燕 著 ‧ ZCT 策劃
責任編輯：Cathy、魏聲圩

董 事 長：陳來勝
總 編 輯：陳錦輝

出　　版：博碩文化股份有限公司
地　　址：221 新北市汐止區新台五路一段 112 號 10 樓 A 棟
　　　　　電話 (02) 2696-2869　傳真 (02) 2696-2867

發　　行：博碩文化股份有限公司
郵撥帳號：17484299　戶名：博碩文化股份有限公司
博碩網站：http://www.drmaster.com.tw
讀者服務信箱：dr26962869@gmail.com
訂購服務專線：(02) 2696-2869 分機 238、519
（週一至週五 09:30 ～ 12:00；13:30 ～ 17:00）

版　　次：2023 年 10 月初版一刷

建議零售價：新台幣 650 元
I S B N：978-626-333-615-5
律師顧問：鳴權法律事務所 陳曉鳴律師

本書如有破損或裝訂錯誤，請寄回本公司更換

國家圖書館出版品預行編目資料

精準活用祕笈超實用!ChatGPT 與 Excel 必備
省時函數的巧妙運用：利用 AI 提高數據整
理與統計運算分析 / 張雯燕著 .-- 初版 .--
新北市：博碩文化股份有限公司 , 2023.10
　面；　公分

978-626-333-615-5(平裝)

1.CST: EXCEL(電腦程式) 2.CST: 函數論
3.CST: 人工智慧

312.49E9　　　　　　　　　112016435

Printed in Taiwan

歡迎團體訂購，另有優惠，請洽服務專線
博碩粉絲團　(02) 2696-2869 分機 238、519

Excel 是一款常用的商業試算表軟體，提供資料整合、統計分析、排序篩選和圖表建立等功能。透過 Excel 的公式與函數，我們能夠進行數據運算。函數是 Excel 中預先定義好的公式，它不僅能簡化複雜的公式運算內容，還能幫助使用者更清楚理解儲存格內容所代表的意義。

本書的目的是幫助讀者更清楚地理解函數的使用語法。我們將專注於 Excel 在求學和職場中最常用到的實用函數，並透過實例教導如何將這些函數應用於實際工作中。因此，本書的章節結構安排如下：第一章將為讀者介紹公式與函數的基礎知識，包括公式與函數的差異、輸入方式、形式分類、函數的查詢與分類、儲存格參照位址、運算子的分類和優先順序等。此外，本章還介紹了一些在使用公式和函數時常用的技巧，例如公式的複製、陣列的使用、命名儲存格、常見公式的錯誤值、選取包含公式的儲存格、公式稽核和如何顯示公式等。

第二章到第八章介紹了各種類別的實用函數，包括數值運算、邏輯、統計、資料取得、日期、時間、字串、財務、會計、資料驗證、資訊、查閱和參照等。

本書的寫作原則是為每個函數提供一個對應的範例。每個函數的介紹都包括功能說明、語法、參數意義和用法、實作前的範例檔案，以及實作後的執行結果示意圖和成果檔案。這樣的安排旨在讓讀者在學習每個函數時，能夠輕鬆掌握知識，觀察完整的函數實作過程和成果展示，不僅方便學習，也可作為函數查詢的依據。

第九章包含了幾個完整的商務綜合範例，例如職訓練成績計算排名和查詢、現金流量表等。我衷心希望讀者能有機會在實際工作需求中運用本書所介紹的各種實用函數，並將所學內容成為處理大量資料試算和圖表分析的最佳助手。

此外，考慮到 OpenAI 推出的 ChatGPT 聊天機器人的熱門程度，本書還新增了「實戰 ChatGPT 大師級函數提示技巧與範例」這一精彩單元，內容包括：

- 人工智慧的基礎

- 認識聊天機器人

- ChatGPT 初體驗

- ChatGPT 的正確訣竅與私房技巧

- ChatGPT 對 Excel 函數用戶的協助

- 利用 ChatGPT 輕鬆學習函數提示技巧

- 實戰 ChatGPT 的函數提示應用案例

最後，在本書的附錄中，我們整理了與資料整理相關的工作技巧，包括儲存格和工作表的實用技巧、合併彙算、資料排序和篩選等。我希望本書的內容能真正幫助讀者提升生活和職場上的資料處理效率，並在應對大數據時代的資料統計分析中展現出卓越的工作能力。

01 公式與函數的基礎

1-1 公式與函數 1-3

    1-1-1 公式與函數的輸入方式 1-3

    1-1-2 公式形式的分類 1-6

    1-1-3 函數的查詢與分類 1-7

1-2 儲存格參照位址 1-8

    1-2-1 相對參照 1-8

    1-2-2 絕對參照 1-9

    1-2-3 混合參照 1-10

1-3 運算子介紹 1-11

    1-3-1 運算子的分類 1-11

    1-3-2 運算子的優先順序 1-13

1-4 公式的複製 1-14

1-5 陣列的使用 1-15

1-6 於公式用已定義名稱 1-17

    1-6-1 定義名稱 1-18

    1-6-2 從範圍選取 1-19

    1-6-3 名稱管理員 1-19

    1-6-4 修改定義名稱 1-20

1-7 常見公式的錯誤值 1-21

1-8 選取含有公式的儲存格 1-22

1-9 公式稽核 1-23

    1-9-1 前導參照 1-23

    1-9-2 從屬參照 1-24

    1-9-3 移除箭號 1-24

1-10 顯示公式 1-25

02 常用計算函數

2-1 SUM－數值加總...2-2

應用例 ❶ 以自動加總計算總成績...2-2

2-2 AVERAGE / AVERAGEA－數值平均 / 所有值平均.........................2-4

應用例 ❷ 以自動加總計算總成績平均...2-5

應用例 ❸ 忽略空白儲存格來計算平均成績.....................................2-6

2-3 PRODUCT、SUMPRODUCT－數值乘積計算...........................2-8

應用例 ❹ 求取商品銷售總額...2-8

應用例 ❺ 求取對應儲存格商品銷售總額.......................................2-9

2-4 SUBTOTAL－清單小計..2-10

應用例 ❻ 針對篩選的項目進行總數小計.....................................2-11

2-5 MIN / MAX－最小值、最大值...2-13

應用例 ❼ 全班各科分數最高分及最低分.....................................2-13

2-6 ROUND、ROUNDUP、ROUNDDOWN、INT－
四捨五入、無條件進位、無條件捨去、取整數.............................2-15

應用例 ❽ 將商品折扣價格以三種函數取捨進位............................2-16

2-7 CEILING、FIXED－以指定倍數無條件進位、四捨五入
並標示千分符號..2-18

應用例 ❾ 團體旅遊的出車總數及費用...2-18

2-8 QUOTIENT、MOD－取商數及餘數.......................................2-20

應用例 ❿ 在固定預算下購買商品的數量及所剩金額.....................2-20

2-9 RANDBETWEEN－取隨機數字...2-23

應用例 ⓫ 隨機產生摸彩券中獎號碼...2-23

2-10 FLOOR－無條件捨位至最接近的基數倍數 2-25

　應用例 **12** 外包錄音（或錄影）費用結算表 2-25

2-11 ABS －取絕對值 2-28

　應用例 **13** 股票停損停利決策表 2-28

2-12 POWER－數字乘冪 2-30

　應用例 **14** 以 BMI 指數來衡量肥胖程度 2-30

2-13 SQRT－正平方根 2-32

　應用例 **15** 求取 0 到 16 所有數值平方根 2-32

2-14 SUMSQ－引數之平方的總和 2-34

　應用例 **16** 畢氏定理的驗證 2-34

2-15 CONVERT－量測單位轉換 2-36

　應用例 **17** 不同測量系統之間的轉換 2-37

03 邏輯與統計函數

3-1 IF、AND、OR－條件式判斷 3-2

　應用例 **1** 學校英語能力檢測 3-3

3-2 COUNTIF、COUNTIFS－計算符合篩選條件的個數 3-5

　應用例 **2** 期末考成績人數統計表 3-6

　應用例 **3** 分別統計期末考男生及女生及格人數 3-7

3-3 SUMIF / SUMIFS－計算符合篩選條件的個數 3-9

　應用例 **4** 中秋禮盒調查表 3-10

　應用例 **5** 指定員工禮盒購買金額 3-11

3-4 COUNT、COUNTA、COUNTBLANK－統計數量 3-12

應用例 **6** 指考成績人數統計表 3-13

3-5 DCOUNT、DCOUNTA－求得符合資料表的資料個數 3-15

應用例 **7** 記錄缺課人數 3-16

3-6 DAVERAGE－求取符合搜尋條件所有數值的平均值 3-18

應用例 **8** 計算全班男生平均成績 3-18

3-7 AVERAGEIF/AVERAGEIFS－求取單一或多個條件的平均值 3-20

應用例 **9** 全班男生及女生平均成績 3-21

應用例 **10** 不同班級男生及女生平均成績 3-22

3-8 FREQUENCY－區間內數值出現的次數 3-25

應用例 **11** 多益成績各成績區間落點的人數 3-25

3-9 MEDIAN、MODE－中位數及眾數 3-28

應用例 **12** 計算投籃大賽的中位數與眾數 3-28

3-10 LARGE、SMALL、LOOKUP－指定範圍排名順位 3-30

應用例 **13** 列出段考總分前三名及後三名分數 3-31

3-11 RANK.EQ－傳回在指定範圍的排名順序 3-33

應用例 **14** 將全班段考成績由大到小排名 3-34

3-12 IFERROR－捕捉及處理公式中的錯誤 3-36

應用例 **15** 投籃機高手團體賽 3-36

3-13 IFS－多條件 IF 判斷 3-38

應用例 **16** IQ 智商表現水平描述 3-38

3-14 MAXIFS/MINIFS－指定條件最大值及最小值 3-40

應用例 **17** 輸出各種考試科目最高分及最低分 3-41

3-15 SWITCH－多重條件配對 3-44

應用例 **18** 旅遊地點問卷調查 3-44

3-16 COMBIN－組合總數量 3-46

應用例 ⑲ 不同摸彩獎品組合可能的總數 3-46

3-17 PERMUT－排列總數 3-48

應用例 ⑳ 不同密碼字母排列的可能總數 3-48

04 常見取得資料的函數

4-1 IF/SUM－條件式加總 4-2

應用例 ❶ 統計旅遊地點的參加人數 4-2

4-2 DGET－取資料庫中欄內符合指定條件的單一值 4-5

應用例 ❷ 找尋招生最好的學校及季別 4-5

4-3 DSUM－符合多個條件的資料加總 4-7

應用例 ❸ 將多個符合條件的欄位進行加總 4-7

4-4 PERCENTILE－從一個範圍裡找出位於其中第 k 個百分比的數值 ... 4-9

應用例 ❹ 考試的及格標準百分比制定 4-9

4-5 PERCENTRANK－傳回某特定數值在一個資料組中的百分比等級 .. 4-12

應用例 ❺ 給定學生的成績表現評語 4-12

4-6 VLOOKUP－取得直向參照表中尋找特定值的欄位 4-15

應用例 ❻ 以 VLOOKUP 查詢各員工報名的套裝旅遊行程價格 4-16

4-7 HLOOKUP－取得橫向參照表中尋找特定值的欄位 4-18

應用例 ❼ 以 HLOOKUP 查詢各員工報名的套裝旅遊行程價格 4-18

4-8 INDIRECT－傳回文字串指定的參照位址並顯示其內容 4-21

應用例 ❽ 傳回指定參照的資料內容應用 4-21

4-9 INDEX－傳回一個表格或範圍內的某個值或參照位址 4-24

應用例 ❾ 軟體授權價目表查詢 4-24

4-10 MATCH－依比對方式傳回陣列中與搜尋值相符合的相對位置 4-27

應用例 ⑩ 應用例 10 以 INDEX 及 MATCH 軟體授權費用查詢 4-27

4-11 AGGREGATE－資料彙總 4-31

應用例 ⑪ 彙總平均分數、前 3 名及倒數 3 名分數 4-32

05 日期與時間函數

5-1 認識日期與時間序列值 5-2

5-2 YEAR、MONTH、DAY－傳回年、月、日 5-3

應用例 ❶ 將生日取出年月日三種資訊 5-4

5-3 TODAY、NOW－顯示當天日期與現在時間 5-9

應用例 ❷ 食品保鮮期追蹤 5-9

5-4 DATE－回傳日期格式 5-12

應用例 ❸ 建立同仁的出生年月日基本資料 5-13

5-5 TIME－回傳時間格式 5-15

應用例 ❹ 記錄各年度全馬平均時間 5-15

5-6 YEARFRAC－計算兩個日期間的完整天數占一年中的比例 5-18

應用例 ❺ 同仁虛歲年齡計算 5-19

5-7 DATEDIF－計算兩個日期之間的天數、月數或年數 5-23

應用例 ❻ 同仁年齡計算到月份 5-24

5-8 WEEKDAY－傳回對應於日期的星期數值 5-28

應用例 ❼ 吃到飽自助餐平日及假日收費表 5-29

5-9 NETWORKDAYS.INTL－傳回兩個日期之間的所有工作日數 5-32

應用例 ❽ 軟體開發時間表實際工作日 5-33

5-10 EOMONTH－傳回在起始日期前後所指定之月份數之當月
最後一天的序列值 5-35

應用例 ❾ 軟體開發專案付款日 5-35

5-11 WORKDAY.INTL－傳回指定工作日數之前或之後日期的序列值 .. 5-37

應用例 ❿ 實習工作體驗日申請計畫 5-37

5-12 EDATE－傳回指定日期前或後所指定之月份數的日期 5-40

應用例 ⓫ 設定軟體試用到期日 5-40

5-13 HOUR、MINUTE、SECOND－傳回時、分、秒 5-42

應用例 ⓬ 全馬平均時間計算時、分、秒三欄位資訊 5-43

06 字串的相關函數

6-1 CHAR/CODE－傳回字元集對應的字元 / 文字串第一個字元的
數字代碼 6-2

應用例 ❶ CHAR 與 CODE 函數應用 6-2

6-2 CONCATENATE－字串合併 6-4

應用例 ❷ 線上軟體登入帳號的大量生成 6-4

6-3 FIND－尋找字串 6-7

應用例 ❸ FIND()函數的各種不同實例 6-7

6-4 LEFT、RIGHT、MID－取子字串相關函數 6-9

應用例 ❹ 從識別證文字取出欄位資訊 6-10

6-5 NUMBERSTRING－將數字轉化為中文大寫 6-13

應用例 ❺ 以國字表示貨品金額 6-13

6-6 PROPER/UPPER－首字大寫及全部大寫 6-15

應用例 ❻ 將姓名首字大寫、國籍全部轉換為大寫 6-15

6-7 REPLACE、SUSTITUTE－字元取代 6-17

應用例 **7** 快速變更新舊產品編號與名稱 6-18

6-8 TEXT－將數值轉換成文字函數 6-21

應用例 **8** 各種 TEXT()函數的語法實例 6-22

6-9 REPT－依指定次數重複顯示文字 6-23

應用例 **9** 候選人看好度 6-23

6-10 CONCAT－合併來自多個範圍字串 6-24

應用例 **10** 合併來自多個範圍和 / 或字串的文字 6-25

6-11 TEXTJOIN－指定分隔符號合併文字 6-28

應用例 **11** TEXTJOIN 函數應用範例 1 6-29

應用例 **12** TEXTJOIN 函數應用範例 2 6-30

07 財務與會計函數

7-1 FV－根據固定支出以及固定利率傳回投資的未來總值 7-2

應用例 **1** 購屋準備—零存整付累積頭期款 7-2

7-2 PMT－在利率皆固定下，計算每期必須償還的貸款金額 7-5

應用例 **2** 計算每期償還的貸款金額 7-5

7-3 RATE－傳回年金的每期利率 7-7

應用例 **3** 儲蓄型保單利率試算 7-7

7-4 PV－計算出某項投資的現值 7-9

應用例 **4** 試算投資成本 7-10

7-5 PPMT－傳回投資於某期付款中的本金金額 7-13

應用例 **5** 貸款第一個月的償還本金的試算 7-13

7-6 IPMT－計算某項投資某一期應付利息 7-15

應用例 ❻ 貸款第一個月的償還利息的試算 7-15

7-7 NPER－計算某項投資的總期數 7-17

應用例 ❼ 達到儲蓄目標金額所需的期數 7-17

7-8 NPV－透過通貨膨脹比例以及現金流傳回淨現值 7-19

應用例 ❽ 保險單淨值計算 7-20

7-9 XNPV－傳回一系列現金流的淨現值 7-23

應用例 ❾ 傳回現金流量表的淨現值 7-23

7-10 IRR－傳回某一期間之內部報酬率 7-25

應用例 ❿ 評估儲蓄險的效益 7-25

7-11 CUMPRINC－計算貸款期間任何階段償還的本金值 7-27

應用例 ⓫ 已償還的貸款本金 7-27

7-12 FVSCHEDULE－經過一系列複利計算後的本利和 7-31

應用例 ⓬ 機動利率定期存款的本利和 7-31

08 資料驗證、資訊、查閱與參照函數

8-1 ASC－限定輸入半形字元 8-2

應用例 ❶ 全形的電話轉換成半形 8-2

8-2 LEN－回傳文字字串中的字元數 8-4

應用例 ❷ 限定密碼不可少於 8 位 8-4

8-3 COUNTIF－計算某範圍內符合篩選條件的儲存格個數 8-7

應用例 ❸ 不允許重複收集相同的單字 8-7

應用例 ❹ 由購買次數來判斷是否為老客戶 8-9

8-4 IS 系列資訊函數－檢查指定的值 8-11

應用例 ❺ IS 系列函數綜合應用 8-12

8-5 ROW/COLUMN－傳回參照位址列號或欄號 8-15

應用例 ❻ ROW/COLUMN 函數綜合運用 8-15

8-6 ROWS、COLUMNS－傳回陣列或參照位址中列數或欄數 8-17

應用例 ❼ ROWS/COLUMNS 函數綜合運用 8-18

8-7 TRANSPOSE－行列轉置 8-20

應用例 ❽ TRANSPOSE 函數綜合運用 8-20

8-8 HYPERLINK－跳到另一個位置或開啟檔案 8-22

應用例 ❾ 網站超連結功能實作 8-22

8-9 CELL－傳回儲存格的資訊 8-25

應用例 ❿ CELL 函數綜合運用 8-27

8-10 GET.CELL－取得儲存格（或範圍）的訊息 8-29

應用例 ⓫ 查看 Excel 不同的類型編號所取得的訊息 8-30

8-11 INFO－回傳作業環境的相關資訊 8-33

應用例 ⓬ 不同資訊類型文字的回傳結果 8-34

8-12 TYPE－傳回值的類型 8-36

應用例 ⓭ 不同引數值的 TYPE 函數回傳結果 8-36

8-13 OFFSET－傳回指定條件的儲存格參照 8-39

應用例 ⓮ 實測 OFFSET 不同引數值的回傳結果 8-39

8-14 SHEET/SHEETS－回傳工作表號碼和數目 8-41

應用例 ⓯ 實作 SHEET/SHEETS 兩者間的差別 8-41

8-15 FORMULATEXT－將公式以文字回傳 8-43

應用例 ⓰ FORMULATEXT 函數不同引數的不同回傳結果 8-43

8-16 ADDRESS 函數－取得儲存格的位址 8-45

應用例 ⓱ ADDRESS 函數不同引數的回傳結果 8-46

8-17 CHOOSE 函數－從引數值清單中傳回值 8-48

應用例 ⓲ 從類別編號自動填入書籍的類別名稱 8-49

09 綜合商務應用範例

9-1 在職訓練成績計算、排名與查詢－SUM、AVERAGE、RANK.EQ、

VLOOKUP、COUNTIF 綜合應用 9-2

9-1-1 以填滿方式輸入員工編號 9-3

應用例 ❶ 運用填滿方式來填入員工編號 9-3

9-1-2 計算總成績 9-4

應用例 ❷ 以自動加總計算總成績 9-4

9-1-3 員工成績平均分數 9-6

應用例 ❸ 計算成績平均 9-6

9-1-4 排列員工名次 9-7

應用例 ❹ 排列員工成績名次 9-7

9-1-5 查詢員工成績 9-10

應用例 ❺ 建立員工成績查詢表 9-11

9-1-6 計算合格與不合格人數 9-14

應用例 ❻ 顯示合格與不合格人數 9-14

9-2 現金流量表－NOW、TEXT、MATCH、INDEX 綜合應用 9-18

9-2-1 使用名稱管理員 9-19

應用例 ❼ 使用名稱管理員 9-20

9-2-2 使用「範圍名稱」運算 9-21

應用例 ❽ 使用「範圍名稱」運算 9-22

　　　9-2-3　設定表首日期 9-23

　　　應用例 ❾　設定表首日期 9-23

　　　9-2-4　自動顯示異常資料 9-27

　　　應用例 ❿　自動顯示異常資料 9-27

　　　9-2-5　動態月份表單製作 9-30

　　　應用例 ⓫　動態月份表單製作 9-30

10 實戰 ChatGPT 大師級函數提示技巧與範例

10-1 人工智慧的基礎 10-4

　　　10-1-1　人工智慧的應用 10-4

　　　10-1-2　人工智慧在自然語言的應用 10-5

10-2 認識聊天機器人 10-6

　　　10-2-1　聊天機器人的種類 10-7

10-3 ChatGPT 初體驗 10-9

　　　10-3-1　註冊免費 ChatGPT 帳號 10-10

　　　10-3-2　更換新的機器人 10-15

　　　10-3-3　登出 ChatGPT 10-18

10-4 ChatGPT 的正確訣竅與私房技巧 10-19

　　　10-4-1　能紀錄對話內容 10-20

　　　10-4-2　專業問題可事先安排人物設定腳本 10-20

　　　10-4-3　目前只回答 2021 年前 10-21

　　　10-4-4　善用英文及 Google 翻譯工具 10-22

　　　10-4-5　自行提供範本給 ChatGPT 參考 10-22

　　　10-4-6　限制回答內容的字數 10-24

　　　10-4-7　利用標籤指導對話的重要性 10-25

10-4-8　接續未完成的答案 10-26

10-4-9　限制語言 10-26

10-4-10　熟悉重要指令 10-27

10-4-11　充份利用其它網站的 ChatGPT 相關資源 10-28

10-5　ChatGPT 能給予 Excel 函數的用戶什麼協助 10-30

10-5-1　查詢 Excel 函數語法 10-30

10-5-2　給定任務直接提供 Excel 函數的建議 10-32

10-5-3　查詢 Excel 函數特殊色彩的代碼 10-33

10-5-4　取得 Excel 函數網路學習資源 10-34

10-5-5　尋求練習 Excel 特定函數的合適資料集 10-34

10-6　利用 ChatGPT 輕鬆學習函數提示技巧 10-36

10-6-1　「財務」類別的提示技巧與使用範例 10-37

10-6-2　「日期及時間」類別的提示技巧與使用範例 10-38

10-6-3　「數學及三角函數」類別的提示技巧與使用範例 10-39

10-6-4　「統計」類別的提示技巧與使用範例 10-40

10-6-5　「查閱及參照」類別的提示技巧與使用範例 10-42

10-6-6　「文字」類別的提示技巧與使用範例 10-43

10-6-7　「資料庫」類別的提示技巧與使用範例 10-43

10-6-8　「資訊」類別的提示技巧與使用範例 10-45

10-6-9　其它函數類別的提示技巧與使用範例 10-46

10-7　實戰 ChatGPT 的函數提示的應用案例 10-47

10-7-1　首字大寫及全部大寫提示範例 10-47

10-7-2　資料查閱提示範例 10-49

10-7-3　個資保護提示範例 10-52

10-7-4　單一及多重條件式加總提示範例 10-54

10-7-5　單一及多重篩選提示範例 10-57

資料整理相關工作技巧

A-1 儲存格及工作表實用技巧.. A-2

    A-1-1　儲存格的新增、刪除與清除.................................. A-2

    A-1-2　各種快速輸入資料的技巧.................................... A-3

    A-1-3　儲存格資料類型與格式設定................................ A-9

    A-1-4　工作表資料整理實用功能................................ A-13

A-2 合併彙算.. A-19

A-3 資料排序與資料篩選 A-21

    A-3-1　資料排序 A-21

    A-3-2　資料篩選 A-22

01

公式與函數的基礎

現代人的生活可以說跟數字息息相關，我們似乎每天都必須處理更多的數字資料與金融資訊。從公司計算利潤與損失的財務報表、會計處理大量的資產負債表、個人支票簿帳號管理、家庭預算的計畫與學生成績的統計等。

所謂的「試算表」（Spreadsheet），是一種表格化的計算軟體，它能夠以行和列的格式儲存大量資料，並藉著輸入到表格中的資料，幫助使用者進行繁雜的資料計算和統計分析，以製作各種複雜的電子試算表文件。

Excel 是常用的商業試算表軟體，透過它可以進行資料整合、統計分析、排序篩選以及圖表建立等功能。不論在商業應用上得到專業的肯定，甚至在日常生活、學校課業也處處可見。基本上，Excel 具備以下三種基本功能：

📊 電子試算表

具有建立工作表、資料編輯、運算處理、檔案存取管理及工作表列印等基本功能。

📊 統計圖表

能夠依照工作表的資料，進行繪製各種統計圖表，如直線圖、立體圖或圓形圖等分析圖表，並可透過附加的圖形物件妝點工作表，使圖表更加出色。

📊 資料分析

依照建立的資料清單，進行資料排序的工作，並將符合條件的資料，加以篩選或進行樞鈕分析等資料庫管理操作。

06
字串的相關函數

07
財務與會計函數

08
查閱與參照函數、資料驗證、資訊、

09
綜合商務應用範例

10
函數提示技巧與範例實戰 ChatGPT 大師級

A
工作技巧相關資料整理

在 Excel 中可利用公式與函數來幫我們進行數據的運算。其中「函數」就是 Excel 中預先定義好的公式,除了能夠簡化複雜的公式運算內容外,使用者也能夠更清楚儲存格內容所代表的意義。函數的基本格式如下:

▶ = 函數名稱 (引數 1, 引數 2…, 引數 N)

> **TIPS**
>
> 所謂「引數」是指要傳入函數中進行運算的內容,可以是參照位址、儲存範圍、文字、數值、其他函數等。例如=SUM(B3:E3),其中 B3、E3 則稱為引數。一般函數中的引數個數最多可達 30 個,如果函數中沒有引數,也一定要有小括號存在。

1-1-1 公式與函數的輸入方式

輸入函數有三種常見的方式,第一種直接於資料編輯列輸入函數,第二種使用函數精靈,第三種使用函數方塊,分別說明如下:

🏹 直接輸入名稱

對於常用的函數,如 SUM、IF、VLOOKUP…,或者基本的四則運算公式,我們已經非常熟悉它的語法,所以不需要透過函數庫,就可以在儲存格中輸入。只要在作用儲存格中先輸入「=」,再輸入該函數名稱及完整語法,按下鍵盤【ENTER】鍵即可。

TIPS

通常在輸入函數名稱第一個字母時，Excel 就會自動列出該字母的所有函數給你參考。你也可以將游標移到想選取的函數上方，快按滑鼠左鍵 2 下，即可插入該函數名稱。如果不確定完整語法，也可以按下資料編輯列上的「插入函數」鈕，就會開啟「函數引數」對話方塊。

從「函數庫」功能區

「公式」功能索引標籤中有一個「函數庫」功能區，其中將所有函數分門別類，你只要按下該類別的函數清單鈕，就可以找到你所需要的函數。

假設我們點選 IF 函數，則會出現 IF 函數的「函數引數」對話方塊，根據引數的條件，輸入相關數值、文字或儲存格位置，按下「確定」鈕即完成輸入函數。

06 字串的相關函數

07 財務與會計函數

08 查閱與參照函數 資料驗證、資訊、

09 綜合商務應用範例

10 函數提示技巧與範例 實戰 ChatGPT 大師級

A 工作技巧 資料整理相關

- ● 從「插入函數」對話方塊

  你可以從「公式」功能索引標籤或資料編輯列上看到 圖示鈕，這就是「插入函數」圖示鈕，按下此鈕就可以開啟「插入函數」對話方塊，按下類別旁的清單鈕，就可以依照類別找到需要的函數。

> **TIPS**
>
> 你也可以在「常用 / 編輯」功能區的「自動加總」清單鈕下方或是「函數庫」各分類函數清單鈕最下方，找到開啟「插入函數」對話方塊的祕密通道。

01
....
公式與函數的基礎

02
....
數值運算的相關函數

03
....
邏輯與統計函數

04
....
常見取得資料的函數

05
....
日期與時間函數

 使用函數方塊

除了使用「插入函數」視窗來插入函數外，利用「函數方塊」功能也是一種常用的方法。

❷ 名稱方塊變為函數方塊，按此鈕會顯示最近使用過的函數清單

❸ 若找不到合適的函數請選取「其他函數」

❶ 選取 F12 儲存格，並輸入「=」

1-1-2 公式形式的分類

Excel 的公式形式可以分為以下三種：

公式形式	功能說明	範例說明
數學公式	這種公式是由數學運算子、數值及儲存格位址組成。	=C1*C2/D1*0.5
文字連結公式	公式中要加上文字，必須以兩個雙引號 (") 將文字括起來，而文字中的內容互相連結，則使用 (&) 符號。	="平均分數"&A1
比較公式	是由儲存格位址、數值或公式兩相比較的結果。	=D1>=SUM(A1:A2)

公式型態中最簡單的一種，主要是使用「＋」、「－」、「×」、「÷」、「％」、「＾」（次方）算術運算所求出來的值。例如 A1=A2+A3-A4。比較公式，也是公式型態的一種，主要由儲存格位址、數值或公式兩相比較的結果，通常為「True」真值或「False」假值的邏輯值，常見比較算式符號有「＝」、「＜」、「＞」、「＜＝」、「＞＝」、「＜＞」。

06 字串的相關函數

07 財務與會計函數

08 查閱與參照函數、資料驗證、資訊、

09 綜合商務應用範例

10 函數提示技巧與範例 實戰 ChatGPT 大師級

A 工作技巧 資料整理相關

1-1-3 函數的查詢與分類

在職場上，不管是人資、會計或總務的管理，經常都會運用到公式或函數的運算。像是會計帳務系統、薪資計算管理、進銷存管理、資產管理、股務管理…等，都需要運用到公式與函數。

Excel 的內建函數有多個類別，例如：財務、日期與時間、數學與三角函數、統計、檢視與參照、資料庫、文字、邏輯、資訊、工程、Web…等。

函數的種類那麼多，對於不常使用的函數難免會忘記它叫什麼名字，這時候我們就可以開啟「插入函數」對話方塊，在上面刊登尋人啟事，輸入出它的特徵，Excel 就會幫我們找出可能的人選。

在「搜尋函數」處輸入想要函數的關鍵字，類別處要選擇「全部」，按下「開始」鈕。下方就會出現建議採用的函數，點選需要的函數按下「確定」鈕即可插入該函數。

01
.....
公式與函數的基礎

02
.....
數值運算的相關函數

03
.....
邏輯與統計函數

04
.....
常見取得資料的函數

05
.....
日期與時間函數

儲存格參照位址

儲存格的名稱是根據直的欄名（英文）和橫的列號（數字）交叉位置而命名，也就是我們常說的 A1、B2... 儲存格。單一儲存格在選取之後，會在資料編輯列上顯示該儲存格的位置名稱。而一個連續的儲存格範圍，通常會用最左上角和最右下角的儲存格作為起訖範圍的參照名稱，例如 B2:E5。

而要將儲存格運用在公式中，必須十分了解儲存格參照位置，才能正確的使用。儲存格參照位置大致可分成「相對參照」、「絕對參照」及「混合參照」三種模式。

1-2-1 相對參照

在預設的情況之下，都是採用「相對參照」模式。也就是說在公式運用上儲存格位置會視情況而做相對改變。

舉例說明：在 C2 儲存格輸入公式「=B2*4」，當我們使用拖曳的方法，複製 C2 儲存格公式到 C5 儲存格，這時候 C3 儲存格公式會變成「=B3*4」、C4 會變成「=B4*4」，而 C5 則變成「=B5*4」；這種因為相對應位置而改變儲存格位置的參照模式即為「相對參照」。

06 字串的相關函數

07 財務與會計函數

08 查閱與參照函數、資料驗證、資訊、

09 綜合商務應用範例

10 函數提示技巧與範例 實戰 ChatGPT 大師級

A 資料整理相關 工作技巧

1-2-2 絕對參照

但是有時候我們反而不希望參照位置任意改變，尤其在固定利率或比例的時候，這時候就要適時使用「絕對參照」。

舉例來說：保險費率是 1.91%，我們要計算不同投保金額所要繳交的保險費。這時候在 B2 儲存格輸入公式「=A2*C2」，當我們使用拖曳的方法，複製 B2 儲存格公式到 B5 儲存格，這時候 B3:B5 會因為相對參照而計算不出金額。

如果在 B2 儲存格公式「=A2*C2」中表示費率的 C2 儲存格，欄名及列號前面各加上一個「$」錢號，就可以鎖定儲存格位置，變成「絕對參照」模式。所以將 B2 儲存格公式改成「=A2*$C$2」，再試一次看有什麼不同。

如果覺得手動輸入「$」符號太遜了，告訴你一個屬害的撇步。就是在要鎖定的參照位置上，按下鍵盤上的【F4】鍵，Excel 就會幫我們加上「$」錢號。

1-2-3 混合參照

儲存格位置是由欄名和列號組合而成，如果只有欄名或列號前方被加上「$」錢號，就是「混合參照」。

以 A1 儲存格為例，當我們第一次按下鍵盤【F4】鍵時，儲存格位置會變成「$A$1」的絕對參照；再一次按下【F4】鍵時，儲存格位置會變成「A$1」；再按【F4】鍵時，又會變成「$A1」；第四次按【F4】鍵時，最後又變回「A1」儲存格位置，如此循環。

其中「A$1」和「$A1」就是「混合參照」。「A$1」是鎖定列號，當橫向（欄）要變，直向（列）不變時，要選擇此項；反之，「$A1」則是鎖定欄名，即當橫向（欄）不變，直向（列）要變時的選擇。

06

字串的相關函數

07

財務與會計函數

08

查閱與參照函數

資料驗證、資訊、

09

綜合商務應用範例

10

函數提示技巧與範例

實戰 ChatGPT 大師級

A

工作技巧

資料整理相關

運算子介紹

在公式與函數常會用到運算子，如能充份熟悉這些運算子的功能與角色，會幫助各位有效解決各種運算的問題。

1-3-1 運算子的分類

EXCEL 運算子的主要分類包括：算術運算子、比較運算子、文字運算子與參照運算子，接著就我們就分門別類來介紹這些運算子：

算術運算子

若要執行像是合併數字，以及產生數字結果等，請使用下列。
算術運算子是屬於基本的數學運算，例如：加法、減法、乘法或除法，如下表所示。

算術運算子	功能說明	範例	結果值
+	執行加法運算	=9+2	11
-	執行減法運算	=9-2	7
	或是負數	=-8	-8
*	執行乘法運算	=9*2	18
/	執行除法運算	=9/3	3
%	百分比	%100	100%
^	乘冪	=4^2	16

比較運算子

比較運算子是用來比較兩個值的大小關係或是否相等。當使用這些運算子來比較兩個值時，結果會是邏輯值 TRUE 或 FALSE，例如下例中若 A1 儲存格值為10，B1 儲存格值為 9，則結果會呈現如下表所示。

比較運算子	功能說明	儲存格公式輸入	結果值
=	等於	=A1=B1	FALSE
>	大於	=A1>B1	TRUE
<	小於	=A1<B1	FALSE
>=	大於或等於	=A1>=B1	TRUE
<=	小於或等於	=A1<=B1	FALSE
<>	不等於	=A1<>B1	TRUE

🎁 文字運算子

使用 & 符號可以將一個或多個文字字串連接起來,以產生單一的一段文字。

▶ = "Happy" & "Birthday" 的結果為「Happy Birthday」。

又如 A1 為「Peter」而 B1 為「Anderson」時,「=A1&", "&B1」會產生「Peter, Anderson」。

🎁 參照運算子

參照運算子有:(冒號)、,(逗號)及(空格)三種,這三個運算子的功能及範例說明如下:

- :(冒號)

  稱為範圍運算子,可以將一個參照擴大到兩個參照之間(包含這兩個參照)的所有儲存格。例如「A1:A10」。

- ,(逗號)

  聯集運算子,可以將多個參照合併成一個參照,例如「=SUM (A1:B8, D1:E8)」,如右圖的範圍所示:

- （空格）

  交集運算子，產生一個儲存格參照，其參照的儲存格為兩個參照交集的儲存格，例如：「=B5:D7 C4:C5」，其交集就是 C5 儲存格。

1-3-2 運算子的優先順序

公式會依照特定的順序來計算值。Excel 中的公式永遠都是以等號（=）開頭，等號會和 Excel 後的字元構成公式。此等號之後，可以在運算數（計算一系列）中以計算運算子分隔。Excel 會根據公式中運算子的特定順序，由左至右計算公式。

當運算式使用超過一個運算子時，就必須考慮運算子優先順序。基本上，四則（+-*/）運算的運算子，使用者比較不容易弄錯，但是如果再結合其他運算子，就必須清楚運算子的優先順序。通常運算子是會依照其預設的優先順序來進行計算，但是也可利用「()」括號來改變優先順序。以下是各種運算子計算的優先順序：

運算子	補充說明
:（冒號） （單一空格） ,（逗號）	參照運算子
–	負（如在 -8 中）
%	百分比
^	乘冪
* 和 /	乘和除
+ 和 -	加和減
= < > < = > = < >	比較運算子

06 字串的相關函數

07 財務與會計函數

08 查閱與參照函數、資料驗證、資訊、

09 綜合商務應用範例

10 函數提示技巧與範例 實戰 ChatGPT 大師級

A 工作技巧 資料整理相關

Section 1-4 ▶ 公式的複製

使用函數公式時，多半都是使用儲存格位置作為運算基礎，如果輸入函數公式使用相對參照位置（A2），當使用填滿控點填滿公式時，公式參照位置會隨著儲存格變化而相對改變。例如：E2=C2*D2，將公式填滿至 E3 後，公式變成C3*D3，並顯示計算後的值。（參考範例：formula.xlsx）

混合資料文字複製，數字遞增

	A	B	C	D	E
1	項次	產品編號	定價	數量	總金額
2	1	ENG001	1200	10	12000
3	2	ENG002	1400	10	14000
4	3	ENG003	1600	10	16000
5	4	ENG004	1750	10	17500
6	5	ENG005	2150	10	21500

公式參照位置相對改變為
C3*D3

讓數字遞增，拖曳同時按「Ctrl」鍵

純數字拖曳只會填入相同的數字

06 字串的相關函數

07 財務與會計函數

08 查閱與參照函數、資料驗證、資訊、

09 綜合商務應用範例

10 函數提示技巧與範例 實戰ChatGPT大師級

A 工作技巧 資料整理相關

陣列的使用

Excel 中的陣列經常被使用在簡化運算的公式，常數陣列以「{ }」含括，其中的元素可以是相同資料型態，也可以是不同資料型態。首先我們先從常數陣列開始談起，常數陣列可以分為一維陣列及二維陣列。

一維陣列又可以分為水平一維陣列及垂直一維陣列，接著我們就先從水平一維陣列開始介紹，常數水平陣列即相當於同一列之不同欄的儲存格構成，用「,」分隔，我們直接以下圖來進行說明：

	A	B	C	D
1	1	3	5	7
2	one	two	three	four
3	TRUE	TRUE	FALSE	FALSE
4	110/2/3	110/2/4	110/2/5	110/2/6
5	1	one	TRUE	110/2/3

❶ {1,3,5,7} 即儲存儲存格 A1:D1

❷ 文字組成元素
{"one","two","three","four"}

❸ 邏輯值組成元素
{TRUE,TRUE,FALSE,FALSE}

❹ 日期組成元素
{110/2/3,110/2/4,110/2/5,110/2/6}

❺ 不同資料型態組成元素，
{1,"one",TRUE,110/2/3}

但是如果是常數垂直陣列，就等同一欄之不同列的儲存格構成，則是用「;」分隔。我們直接以下圖來進行說明：

	A	B
1	5	five
2	6	six
3	7	seven
4	8	eight

{5;6;7;8}，相當於圖中的儲存格 A1:A4

{"five";"six";"seven";"eight"}

看完了一維陣列的說明後,接著來看二維陣列的說明及例子。

	A	B	C
1	二維陣列		
2			
3	範例1		
4	1	2	
5	3	4	
6	5	6	
7			
8	範例2		
9	1	one	
10	2	two	
11	3	three	
12			
13	範例3		
14	1	TRUE	TRUE
15	2	TRUE	FALSE
16	3	FALSE	TRUE
17	4	FALSE	FALSE

陣列表達方式 {1,2;3,4;5,6}

陣列表達方式 {1,"one";2,"two";3,"three"}

陣列表達方式
{1,TRUE,TRUE;2,TRUE,FALSE;3,FALSE,TRUE;4,FALSE,FALSE}

使用常數陣列進行運算時,要自行輸入「{ }」,如果使用儲存格陣列時,在輸入完成時,要按 Ctrl+Shift+Enter 鍵,由系統自行加入「{ }」。例如:

▶ =SUM(4*{1,3,5,7}) =4+12+20+28 =64

相當於上面水平陣列公式:{=SUM(4*A1:D1)},在輸入完成時,要按 Ctrl+Shift+Enter 鍵。

06
字串的相關函數

07
財務與會計函數

08
查閱與參照函數、
資料驗證、資訊、

09
綜合商務應用範例

10
函數提示技巧與範例
實戰 ChatGPT 大師級

A
工作技巧
資料整理相關

於公式用已定義名稱

在「公式 \ 已定義之名稱」功能區中，有一個「用於公式」的指令，當我們定義好的範圍名稱，都可以在這個功能的清單鈕下找到，以方便我們加以利用。假設要在 D1 儲存格計算 E1+E2 儲存格的值，我們可以在 D1 儲存格使用 SUM 函數，在函數引數中按下「用於公式」清單鈕，選擇「一生一世」名稱。

所以「=SUM(一生一世)」計算出來的結果會是「27」（此處理假設已將下圖中的 E1:E2 儲存格範圍定義為「一生一世」）。

我們再舉一個例子，你有沒有見過資料編輯列上有一堆文字，居然可以計算出數值？「就是」+「白癡」+「我愛你」，居然會等於「94」+「87」+「520」三個數字相加？難道說 Excel 已經進化到只要輸入數字密碼，就能自動解開並加以計算？

其實 Excel 還沒 AI 智慧化，只是我使用了「定義名稱」這個功能，把儲存格取個名字，再來進行運算而已。這不是太麻煩了？一個儲存格還要取名字，直接把數字加加減減就好。如果一個名稱可以代表 100 個儲存格，甚至 1 萬個儲存格，你還會嫌它太麻煩嗎？

1-6-1 定義名稱

定義名稱的方法有很多種，最常用的方法就是切換到「公式」功能索引標籤，在「已定義之名稱」功能區中，執行「定義名稱」指令。開啟「新名稱」對話方塊，輸入名稱「一生一世」、範圍選擇預設的「活頁簿」、參照到目前選取的「E1」儲存格，按下「確定」鈕即可。

定義名稱有三個重要因素：名稱、儲存格位置及適用範圍。一般來說，定義名稱只能用在當下的活頁簿檔案，但是可以參照到其他活頁簿的儲存格位置，而且名稱不能為阿拉伯數字。

06
字串的相關函數

07
財務與會計函數

08
查閱與參照函數、
資料驗證、資訊、

09
綜合商務應用範例

10
函數提示技巧與範例
實戰 ChatGPT 大師級

A
工作技巧
資料整理相關

1-6-2 從範圍選取

遇到有規律的表格，要將所有標題列（欄）當作是範圍名稱，就不需要像上述方法慢慢定義。我們可以利用「從範圍選取」功能，一次定義很多個名稱。先選取帶有標題名稱的儲存格範圍，接著從「公式\已定義之名稱」功能區中，執行「從選取範圍建立」指令。

開啟「以選取範圍建立名稱」對話方塊，只要勾選「最右欄」作為名稱，按下「確定」鈕即可。

1-6-3 名稱管理員

「名稱管理員」顧名思義就是用來管理已定義名稱的地方。在這裡不但可以看到所有已經定義的範圍名稱外，還可以新增、編輯和刪除範圍名稱。可以從「公式\已定義之名稱」功能區中，執行「名稱管理員」指令；或按快速鍵【Ctrl】+【F3】鍵，開啟「名稱管理員」對話方塊。按下「新增」鈕，即可另外開啟「新名稱」對話方塊，則可照一般定義名稱方式處理。

1-6-4 修改定義名稱

「人有失手、馬有亂蹄」有時候難免會參照到錯誤的儲存格，或是要增加參照範圍，這時候就需要「名稱管理員」出馬。

若「一生一世」名稱不是要參照 1 個儲存格，而是要 2 個儲存格。按快速鍵【Ctrl】+【F3】鍵，開啟「名稱管理員」對話方塊，選擇名稱「一生一世」，按下參照到旁的 ⬆「展開」鈕；重新選擇參照範圍「E1:E2」，再按下 ⬇「摺疊」鈕；最後確認新的參照位置，按下 ✅「確認」鈕完成修改參照位置。

06 字串的相關函數

07 財務與會計函數

08 查閱與參照函數、資料驗證、資訊、

09 綜合商務應用範例

10 函數提示技巧與範例 實戰 ChatGPT 大師級

A 工作技巧 資料整理相關

<table>
<tr><td>Section</td></tr>
</table>

| Section 1-7 | 常見公式的錯誤值 |

在 Excel 中,各種運算如果發生錯誤,都會以錯誤代碼來表示。參考下表:

錯誤代碼	錯誤原因
#####	此表示欄的寬度不夠,無法顯示所有內容。
#DIV/0!	當某個數字除以零 (0) 或除數儲存格未內含值時,會出現這個錯誤代碼。
#N/A	此錯誤表示某個函數或公式無法取得某個值。
#NAME?	無法辨識公式中的文字。
#NULL!	指定兩個不相交的交集儲存格範圍,就會出現該錯誤。
#NUM!	表示公式或函數中有無效的數值。
#REF!	儲存格參照無效時。
#VALUE!	使用錯誤類型的引數或運算元。

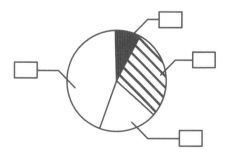

01
....
公式與函數的基礎

02
....
數值運算的相關函數

03
....
邏輯與統計函數

04
....
常見取得資料的函數

05
....
日期與時間函數

選取含有公式的儲存格

當然你可以執行「特殊目標」指令,再選擇「公式」,來找到含有公式的儲存格。但是 Excel 很貼心的將幾個常用的特殊目標,如公式、註解、設定格式化條件、常數和資料驗證等 5 項另外獨立出來,方便使用者快速找到指令。

假設我們要找工作表中,含有「公式」公式的儲存格,只要在「常用 / 編輯」功能區,按下「尋找與選取」清單鈕,執行「公式」指令。Excel 就會選取含有公式的儲存格範圍。

06 字串的相關函數

07 財務與會計函數

08 查閱與參照函數、資料驗證、資訊、

09 綜合商務應用範例

10 函數提示技巧與範例 實戰 ChatGPT 大師級

A 工作技巧相關 資料整理相關

公式稽核

公式稽核這個功能會使用的人不多，它最主要是用來了解儲存格和公式之間的關係，一般人都是自己設定公式自己用，所以公式參照到哪一個儲存格都非常清楚，但是公務體系下工作時常要輪調，雖說蕭規曹隨，對於接手新工作時，了解清楚工作範圍的來龍去脈，也是十分重要。

1-9-1 前導參照

如果看到某一儲存格公式中，含有很多其他參照的儲存格，為了要了解哪些儲存格被利用到，不妨切換到「公式」索引標籤中，在「公式稽核」功能區中，執行「追蹤前導參照」指令。此時就會知道，這個儲存格參照哪幾個儲存格的資料。

1-9-2 從屬參照

反之,如果我們想知道這個儲存格被哪些儲存格參照,就要執行「追蹤從屬參照」指令。

1-9-3 移除箭號

當工作表被太多從屬或前導箭號所淹沒時,勢必要好好的清理一番,此只要執行「移除箭號」指令即可清除所有的箭號。

06
字串的相關函數

07
財務與會計函數

08
查閱與參照函數、資訊、資料驗證、資訊、

09
綜合商務應用範例

10
函數提示技巧與範例
實戰 ChatGPT 大師級

A
工作技巧相關
資料整理相關

Section
1-10
顯示公式

想知道工作表中有哪些儲存格背後隱藏的是公式，又不想大海撈針的猜猜看，這時候就要利用「公式 / 公式稽核」功能區中的「顯示公式」指令，讓所有包含公式的儲存格無所遁形。

另外一般在儲存格中顯示公式的結果值，在資料編輯列上參考公式，是非常理所當然的事情，但是我們也可以設定在儲存格中顯示公式。

只要在「Excel 選項」對話方塊的「進階」索引標籤中，「此工作表的顯示選項」區塊選擇勾選「在儲存格中顯示公式，而不顯示計算的結果」即可。

顯示值

顯示公式

02
常用計算函數

數值運算在 Excel 中是一項應用性相當高的功能，本章將針對如何加總、小計、各種進位方式、四則運算、取大小值…等實用函數作介紹，熟悉了這些實用函數的功能及函數引數的設定方式，就可以幫助各位輕鬆感受到 Excel 如何幫助解決生活中大小事。

Section
2-1

SUM
數值加總

這個函數常應用在分數的計算或薪資的加總，有關於數值的加總的任何生活上的應用，都可以輕易利用這個函數達到目的。

▷ SUM 函數

- ▸ **函數說明**：就是加總函數，可以加總指定儲存格範圍內的所有數值。
- ▸ **函數語法**：SUM(number1:number2)
- ▸ **引數說明**：函數中 number1 及 number2 代表來源資料的範圍。例如：SUM (A1:A10) 即表示從 A1+A2+A3... 至 +A10 為止。SUM 函數引數中，選取要加總的儲存格範圍，若是不連續的儲存格則使用「,」區隔即可。

應用例 ❶ 以自動加總計算總成績 ⋯⋯⋯⋯⋯⋯⋯⋯⋯⋯⋯⋯⋯⋯⋯⋯⋯⋯⋯⋯⋯⋯

請建立一個在職訓練的各科分數的工作表，並以 SUM()函數加總各科的總分。

範例 檔案：在職訓練.xlsx

操作說明

❷ 點選「自動加總」鈕旁的下拉鈕，並執行「加總」指令

❶ 選 G2 儲存格

Excel 自動偵測出計算範圍，確定為正確計算範圍後，按下「Enter」鍵

❶ 選 G2 儲存格，並將滑鼠指標移至 G2 儲存格右下角

❷ 當指標變為 ✚ 圖示時，按住滑鼠左鍵往下拖曳至 G13 儲存格

在任一儲存格按一下滑鼠左鍵，每位員工的總分已經計算出來了！

06 字串的相關函數

07 財務與會計函數

08 查閱與參照函數
資料驗證、資訊、

09 綜合商務應用範例

10 函數提示技巧與範例
實戰 ChatGPT 大師級

A 工作技巧相關
資料整理相關

Section
2-2

AVERAGE / AVERAGEA
數值平均 / 所有值平均

AVERAGE()是屬於「統計」類別的函數，使用方法和 SUM 函數相同。常應用在分數或薪資的平均。AVERAGEA()函數與 AVERAGE()函數的不同的地方是，AVERAGE()函數會將數值以外的邏輯值或文字忽略，但是 AVERAGEA()函數則會將數值以外的邏輯值或文字一起納入平均值的計算，也就是說，如果要將計算平均的儲存格範圍包括文字，則會將該儲存格以 0 計，並一併納入平均值的計算。

▶ AVERAGE 函數

▶ 函數說明：就是平均值函數，可以算出指定儲存格範圍內的所有數值的平均值。

▶ 函數語法：AVERAGE(number1,[number2],....)

▶ 引數說明：函數中 number1 及 number2 代表來源資料的範圍。例如：AVERAGE
(A1:A10) 即表示從 A1+A2+A3... 至 +A10 為止。使用 AVERAGE()
函數與使用 SUM()函數的方法雷同，只要先選取好儲存格，再按
下自動加總鈕並執行「平均」指令即可。

▶ AVERAGEA 函數

▶ 函數說明：計算一串引數的平均數（算術平均數），這個函數的主要功能是
計算引數清單中所有非空白儲存格數值的平均值。

▶ 函數語法：AVERAGEA(value1,value2,...)

▶ 引數說明：value1,value2,...：為第 1 至第 30 個儲存格、儲存格範圍，或是
欲計算平均的數值。

06 字串的相關函數

07 財務與會計函數

08 查閱與參照函數、資料驗證、資訊、

09 綜合商務應用範例

10 函數提示技巧與範例 實戰 ChatGPT 大師級

A 工作技巧 資料整理相關

應用例 ❷ 以自動加總計算總成績平均

請延續上一節範例來說明，並以 AVERAGE() 函數加總各科的平均。

範例 檔案：在職訓練.xlsx

操作說明

❶ 選取 H2 儲存格

❷ 點選「自動加總」鈕旁的下拉鈕，並執行「平均值」指令

將 AVERAGE 函數中的資料範圍 (B2:G2) 改為 (B2:F2)，並按下「Enter」鍵

❶ 拖曳 H2 儲存格右下角的填滿控點至 H13 儲存格

❷ 按填滿控點智慧標籤鈕並點選「填滿但不填入格式」的選項

總平均的格式以原來設定模式呈現

應用例 ❸ 忽略空白儲存格來計算平均成績

範例 檔案：averagea.xlsx

操作說明

開啟範例檔案，已建立好如圖的內容

於 F3 儲存格，輸入計算平均成績的公式 =AVERAGEA(B3:E3)，接著按下 ENTER 鍵

已計算出第一位員工的平均成績

06 字串的相關函數

07 財務與會計函數

08 查閱與參照函數、資料驗證、資訊、

09 綜合商務應用範例

10 函數提示技巧與範例實戰 ChatGPT 大師級

A 工作技巧相關資料整理

	A	B	C	D	E	F
1	新進員工教育訓練					
2	員工姓名	文書處理技巧	資訊搜尋與整理	簡報製作	公司企業文化	平均成績
3	楊怡芳	90		96	87	91
4	金世昌	86	84		94	88
5	張佳蓉	94	85	84	無理由缺考	65.75
6	鄭宛臻	62	95	86	94	84.25
7	黃立伶	65	96	97	86	86
8	許夢昇	90	94	95	85	91
9	陳心邦	95	86	96	作弊	69.25
10						

❶ 將作用儲存格移動到 F3 儲存格

❷ 拖曳該儲存格右下方的填滿控點到 F9，以進行公式的複製

	A	B	C	D	E	F
1	新進員工教育訓練					
2	員工姓名	文書處理技巧	資訊搜尋與整理	簡報製作	公司企業文化	平均成績
3	楊怡芳	90		96	87	91
4	金世昌	86	84		94	88
5	張佳蓉	94	85	84	無理由缺考	65.75
6	鄭宛臻	62	95	86	94	84.25
7	黃立伶	65	96	97	86	86
8	許夢昇	90	94	95	85	91
9	陳心邦	95	86	96	作弊	69.25

從最終的平均值可以看出，像「無理由缺考」、「作弊」等文字會以 0 計，並一併納入平均值的計算結果

2-7

PRODUCT、SUMPRODUCT
數值乘積計算

PRODUCT、SUMPRODUCT 這兩個函數都是用來計算乘積,其中 PRODUCT 是用來求數值相乘的值,而 SUMPRODUCT 則可以指定陣列中所有對應儲存格乘積的總和。

▷ PRODUCT 函數

▸ **函數說明**:將所有引數數值相乘,然後傳回乘積。

▸ **函數語法**:PRODUCT(number1,number2,...)

▸ **引數說明**:number1,number2,...:為 1 到 30 個想求得乘積的引數數值。

▷ SUMPRODUCT 函數

▸ **函數說明**:傳回指定陣列中所有對應儲存格乘積的總和。

▸ **函數語法**:SUMPRODUCT(array1,[array2],[array3],...)

▸ **引數說明**: · array1(必要):指定儲存格乘積和的第一個陣列引數。

　　　　　　　 · array2, array3,...(選用):儲存格乘積和的第 2 個到第 255 個陣列引數。

應用例 ④ ▸ 求取商品銷售總額 -○

請利用 PRODUCT 加總訂購數量、書籍價格及折數,來求取各產品銷售總額。

範例 檔案:product.xlsx

操作說明

選取 E4 儲存格,輸入「=PRODUCT(B4:D4)」後按下 ENTER 鍵

以拖曳複製公式就可
以求得各產品的銷售
總金額

應用例 ❺ ▸ 求取對應儲存格商品銷售總額

請利用 SUMPRODUCT 求取商品庫存品總金額。

範例 檔案：sumproduct.xlsx

操作說明

選取 C10 儲存格，輸入
「=SUMPRODUCT (B4:
B8,C4:C8)」後按下
ENTER 鍵

計算出總庫存金額

06

字串的相關函數

07

財務與會計函數

08

查閱與參照函數
資料驗證、資訊、

09

綜合商務應用範例

10

函數提示技巧與範例
實戰 ChatGPT 大師級

A

工作技巧
資料整理相關

Section
2-4 ▶ **SUBTOTAL**
清單小計

這個函數可以依指定的小計方法來計算出指定範圍各種函數的值，例如：求和、平均值、數字計數、求最大最小、非空單元格計數、最大值、最小值等等足有 11 個功能之多。學好這個函數，你將輕鬆擁有完成 11 種簡單統計的技巧。

▶ **SUBTOTAL 函數**

▶ 函數說明：傳回一個清單或資料庫內的小計。一般都是使用「資料」功能表上的「小計」命令，便可以很容易地建立帶有小計的清單。一旦小計清單建立後，就可以用 SUBTOTAL 函數來修改。

▶ 函數語法：SUBTOTAL(function_num,ref1,ref2,...)

▶ 引數說明：function_num：數字 1 到 11，（包括隱藏的值）或 101 到 111（忽略隱藏的值），用以指定要用下列哪一個函數來計算清單中的小計。這些數字與函數的對應如下：

- 1 AVERAGE 求平均值
- 2 COUNT 求個數
- 3 COUNTA 求非空白個數
- 4 MAX 求最大值
- 5 MIN 求最小值
- 6 PRODUCT 求乘積
- 7 STDEV.S 求樣本的標準差
- 8 STDEV.P 求標準差
- 9 SUM 求總和
- 10 VAR.S 求樣本的變異數
- 11 VAR.P 求樣本的變異數

06
字串的相關函數

07
財務與會計函數

08
查閱與參照函數
資料驗證、資訊、

09
綜合商務應用範例

10
函數提示技巧與範例
實戰 ChatGPT 大師級

A
工作技巧
資料整理相關

應用例 ⑥ ▶ 針對篩選的項目進行總數小計 ---------------------○

請結合篩選功能與 SUBTOTAL 的小計功能，將所篩選的項目在所指定的範圍內
的值進行加總。

範例 檔案：subtotal.xlsx

操作說明

於 C14 儲存格，輸入計算庫存總量的
公式 =SUBTOTAL(9,C3:C12)

❶點選任一儲存格使
其成為作用儲存格

❷按「資料 / 篩選」
鈕

❶ 點選書名右側的篩選鈕，再核取和行銷類相關的書籍

❷ 按下「確定」鈕

合計金額只會將所篩選出來的書籍數量進行加總

06 字串的相關函數

07 財務與會計函數

08 查閱與參照函數、資料驗證、資訊、

09 綜合商務應用範例

10 函數提示技巧與範例 實戰 ChatGPT 大師級

A 工作技巧 資料整理相關

MIN / MAX
最小值、最大值

這兩個函數可用來求取一組數的最大值及最小值，常被應用在求取最高分數或求取最佳銷售數量等商業應用的範例。

▷ MAX 函數

- ▸ 函數說明：傳回一組數值中的最大值。
- ▸ 函數語法：MAX(number1,number2,...)
- ▸ 引數說明：number1,number2,...：欲計算最大值的 1 到 30 個數字引數。

▷ MIN 函數

- ▸ 函數說明：傳回一組數值中的最小值。
- ▸ 函數語法：MIN(number1,number2,...)
- ▸ 引數說明：number1,number2,...：欲計算最小值的 1 到 30 個數字引數。

應用例 ❼ ▸ 全班各科分數最高分及最低分 ------------------------○

請利用 MAX 及 MIN 函數來求取全班段考成績各科的最高分及最低分。

範例 檔案：score.xlsx

[操作說明]

於 B10 儲存格，輸入計算最高分的公式
=MAX(B2:B8)

2-13

	A	B	C	D	E	F	G	H
1	姓名	數學	英文	國文				
2	胡恩誥	89	95	86				
3	張弘奇	98	94	90				
4	朱正富	85	85	58				
5	郭台強	24	64	47				
6	許大貴	69	46	92				
7	莊士民	87	97	87				
8	邱啟天	54	32	76				
9								
10	最高分	98						
11	最低分	=MIN(B2:B8)						

工作表1

於 B11 儲存格，輸入計算最低分的公式
=MIN(B2:B8)

	A	B	C	D	E	F	G	H
1	姓名	數學	英文	國文				
2	胡恩誥	89	95	86				
3	張弘奇	98	94	90				
4	朱正富	85	85	58				
5	郭台強	24	64	47				
6	許大貴	69	46	92				
7	莊士民	87	97	87				
8	邱啟天	54	32	76				
9								
10	最高分	98						
11	最低分	24						

工作表1

以填滿控點拖曳複製公式

	A	B	C	D	E	F	G	H
1	姓名	數學	英文	國文				
2	胡恩誥	89	95	86				
3	張弘奇	98	94	90				
4	朱正富	85	85	58				
5	郭台強	24	64	47				
6	許大貴	69	46	92				
7	莊士民	87	97	87				
8	邱啟天	54	32	76				
9								
10	最高分	98	97	92				
11	最低分	24	32	47				

工作表1

分別計算出各科的最高分及最低分

06
字串的相關函數

07
財務與會計函數

08
查閱與參照函數、資訊、資料驗證、資訊

09
綜合商務應用範例

10
函數提示技巧與範例實戰 ChatGPT 大師級

A
工作技巧資料整理相關

<table>
<tr><td>Section
2-6</td><td>ROUND、ROUNDUP、
ROUNDDOWN、INT
四捨五入、無條件進位、無條件捨去、取整數</td></tr>
</table>

這幾個函數的功能相近，ROUND 依所指定的位數將數字四捨五入。ROUNDUP 將數值做無條件進位。ROUNDDOWN 則是將數值作無條件捨去。而 INT 函數的功能為傳回不超過原數值的最大整數，小數點以下的位數無條件捨去，例如：INT(5.3)=5。但是如果 INT 函數所傳入的引數為負數時，則除了捨去小數點以下的位數外，還會傳回不大於原數值的最大整數，例如：INT(-5.3)=-6。INT 函數常被應用在需要取整數的應用，例如單位為 1 元的商品，如果經打折後得到的優惠價有小數點，此時就可以利用 INT 函數來取得小數位數無條件捨去後之整數值。

▷ ROUND 函數

- ▸ **函數說明**：依所指定的位數將數字四捨五入。
- ▸ **函數語法**：ROUND(number,num_digits)
- ▸ **引數說明**： · number：欲執行四捨五入的數字。
  - · num_digits：執行四捨五入時所指定的位數。

▷ ROUNDUP 函數

- ▸ **函數說明**：將數值做無條件進位。
- ▸ **函數語法**：ROUNDUP(number,num_digits)
- ▸ **引數說明**： · number：要無條件進位的任何實數。
  - · num_digits：做無條件進位時所採用的位數。

▷ ROUNDDOWN 函數

- ▸ **函數說明**：將數值作無條件捨去。
- ▸ **函數語法**：ROUNDDOWN(number,num_digits)

▸ 引數說明： · number：要無條件捨去的任何實數。

· num_digits：做無條件進位時所採用的位數。

> **INT 函數**

▸ 函數說明：傳回不超過原數值的最大整數，小數點以下的位數無條件捨去。

▸ 函數語法：INT(number)

▸ 引數說明：number：要無條件捨去成為一整數的實數。

應用例 ⑧ 將商品折扣價格以三種函數取捨進位

請將商品折扣後的價格，以這三種函數來取捨進位，並實際比較這三種函數的差異。

[範例] 檔案：round.xlsx

[操作說明]

於 F4 儲存格，輸入公式 =ROUND(E4,0)

以填滿控點拖曳複製公式

於 G4 儲存格，輸入公式 =ROUNDUP(E4,0)，再以填滿控點複製公式到 G8

於 H4 儲存格，輸入公式 =ROUNDDOWN (E4,0)，再以填滿控點複製公式到 H8

從完成的工作表就可以比較出這三種函數在功能上的差異

> **TIPS**
>
> 此例 H4 儲存格的公式 =ROUNDDOWN(E4,0) 功能等同於取整數的功能，各位也可以用 =INT(E4) 替代。

06 字串的相關函數

07 財務與會計函數

08 查閱與參照函數、資料驗證、資訊、

09 綜合商務應用範例

10 函數提示技巧與範例實戰 ChatGPT 大師級

A 工作技巧相關資料整理

Section 2-7 ▶ CEILING、FIXED
以指定倍數無條件進位、四捨五入並標示千分符號

CEILING 函數傳回最接近進位基準值無條件進位的倍數。而 FIXED 函數則是將一個數字四捨五入到指定的小數位數，並將數字轉換成文字。

▷ CEILING 函數

▸ **函數說明**：傳回最接近進位基準值無條件進位的倍數。

▸ **函數語法**：CEILING(number,significance)

▸ **引數說明**：· number：要四捨五入的數值。

· significance：要四捨五入的倍數。

▷ FIXED 函數

▸ **函數說明**：將一個數字四捨五入到指定的小數位數，同時可以讓使用者決定是否標示千分符號，並將數字轉換成文字。

▸ **函數語法**：FIXED(number,decimals,no_commas)

▸ **引數說明**：· number：要四捨五入並轉換為文字的數字。

· decimals：小數點右邊的小數位數。

· no_commas：一個邏輯數值，如果為 1 則不加上千分符號，如果為 0 則加上千分符號。

應用例 ⑨ ▶ 團體旅遊的出車總數及費用 ----------------------------------○

當知道要參加旅遊的總人數與一車的包車費時，請利用 CEILING 函數來計算出如果坐滿車可以接受最多多少人報名，同時計算出這次團體旅遊的出車總費用，並用 FIXED 函數來格式化加入千分位逗號的總費用。

範例 檔案：ceiling.xlsx

操作說明

於 D4 儲存格，輸入公式 =CEILING(A4,C4)

於 E4 儲存格，輸入公式 =D4/C4

於 F4 儲存格，輸入公式 =FIXED(B4*E4, 0,0)&"元"

計算出出車總費用

06 字串的相關函數

07 財務與會計函數

08 查閱與參照函數 資料驗證、資訊、

09 綜合商務應用範例

10 函數提示技巧與範例 實戰 ChatGPT 大師級

A 工作技巧 資料整理相關

QUOTIENT、MOD
取商數及餘數

QUOTIENT 用來求取兩數相除的商數,而 MOD 則是用來求取兩數相除的餘數,這類函數相當適合被應用在當有一筆預算時,要選擇購買哪一類商品的最大數量及所剩金額。

▷ QUOTIENT 函數

- ▶ **函數說明:**將數值做無條件進位。
- ▶ **函數語法:**ROUNDUP(number,num_digits)
- ▶ **引數說明:** ・ number:要無條件進位的任何實數。
  - ・ Num_digits:做無條件進位時所採用的位數。

▷ MOD 函數

- ▶ **函數說明:**傳回兩數相除後之餘數。餘數和除數具有相同的正負號。
- ▶ **函數語法:**MOD(number,divisor)
- ▶ **引數說明:** ・ number:計算餘數時做為被除數的實數。
  - ・ divisor:計算餘數時做為除數的實數。

應用例 ⑩▶ 在固定預算下購買商品的數量及所剩金額 ----------------------○

請在固定預算 50000 元下,藉由每一種預定挑選的商品所能購買的數量及所剩金額,來作為判斷在多少報名活動人數下應該選擇哪一種商品作為出席紀念品。

06 字串的相關函數

07 財務與會計函數

08 查閱與參照函數、資料驗證、資訊、

09 綜合商務應用範例

10 函數提示技巧與範例 實戰 ChatGPT 大師級

A 工作技巧 資料整理相關

範例 檔案：quotient.xlsx

操作說明

於 C6 儲存格，輸入
購買數量的公式
=QUOTIENT($B$3,B6)

以填滿控點拖曳複製
公式

於 D6 儲存格，輸入
剩餘金額的公式
=MOD($B$3,B6)

	A	B	C	D	E	F	G
1	購買商品的數量及所剩金額						
2							
3	預算金額	30000					
4							
5	紀念品	價格	購買數量	剩餘金額			
6	馬克杯	150	200	0			
7	T恤	320	93	240			
8	手機套	180	166	120			
9	相框	240	125	0			
10							

工作表1

以填滿控點拖曳複製公式，就可以順利求得各購買商品的數量及所剩金額

06
字串的相關函數

07
財務與會計函數

08
查閱與參照函數、
資料驗證、資訊、

09
綜合商務應用範例

10
實戰 ChatGPT 大師級
函數提示技巧與範例

A
工作技巧
資料整理相關

Section 2-9

RANDBETWEEN
取隨機數字

公司有時候會辦理抽獎活動，人工抽籤難免有作弊的質疑，用亂數抽籤算是滿公正的。雖然現在有很多相關的 APP 可供下載使用，但是這種簡單的工作，Excel 也是可以代勞的。這個函數 randbetween(最小號碼, 最大號碼)，在傳回介於「最小號碼」跟「最大號碼」兩個數字之間的亂數，上限跟下限都只能是整數。例如想產生 5001 到 6500 之間的整數亂數，其公式如下：

公式　=RANDBETWEEN(最小號碼,最大號碼)
　　　=RANDBETWEEN(5001,6500)

▶ **RANDBETWEEN 函數**

▸ **函數說明：**傳回所指定兩個數字之間，即「最小號碼」跟「最大號碼」兩個數字之間的亂數。

▸ **函數語法：** RANDBETWEEN(bottom,top)

▸ **引數說明：** ・ bottom：這是 RANDBETWEEN 會傳回的最小整數。

　　　　　　　・ top：這是 RANDBETWEEN 會傳回的最大整數。

應用例 ⑪▸隨機產生摸彩券中獎號碼 -------------------------------○

假設發出去的摸彩券號碼從 1 到 500，請問到底哪個號碼會中獎呢？

範例　檔案：lotto.xlsx

▲	A	B	C
1	得獎號碼		
2			
3			
4			

執行結果 檔案：lotto_ok.xlsx

B1	▼	:	×	✓	*fx*	=RANDBETWEEN(1,500)		∨

◢	A	B	C	D	E	F	G	▲
1	得獎號碼	381						
2								
3								
4								
5								▼

於 B1 儲存格，輸入公式 =RANDBETWEEN(1,500)，按下 Enter 鍵
就會隨機產生一個介於 1 到 500 之間的整數亂數

B1	▼	:	×	✓	*fx*	=RANDBETWEEN(1,500)		∨

◢	A	B	C	D	E	F	G	▲
1	得獎號碼	228						
2								
3								
4								
5								▼

而且每次計算工作表
時，都會傳回新的隨
機整數

06

字串的相關函數

07

財務與會計函數

08

查閱與參照函數

資料驗證、資訊、

09

綜合商務應用範例

10

函數提示技巧與範例

實戰 ChatGPT 大師級

A

工作技巧

資料整理相關

FLOOR
無條件捨位至最接近的基數倍數

這個函數是將原數值以無條件捨位至最接近的基數倍數，例如原數值為 38，基準值為 10，其回傳的結果值為 30。FLOOR 函數經常和 CEIL 函數一起被比較與討論，簡而言之，FLOOR 函數是一種無條件捨去的運算，而 CEIL 函數則是一種無條件進位的運算。

FLOOR 函數

▸ 函數說明：將數字全捨、趨向零、進位到最接近的基準倍數。

▸ 函數語法：FLOOR(number,significance)

▸ 引數說明：· number：這是要捨位的數值。

· significance：這是要捨位的倍數。

應用例 ⑫ 外包錄音（或錄影）費用結算表 ---------------------------------------○

灰姑娘錄音室有一個外包團隊負責不同類型的錄音專案，每一位錄音師的計費標準是 1 小時 800 元，但以 15 分為一個計費單位，未滿 15 分則不予計費。請開啟範例檔案，並從現有已提供的錄音（或錄影）時間計算出實際計費時間及應該支付的費用。

範例 檔案：floor.xlsx

	A	B	C	D
1	外包錄音費用結算表			
2	外包人員姓名	錄影時間(分)	計費時間	支付費用
3	方雅雯	316		
4	邵孟倫	428		
5	元益喜	418		
6	黃依婷	320		
7	巫綺貴	168		

執行結果 檔案：floor_ok.xlsx

◢	A	B	C	D
1	外包錄音費用結算表			
2	外包人員姓名	錄影時間(分)	計費時間	支付費用
3	方雅雯	316	315	4200
4	邵孟倫	428	420	5600
5	元益喜	418	405	5400
6	黃依婷	320	315	4200
7	巫綺貴	168	165	2200

❶ 以 15 分為一個計費單位，未滿 15 分則不予計費

❷ 一小時支付 800 元，也就是 15 分支付 200 元

操作說明

◢	A	B	C	D
1	外包錄音費用結算表			
2	外包人員姓名	錄影時間(分)	計費時間	支付費用
3	方雅雯	316	=FLOOR(B3,15)	
4	邵孟倫	428		
5	元益喜	418		
6	黃依婷	320		
7	巫綺貴	168		

於 C3 儲存格，輸入「計費時間」的公式 =FLOOR(B3,15)

◢	A	B	C	D
1	外包錄音費用結算表			
2	外包人員姓名	錄影時間(分)	計費時間	支付費用
3	方雅雯	316	315	
4	邵孟倫	428	420	
5	元益喜	418	405	
6	黃依婷	320	315	
7	巫綺貴	168	165	

再以填滿控點複製公式到 C7

◢	A	B	C	D	E
1	外包錄音費用結算表				
2	外包人員姓名	錄影時間(分)	計費時間	支付費用	
3	方雅雯	316	315	=(C3/15)*200	
4	邵孟倫	428	420		
5	元益喜	418	405		
6	黃依婷	320	315		
7	巫綺貴	168	165		

於 D3 儲存格，輸入「支付費用」的公式 =(C3/15)*200

	A	B	C	D	E
1	外包錄音費用結算表				
2	外包人員姓名	錄影時間(分)	計費時間	支付費用	
3	方雅雯	316	315	4200	
4	邵孟倫	428	420	5600	
5	元益喜	418	405	5400	
6	黃依婷	320	315	4200	
7	巫綺貴	168	165	2200	
8					

再以填滿控點複製公式到 D7

06 字串的相關函數

07 財務與會計函數

08 查閱與參照函數、資訊、資料驗證、資訊

09 綜合商務應用範例

10 函數提示技巧與範例 實戰 ChatGPT 大師級

A 工作技巧 資料整理相關

Section
2-11 **ABS**
取絕對值

傳回數字的絕對值。所謂數字的絕對值，就是將負數變正數，也就是不含數值前面的符號，亦即無正負號的數值。

▷ ABS 函數

- ▸ **函數說明：** 傳回數值的絕對值。所謂數值的絕對值，就是不含符號的數字，亦即無正負號的數值。
- ▸ **函數語法：** ABS(number)
- ▸ **引數說明：** number：需要絕對值的實數。

應用例 ⑬▸股票停損停利決策表 ------------------------------○

請開啟範例檔案，該工作表已記錄了各種股票的投資金額及股票現值，請計算前股票的投資效益，目前是獲利或損失多少錢？並以 ABS 函數計算該股票的「停損停利指標」。(許多小散戶會將停損停利的指標設定在 10%)

範例 檔案：abs.xlsx

	A	B	C	D	E
1	股票停損停利決策表				
2	股票名稱	投資金額	股票現值	獲利或損失	停損停利指標
3	鴻海	$ 280,000	$ 312,000		
4	高端疫苗	$ 360,000	$ 382,000		
5	台康生技	$ 380,000	$ 420,000		
6	神隆	$ 214,000	$ 208,000		
7	美德醫療DR	$ 326,000	$ 280,000		

執行結果 檔案：abs_ok.xlsx

	A	B	C	D	E
1	股票停損停利決策表				
2	股票名稱	投資金額	股票現值	獲利或損失	停損停利指標
3	鴻海	$ 280,000	$ 312,000	$32,000	11.43%
4	高端疫苗	$ 360,000	$ 382,000	$22,000	6.11%
5	台康生技	$ 380,000	$ 420,000	$40,000	10.53%
6	神隆	$ 214,000	$ 208,000	($6,000)	2.80%
7	美德醫療DR	$ 326,000	$ 280,000	($46,000)	14.11%

❶ 於 D 欄計算出目前股票的獲利或損失情況

❷ 於 E 欄計算該股票的停損停利指標

06
字串的相關函數

07
財務與會計函數

08
查閱與參照函數
資料驗證、資訊、

09
綜合商務應用範例

10
函數提示技巧與範例
實戰 ChatGPT 大師級

A
工作技巧
資料整理相關

操作說明

	A	B	C	D	E
1	股票停損停利決策表				
2	股票名稱	投資金額	股票現值	獲利或損失	停損停利指標
3	鴻海	$ 280,000	$ 312,000	=C3-B3	
4	高端疫苗	$ 360,000	$ 382,000		
5	台康生技	$ 380,000	$ 420,000		
6	神隆	$ 214,000	$ 208,000		
7	美德醫療DR	$ 326,000	$ 280,000		

於 D3 儲存格，輸入公式 =C3-B3

	A	B	C	D	E
1	股票停損停利決策表				
2	股票名稱	投資金額	股票現值	獲利或損失	停損停利指標
3	鴻海	$ 280,000	$ 312,000	$32,000	
4	高端疫苗	$ 360,000	$ 382,000	$22,000	
5	台康生技	$ 380,000	$ 420,000	$40,000	
6	神隆	$ 214,000	$ 208,000	($6,000)	
7	美德醫療DR	$ 326,000	$ 280,000	($46,000)	
8					

再以填滿控點複製公式到 D7

	A	B	C	D	E
1	股票停損停利決策表				
2	股票名稱	投資金額	股票現值	獲利或損失	停損停利指標
3	鴻海	$ 280,000	$ 312,000	$32,000	=ABS(C3-B3)/B3
4	高端疫苗	$ 360,000	$ 382,000	$22,000	
5	台康生技	$ 380,000	$ 420,000	$40,000	
6	神隆	$ 214,000	$ 208,000	($6,000)	
7	美德醫療DR	$ 326,000	$ 280,000	($46,000)	

於 E3 儲存格，輸入停損停利指標的公式 =ABS(C3-B3)/B3

	A	B	C	D	E	F
1	股票停損停利決策表					
2	股票名稱	投資金額	股票現值	獲利或損失	停損停利指標	
3	鴻海	$ 280,000	$ 312,000	$32,000	11.43%	
4	高端疫苗	$ 360,000	$ 382,000	$22,000	6.11%	
5	台康生技	$ 380,000	$ 420,000	$40,000	10.53%	
6	神隆	$ 214,000	$ 208,000	($6,000)	2.80%	
7	美德醫療DR	$ 326,000	$ 280,000	($46,000)	14.11%	
8						

再以填滿控點複製公式到 E7

Section 2-12 ▶ **POWER** 數字乘冪

POWER 函數的主要作用是傳回數字乘冪的結果。

▷ POWER 函數

- ▶ 函數說明：傳回數字乘冪的結果。
- ▶ 函數語法：POWER(number,power)
- ▶ 引數說明： · number：底數，需要絕對值的任意實數。
  - · power：這是指數，即底數要乘方的次數。

應用例 ⑭ ▶ 以 BMI 指數來衡量肥胖程度

世界衛生組織建議以身體質量指數（Body Mass Index, BMI）來衡量肥胖程度，其計算公式是以體重（公斤）除以身高（公尺）的平方。身高是以公尺為計算單位，所以我們還必須將身高先除以100，最後要輸入的公式為「= 體重 ×POWER(身高 ÷100,2)」。你也可以加上警告標語，讓自己更加警惕，這時就可以使用 IF 函數。假如 BMI 指數大於 24 則標示「肥胖」二字。

範例 ▶ 檔案：bmi.xlsx

▲	A	B
1	身高	163
2	體重	65
3	BMI指數	
4	診斷建議	

執行結果 ▶ 檔案：bmi_ok.xlsx

▲	A	B	C
1	身高	163	
2	體重	65	
3	BMI指數	24.46	
4	診斷建議	肥胖	
5			

❶ 於 B3 輸入公式計算 BMI 指數

❷ 於 B4 輸入公式判斷是否過於肥胖，如果 BMI 指數大於 24，則輸出「肥胖」二字

06
字串的相關函數

07
財務與會計函數

08
查閱與參照函數
資料驗證、資訊、

09
綜合商務應用範例

10
函數提示技巧與範例
實戰 ChatGPT 大師級

A
工作技巧
資料整理相關

操作說明

◢	A	B	C	D
1	身高	163		
2	體重	65		
3	BMI指數	=B2/POWER(B1/100,2)		
4	診斷建議			

於 B3 儲存格，輸入公式
=B2/POWER(B1/100,2)

◢	A	B	C
1	身高	163	
2	體重	65	
3	BMI指數	24.46	
4	=IF(B3>24,"肥胖")		
5			

❶ 在 B3 儲存格顯示出計算出的 BMI 指數值

❷ 於 B4 儲存格，輸入公式 =IF(B3>24,"肥胖")

◢	A	B	C
1	身高	163	
2	體重	65	
3	BMI指數	24.46	
4	診斷建議	肥胖	
5			

在 B4 儲存格輸出「肥胖」二字

SQRT
正平方根

傳回給定值的正平方根,因為求取平方根時,所傳入的引數不能為負,否則會出現錯誤訊息,為了確認引數內的值不能為負,可以使用 ABS 函數找出該引數的絕對值,接著利用 SQRT 函數找出平方根。

▷ SQRT 函數

- ▸ **函數說明**：傳回給定值的正平方根。

- ▸ **函數語法**：SQRT(number)

- ▸ **引數說明**：number：這是要求得平方根的數字,不能為負。如果 number 是負數,SQRT 會傳回 #NUM! 錯誤值。

應用例 ⑮▸ 求取 0 到 16 所有數值平方根 --------------------------------○

請利用 SQRT 函數設計一個工作表,該工作表已事先輸入 0~16 的數值,請於 B 欄中輸出 A 欄這些數值的平方根。

範例 檔案：sqrt.xlsx

	A	B
1	參數數值	SQRT執行結果
2	0	
3	1	
4	2	
5	3	
6	4	
7	5	
8	6	
9	7	
10	8	
11	9	
12	10	
13	11	
14	12	
15	13	
16	14	
17	15	
18	16	

請於 B2:B18 輸出 A 欄數值的平方根

操作說明

	A	B
1	參數數值	SQRT執行結果
2	0	=SQRT(A2)
3	1	
4	2	
5	3	
6	4	
7	5	
8	6	
9	7	
10	8	
11	9	
12	10	
13	11	
14	12	
15	13	
16	14	
17	15	
18	16	

於 B2 儲存格輸入公式 =SQRT(A2)，
輸入完畢後請按 ENTER 鍵

	A	B	C
1	參數數值	SQRT執行結果	
2	0	0	
3	1	1	
4	2	1.414213562	
5	3	1.732050808	
6	4	2	
7	5	2.236067977	
8	6	2.449489743	
9	7	2.645751311	
10	8	2.828427125	
11	9	3	
12	10	3.16227766	
13	11	3.31662479	
14	12	3.464101615	
15	13	3.605551275	
16	14	3.741657387	
17	15	3.872983346	
18	16	4	
19			

拖曳複製 B2 公式到 B18 儲存格，可以看
出 B 欄輸出 A 欄這些數值的平方根

06
字串的相關函數

07
財務與會計函數

08
查閱與參照函數
資料驗證、資訊、

09
綜合商務應用範例

10
函數提示技巧與範例
實戰 ChatGPT 大師級

A
工作技巧
資料整理相關

01
....
公式與函數的基礎

02
....
數值運算的相關函數

03
....
邏輯與統計函數

04
....
常見取得資料的函數

05
....
日期與時間函數

Section
2-14 **SUMSQ**
引數之平方的總和

傳回引數之平方的總和，最多可以到 255 個引數，也就是說可以一次計算
255 個數值的平方和。

▶ SUMSQ 函數

▸ **函數說明：**傳回引數之平方的總和。

▸ **函數語法：**SUMSQ(number1,[number2],...)

▸ **引數說明：**number1...：至少要有一個引數，其餘第 2 個到第 255 個引數為
選用，可有可無，引數可以是數字或包含數字的名稱、陣列或
參照。

應用例 ⑯ 畢氏定理的驗證 ---o

請利用 SQRT 函數設計一個工作表，該工作表已事先輸入 0~16 的數值，請於 B
欄中輸出 A 欄這些數值的平方根。

範例 檔案：sumsq.xlsx

	A	B	C	D	E	F
1	畢氏定理-判斷是否為直角三角形					
2	底	高	斜邊	底和高的平方和	斜邊平方	是否為直角三角形
3	3	4	5			
4	5	12	13			
5	8	15	17			
6	7	24	25			
7	9	40	41			

操作說明

	A	B	C	D	E	F
1	畢氏定理-判斷是否為直角三角形					
2	底	高	斜邊	底和高的平方和	斜邊平方	是否為直角三角形
3	3	4	5	=SUMSQ(A3,B3)		
4	5	12	13			
5	8	15	17			
6	7	24	25			
7	9	40	41			

於 D3 儲存格輸入公式
=SUMSQ(A3,B3)

06 字串的相關函數

07 財務與會計函數

08 查閱與參照函數、資料驗證、資訊、

09 綜合商務應用範例

10 函數提示技巧與範例 實戰 ChatGPT 大師級

A 工作技巧相關 資料整理

拖曳複製 D3 公式到 D7 儲存格，可以得到底和高的平方和

於 E3 儲存格輸入公式 =C3*C3

拖曳複製 E3 公式到 E7 儲存格，可以得到斜邊平方

於 F3 儲存格輸入公式 IF(D3=E3,"直角三角形","不是直角三角形")

拖曳複製 F3 公式到 F7 儲存格，可以看出是否為直角三角形

CONVERT
量測單位轉換

將傳入的數位引數從某個測量系統轉換成另一個測量系統。例如，CONVERT 可以將攝氏單位表示的溫度轉換成以華氏單位來表示。又例如，CONVERT 可以將以小時單位表示的時間長度轉換成以秒單位來表示。也可以將 100 平方英呎轉換為平方公尺。另外如果要在兩個不同類型進行轉換，就會發生錯誤，例如要將時間類型轉換成溫度就會發生錯誤。

測量系統的分類如下：

- 重量和質量
- 壓力
- 乘冪
- 容量（或液體量值）
- 速度
- 距離
- 力
- 磁力
- 面積
- 時間
- 能量
- 溫度
- 資訊

有關各類的轉換細節，**OFFICE** 線上文件關於這個函數的說明相當詳細，有興趣者可以自行參閱，只要在 Google 輸入關鍵字「CONVERT excel」就可以找到「CONVERT 函數 - Office 支援 - Microsoft Support」，如下圖所示：

06
字串的相關函數

07
財務與會計函數

08
查閱與參照函數、資料驗證、資訊、

09
綜合商務應用範例

10
函數提示技巧與範例
實戰 ChatGPT 大師級

A
工作技巧相關
資料整理

▷ CONVERT 函數

▸ **函數說明**：將傳入的數位引數從某個測量系統轉換成另一個測量系統。

▸ **函數語法**：CONVERT(number,from_unit,to_unit)

▸ **引數說明**：　・ number：這是要進行不同測量系統要轉換的值。

　　　　　　　・ from_unit：這是第一個數值引數所使用測量系統單位。

　　　　　　　・ to_unit：這是希望轉換後的單位。有關 CONVERT 接受 from_unit 和 to_unit 有下列文字值，因為相當多在此就不一一列出，有興趣的讀者請自行參考線上說明文件的介紹。

應用例 ⑰ ▸ 不同測量系統之間的轉換 --------------------------------○

請利用 CONVERT() 函數設計一個工作表，這個工作表會於 A 欄傳入各種不同的數值，並請以 CONVERT() 函數將 A 欄的數值，根據 B 欄要求的轉換要求，並於 C 欄輸出轉換後的數值。

範例 　檔案：convert.xlsx

	A	B	C
1	原單位的數值	不同測量系統間的轉換描述	新單位的數值
2	50	將公斤轉換為磅	
3	30	將攝氏溫度轉換為華氏溫度	
4	60	將英里轉換為公里	
5	20	將吋轉換為公分	
6	10	將公畝轉換為平方公尺	

　請於 C2:C6 輸入公式實測 CONVERT() 函數根據 B 欄的描述將 A 欄的數值變更成新單位的數值

操作說明

C2			fx	=CONVERT(A2, "kg","lbm")
	A	B	C	D
1	原單位的數值	不同測量系統間的轉換描述	新單位的數值	
2	50	將公斤轉換為磅	110.2311457	
3	30	將攝氏溫度轉換為華氏溫度		
4	60	將英里轉換為公里		
5	20	將吋轉換為公分		
6	10	將公畝轉換為平方公尺		

❶ 於 C2 儲存格輸入公式 =CONVERT (A2,"kg","lbm")

❷ 會傳回轉換後新單位的數值

	A	B	C	D
	C3		f_x =CONVERT(A3, "C", "F")	
1	原單位的數值	不同測量系統間的轉換描述	新單位的數值	
2	50	將公斤轉換為磅	110.2311457	
3	30	將攝氏溫度轉換為華氏溫度	86	
4	60	將英里轉換為公里		
5	20	將吋轉換為公分		
6	10	將公畝轉換為平方公尺		

❶ 於 C3 儲存格輸入公式 =CONVERT (A3,"C","F")

❷ 會傳回轉換後新單位的數值

	A	B	C	D
	C4		f_x =CONVERT(A4,"mi","km")	
1	原單位的數值	不同測量系統間的轉換描述	新單位的數值	
2	50	將公斤轉換為磅	110.2311457	
3	30	將攝氏溫度轉換為華氏溫度	86	
4	60	將英里轉換為公里	96.56064	
5	20	將吋轉換為公分		
6	10	將公畝轉換為平方公尺		

❶ 於 C4 儲存格輸入公式 =CONVERT (A4, "mi","km")

❷ 會傳回轉換後新單位的數值

	A	B	C	D
	C5		f_x =CONVERT(A5,"in","cm")	
1	原單位的數值	不同測量系統間的轉換描述	新單位的數值	
2	50	將公斤轉換為磅	110.2311457	
3	30	將攝氏溫度轉換為華氏溫度	86	
4	60	將英里轉換為公里	96.56064	
5	20	將吋轉換為公分	50.8	
6	10	將公畝轉換為平方公尺		

❶ 於 C5 儲存格輸入公式 =CONVERT (A5,"in","cm")

❷ 會傳回轉換後新單位的數值

	A	B	C	D
	C6		f_x =CONVERT(A6,"gal","l")	
1	原單位的數值	不同測量系統間的轉換描述	新單位的數值	
2	50	將公斤轉換為磅	110.2311457	
3	30	將攝氏溫度轉換為華氏溫度	86	
4	60	將英里轉換為公里	96.56064	
5	20	將吋轉換為公分	50.8	
6	10	將公畝轉換為平方公尺	37.86235457	

❶ 於 C6 儲存格輸入公式 =CONVERT (A6, "gal","l")

❷ 會傳回轉換後新單位的數值

03

邏輯與統計函數

我們可以利用 IF、AND、OR、SUMIF…等邏輯與統計函數協助進行一些表格中的條件式判斷的相關工作,讓各位輕易指定各種條件判斷式,來取得自己所需的表格各儲存格的正確值,這會使得設定的工作表更具意義,工作表內容更易解讀。

01
………
公式與函數的基礎

02
………
數值運算的相關函數

03
………
邏輯與統計函數

04
………
常見取得資料的函數

05
………
日期與時間函數

<table>
<tr><td>Section
3-1</td><td># IF、AND、OR
條件式判斷</td></tr>
</table>

IF 函數是 Excel 中最熱門的函數之一，IF 可以幫我們判斷條件的結果，進而進行下一個步驟，如果沒有 IF 這個函數，很多公式就無法順利執行。最簡單的範例就是如果貨品是應稅品，就要加計 5% 的營業稅，如果屬於免稅品就不用加計營業稅。

▷ IF 函數

▸ **函數說明**：用以測試數值和公式的條件，如果指定的情況結果為 TRUE，則傳回一個值；若結果為 FALSE，則傳回另一個值。

▸ **函數語法**：IF (logical_test,value_if_true,value_if_false)

▸ **引數說明**：· logical_test：是用來測試 TRUE 或 FALSE 的任何值或運算式。
　　　　　　　· value_if_true：如果 Logical_test 為 TRUE，則會傳回該值。
　　　　　　　· value_if_false：如果 Logical_test 為 FALSE，則會傳回該值。

▷ AND 函數

▸ **函數說明**：如果所有的引數都是 TRUE 就傳回 TRUE；若有一或多個引數是 FALSE 則傳回 FALSE。

▸ **函數語法**：AND(logical1,logical2, ...)

▸ **引數說明**：logical1,logical2, ...：欲測的 1 到 30 個條件，可能是 TRUE 或 FALSE。

▷ OR 函數

▸ **函數說明**：若有任何一個引數的邏輯值為 TRUE，即傳回 TRUE；當所有引數的邏輯值均為 FALSE 時，即傳回 FALSE。

▸ **函數語法**：OR(logical1,logical2,...)

▸ **引數說明**：logical1,logical2：1 到 30 個欲測試其為 TRUE 或 FALSE 的條件。

06 字串的相關函數

07 財務與會計函數

08 查閱與參照函數、資料驗證、資訊、

09 綜合商務應用範例

10 函數提示技巧與範例、實戰 ChatGPT 大師級

A 工作技巧相關、資料整理

應用例 ①▶ 學校英語能力檢測

建立工作表包括學生姓名及英檢初試及複試的成績。如果初試通過才可以考複試，及格的標準為 60 分，如果初試及複製都及格，則可以取得證書。另外，該表格也包括了校內檢測成績，只要該學生已取得證書或校內檢測成績大於或等於 60 分，則認定該學生學校英語能力檢測及格，否則為不及格。

範例 檔案：exam.xlsx

	A	B	C	D	E	F
1	英語檢測					
2						
3	學生	初級	複試	證書發送	校內檢測	是否及格
4	許富強	58		不可	62	及格
5	邱瑞祥	62	68	可	67	及格
6	朱正富	63	64	可	72	及格
7	陳貴玉	87	90	可	86	及格
8	莊自強	46		不可	54	不及格

操作說明

❷ 輸入公式 =IF(AND
(B4>=60,C4>=60),
"可","不可")

❶ 選 D4 儲存格

❶ 選 D4 儲存格，並將滑鼠指標移至 D4 儲存格右下角

❷ 當指標變為 ➕ 圖示時，按住滑鼠左鍵往下拖曳至 D8 儲存格

| F4 | | × ✓ fx | =IF(OR(D4="可",E4>=60),"及格","不及格") | | |

❷ 輸入公式 =IF(OR (D4="可",E4>= 60),"及格","不及格")

	A	B	C	D	E	F	G
1	英語檢測						
2							
3	學生	初級	複試	證書發送	校內檢測	是否及格	
4	許富強	58		不可	62	及格	
5	邱瑞祥	62	68	可	67		
6	朱正富	63	64	可	72		
7	陳貴玉	87	90	可	86		
8	莊自強	46		不可	54		

❶ 選 F4 儲存格

	A	B	C	D	E	F
1	英語檢測					
2						
3	學生	初級	複試	證書發送	校內檢測	是否及格
4	許富強	58		不可	62	及格
5	邱瑞祥	62	68	可	67	及格
6	朱正富	63	64	可	72	及格
7	陳貴玉	87	90	可	86	及格
8	莊自強	46		不可	54	不及格

❶ 選 F4 儲存格，並 將滑鼠指標移至 F4 儲存格右下角

❷ 當指標變為 ✚ 圖 示時，按住滑鼠左 鍵往下拖曳至 F8 儲存格

06
字串的相關函數

07
財務與會計函數

08
查閱與參照函數
資料驗證、資訊

09
綜合商務應用範例

10
函數提示技巧與範例
實戰 ChatGPT 大師級

A
工作技巧
資料整理相關

<table>
<tr><th>Section
3-2</th><td><h1>COUNTIF、COUNTIFS</h1><h2>計算符合篩選條件的個數</h2></td></tr>
</table>

統計出席會議的人數，方便準備相關會議資料的份數，當然還有與會人員的飲料、點心的數量，善盡主人的責任。例如我們從出席意願調查表中找到出席意願為「是」的人數，就可以利用 COUNTIF 人數。

如果我們想知道各處室出席人數分別有幾人？這時候就要派出另一個同門兄弟 COUNTIFS 函數，多了一個「S」，代表可以設定更多條件。當條件有 2 個以上的時候，就是統計所有條件的集合數量。

▷ COUNTIF 函數

- ▶ **函數說明**：計算某範圍內符合篩選條件的儲存格個數。
- ▶ **函數語法**：COUNTIF(range,criteria)
- ▶ **引數說明**： · range：儲存格範圍。
  - · criteria：用以判斷是否要列入計算的篩選條件，可以是數字、表示式或文字。

▷ COUNTIFS 函數

- ▶ **函數說明**：在多個儲存格內計算符合所有搜尋條件的資料個數。
- ▶ **函數語法**：COUNTIFS(range1,criteria1,range2,criteria2,........)

▶ 引數說明： · range1：儲存格範圍。

　　　　　　　· criteria1：用以判斷是否要列入計算的篩選條件，可以是數字、表示式或文字。

應用例 ❷ ▶ 期末考成績人數統計表 --------------------------------○

利用 COUNTIF 函數來計算期末考試成績中各有多少男生及女生的人數，同時一併統計及格人數。完成工作表外觀如下：

範例 檔案：final.xlsx

	A	B	C	D	E	F
1	期末考成績統計表					
2						
3	學生	姓別	分數		姓別	人數
4	許富強	男	58		男	4
5	邱瑞祥	男	62		女	1
6	朱正富	男	63		及格	3
7	陳貴玉	女	87			
8	莊自強	男	46			

操作說明

❷ 輸入公式 =COUNTIF(B4:B8, "男")

❶ 選 F4 儲存格

❷ 輸入公式 =COUNTIF(B4:B8, "女")

❶ 選 F5 儲存格

06 字串的相關函數

07 財務與會計函數

08 查閱與參照函數、資訊、資料驗證

09 綜合商務應用範例

10 函數提示技巧與範例 實戰 ChatGPT 大師級

A 工作技巧 資料整理相關

應用例 ❸ 分別統計期末考男生及女生及格人數

利用 COUNTIFS 函數來計算期末考試成績中男生及女生及格人數。完成工作表外觀如下：

範例 檔案：final1.xlsx

	A	B	C	D	E	F
1	期末考成績統計表					
2						
3	學生	姓別	分數		姓別	人數
4	許富強	男	58		男	4
5	邱瑞祥	男	62		女	1
6	朱正富	男	63		及格	3
7	陳貴玉	女	87		男生及格	2
8	莊自強	男	46		女生及格	1

操作說明

| F8 | | | × | ✓ | f_x | =COUNTIFS(B4:B8,"女",C4:C8,">=60") | |

▲	A	B	C	D	E	F	G
1	期末考成績統計表						
2							
3	學生	姓別	分數		姓別	人數	
4	許富強	男	58		男	4	
5	邱瑞祥	男	62		女	1	
6	朱正富	男	63		及格	3	
7	陳貴玉	女	87		男生及格	2	
8	莊自強	男	46		女生及格	1	

❷ 輸入公式
=COUNTIFS (B4:B8,"女",C4:C8,">=60")

❶ 選 F8 儲存格

06
字串的相關函數

07
財務與會計函數

08
查閱與參照函數
資料驗證、資訊、

09
綜合商務應用範例

10
函數提示技巧與範例
實戰 ChatGPT 大師級

A
工作技巧
資料整理相關

SUMIF / SUMIFS
計算符合篩選條件的個數

辦公室中難免有大家一起團購的好康事情,但是每次遇到算錢、收錢這檔事,總是覺得超級麻煩,還好總是有熱心的同事會處理這些事務,下次試試用 Excel 幫忙,你也可以成為熱心的好同事。COUNTIF 函數可以根據條件計算數量,SUMIF 函數可以根據條件計算金額,不同的表格排列方式,則要選用不同的函數。舉例來説,不同的中秋禮盒調查表彙整後,要計算每位同事該付多少錢?這時候就要出動 SUMIF 函數。SUMIF 函數也有支援多個條件加總的姊妹函數 SUMIFS 函數,加了 S 效果就不一樣喔!有興趣的可以研究一下。

▷ SUMIF 函數

- ▶ 函數說明:對儲存格範圍中符合某特定條件的儲存格進行加總。
- ▶ 函數語法:SUMIF(range,criteria,sum_range)
- ▶ 引數說明: ・ range:條件儲存格範圍。
  - ・ criteria:用以判斷是否要列入計算的篩選條件,可以是數字、表示式或文字。
  - ・ sum_range:實際要加總的儲存格,若忽略此引數則以儲存格範圍為加總對象。

▷ SUMIFS 函數

- ▶ 函數說明:在多個儲存格內計算符合某特定條件的儲存格進行加總。
- ▶ 函數語法:SUMIFS(sum_range,criteria_range1,criteria1,[criteria_range2, criteria2],...)
- ▶ 引數說明: ・ sum_range(必要)。
  - ・ criteria_range1(必要)。第一個條件值的篩選範圍。

- criteria1（必要）。第一個條件值。
- criteria_range2, criteria2, ... 選用。其他篩選範圍及其相關條件。最多允許 127 組範圍 / 準則。

應用例 ❹ ▸ 中秋禮盒調查表

利用 SUMIF 函數來計算各員工中秋禮盒的購買金額。完成工作表外觀如下：

範例 檔案：sumif.xlsx

	A	B	C	D	E	F
1	物品名稱	姓名	金額		個人應付金額	
2		莊自強	$ 800		莊自強	$ 2,400
3	月餅禮盒	陳貴玉	$ 1,600		陳貴玉	$ 3,400
4		許志堅	$ 800		許志堅	$ 800
5		莊自強	$ 1,000		吳勁志	$ 1,000
6	水果禮盒	吳勁志	$ 1,000		陳小強	$ 3,000
7		陳小強	$ 3,000			
8	香腸禮盒	莊自強	$ 600			
9		陳貴玉	$ 1,800			
10		合計	$ 10,600			

操作說明

❷ 輸入公式 =SUMIF($B$2:$B$9,E2,$C$2:$C$9)

❶ 選 F2 儲存格

應用例 ⑤ ▶ 指定員工禮盒購買金額 --○

利用 SUMIFS 函數來計算指定員工指定禮盒購買金額。完成工作表外觀如下：

範例 檔案：sumifs.xlsx

	A	B	C	D	E	F	G
1	物品名稱	姓名	金額		個人應付金額		
2		莊自強	$ 800		莊自強	$ 2,400	
3	月餅禮盒	陳貴玉	$ 1,600		陳貴玉	$ 3,400	
4		許志堅	$ 800		許志堅	$ 800	
5		莊自強	$ 1,000		吳勁志	$ 1,000	
6	水果禮盒	吳勁志	$ 1,000		陳小強	$ 3,000	
7		陳小強	$ 3,000				
8	香腸禮盒	莊自強	$ 600		物品名稱	姓名	金額
9		陳貴玉	$ 1,800		水果禮盒	莊自強	$ 1,000
10		合計	$ 10,600				

操作說明

Section 3-4 ▶ COUNT、COUNTA、COUNTBLANK 統計數量

COUNT()也是屬於「統計」類別的函數,可以利用「,」來區隔不連續儲存格範圍,作為函數引數。與其說「計算」還不如用「統計」來得恰當,因此不論儲存格中顯示的數值是多少,都是用「1」來統計儲存格數量。如果要計算指定範圍中,除了空白儲存格以外的含有文字及數值的儲存格數量,就要使用 COUNTA 函數;若只要計算空白儲存格的數量,就要使用 COUNTBLANK 函數。

▷ COUNT 函數

- ▶ **函數說明**:計算含有數字以及引數裡含有數值資料的儲存格數量。
- ▶ **函數語法**:COUNT(value1,value2,...)
- ▶ **引數說明**:value1,value2,...:1 到 30 個引數,裡面可能含有或參照到不同類型的資料,但只計算數字部分。

▷ COUNTA 函數

- ▶ **函數說明**:計算非空白儲存格的數量,以及引數清單中的數值。
- ▶ **函數語法**:COUNTA(value1,value2,...)
- ▶ **引數說明**:value1,value2,...:1 到 30 個引數,欲計算的值。

▷ COUNTBLANK 函數

- ▶ **函數說明**:計算指定範圍內空白儲存格的數量。
- ▶ **函數語法**:COUNTBLANK(range)
- ▶ **引數說明**:range:欲計算空白儲存格的範圍。

06 字串的相關函數

07 財務與會計函數

08 查閱與參照函數、資料驗證、資訊、

09 綜合商務應用範例

10 函數提示技巧與範例 實戰 ChatGPT 大師級

A 工作技巧 資料整理相關

應用例 ❻ 指考成績人數統計表

利用 COUNTA 、COUNT、COUNTBLANK 函數來計算指考成績人數統計表，包括哪些人已有考過學測並有學校可念，有多少人有考指考，還有多少人缺席這兩種考試。完成工作表外觀如下：

範例 檔案：count.xlsx

	A	B	C	D	E
1	指考成績				
2					
3	學生	成績			
4	許富強	380		參加學測及指考人數	10
5	邱瑞祥	287		指考人數	8
6	朱正富	364		缺考人數	1
7	陳貴玉	432			
8	莊自強	315			
9	許伯如	已錄取			
10	鄭苑鳳	255			
11	吳健文				
12	林宜訓	已錄取			
13	林建光	312			
14	許忠仁	260			

操作說明

❷ 輸入公式 =COUNTA(B4:B14)

❶ 選 E4 儲存格

❷ 輸入公式 =COUNT(B4:B14)

❶ 選 E5 儲存格

❷ 輸入公式 =COUNTA(B4:B14)

❶ 選 E6 儲存格

06
字串的相關函數

07
財務與會計函數

08
查閱與參照函數
資料驗證、資訊、

09
綜合商務應用範例

10
函數提示技巧與範例
實戰 ChatGPT 大師級

A
工作技巧
資料整理相關

DCOUNT、DCOUNTA
求得符合資料表的資料個數

DCOUNT()函數是用來計算清單或資料庫中某一欄位內符合所指定條件的儲存格個數。DCOUNTA()函數則是用來計算清單或資料庫中某一欄位內符合指定條件之非空白儲存格的數目。

▷ DCOUNT 函數

- ▶ 函數說明：計算清單或資料庫中某一欄位內符合所指定條件的儲存格個數。
- ▶ 函數語法：DCOUNT(database,field,criteria)
- ▶ 引數說明： · database：組成清單或資料庫的儲存格範圍。
  - · field：指定欲執行計數的欄位。
  - · criteria：指定條件的儲存格範圍。

▷ DCOUNTA 函數

- ▶ 函數說明：計算清單或資料庫中某一欄位內符合指定條件之非空白儲存格的數目。
- ▶ 函數語法：DCOUNTA(database,field,criteria)
- ▶ 引數說明： · database：組成清單或資料庫的儲存格範圍。
  - · field：指出函數中使用的是哪一個資料欄。
  - · criteria：欲指定條件的儲存格範圍。

應用例 ❼ ▸ 記錄缺課人數

利用 DCOUNT、DCOUNTA 函數來計算期末成績男生及格人數中的缺課人數的情形。其中 DCOUNT 在統計人數時欄位不可為空白及文字，但 DCOUNTA 在統計人數時欄位不可為空白，但可以為文字。完成工作表外觀如下：

範例 檔案：dcount.xlsx

	A	B	C	D	E	F	G
1	期末考成績統計表						
2							
3	學生	姓別	分數	缺課紀錄		姓別	分數
4	許富強	男	58	1		男	>=60
5	邱瑞祥	男	62	0			
6	朱正富	男	63				
7	陳貴玉	女	87	1			
8	莊自強	男	98	公假			
9	吳建文	男	69	1			
10	李中訓	男	86	1			
11	鄭苑鳳	女	82	1			
12	王啟天	男	68	喪假			
13							
14							
15	男生及格中有缺課人數(不可為空白及文字)						
16			3				
17	男生及格中有缺課人數(不可為空白,但可為文字)						
18			5				

操作說明

❷ 輸入公式
=DCOUNT(A3:
D12,D3,F3:G4)

A16   fx   =DCOUNT(A3:D12,D3,F3:G4)

	A	B	C	D	E	F	G
1	期末考成績統計表						
2							
3	學生	姓別	分數	缺課紀錄		姓別	分數
4	許富強	男	58	1		男	>=60
5	邱瑞祥	男	62	0			
6	朱正富	男	63				
7	陳貴玉	女	87	1			
8	莊自強	男	98	公假			
9	吳建文	男	69	1			
10	李中訓	男	86	1			
11	鄭苑鳳	女	82	1			
12	王啟天	男	68	喪假			
13							
14							
15	男生及格中有缺課人數(不可為空白及文字)						
16			3				
17	男生及格中有缺課人數(不可為空白,但可為文字)						
18							

❶ 選 D16 儲存格

| A18 | : × ✓ f_x | =DCOUNTA(A3:D12,D3,F3:G4) |

❷ 輸入公式
**=DCOUNTA(A3:
D12,D3,F3:G4)**

▲	A	B	C	D	E	F	G
1	期末考成績統計表						
2							
3	學生	姓別	分數	缺課紀錄		姓別	分數
4	許富強	男	58	1		男	>=60
5	邱瑞祥	男	62	0			
6	朱正富	男	63				
7	陳貴玉	女	87	1			
8	莊自強	男	98	公假			
9	吳建文	男	69	1			
10	李中訓	男	86	1			
11	鄭苑鳳	女	82	1			
12	王啟天	男	68	喪假			
13							
14							
15	男生及格中有缺課人數(不可為空白及文字)						
16		3					
17	男生及格中有缺課人數(不可為空白,但可為文字)						
18		5					

❶ 選 D18 儲存格

06 字串的相關函數

07 財務與會計函數

08 查閱與參照函數、資料驗證、資訊、

09 綜合商務應用範例

10 函數提示技巧與範例 實戰 ChatGPT 大師級

A 工作技巧 資料整理相關

Section 3-6

DAVERAGE
求取符合搜尋條件所有數值的平均值

DAVERAGE 函數可以協助計算將清單或資料庫中某一欄位內所有符合指定的數值平均。使用這個函數時，要注意其搜尋條件必須以表格方式呈現，且表格的欄位名稱必須與資料庫的欄位名稱相同。

▶ **DAVERAGE 函數**

- ▸ 函數說明：將清單或資料庫中某一欄位內所有符合指定條件的數值平均。
- ▸ 函數語法：DAVERAGE(database,field,criteria)
- ▸ 引數說明： · database：組成清單或資料庫的儲存格範圍。
  - · field：指定欲執行平均的欄位。
  - · criteria：指定條件的儲存格範圍。

應用例 8 ▶ 計算全班男生平均成績 - ○

利用 DAVERAGE 函數來計算期末成績男生的平均成績。完成工作表外觀如下：

範例 檔案：daverage.xlsx

	A	B	C	D	E	F
1	期末考平均成績統計表					
2						
3	學生	姓別	分數	缺課紀錄		姓別
4	許富強	男	58	1		男
5	邱瑞祥	男	62	0		
6	朱正富	男	63			
7	陳貴玉	女	87	1		
8	莊自強	男	98	公假		
9	吳建文	男	69	1		
10	李中訓	男	86	1		
11	鄭苑鳳	女	82	1		
12	王啟天	男	68	喪假		
13						
14						
15			男生平均成績			
16			72			

操作說明

❷ 輸入公式
=DAVERAGE(A3:D12,C3,F3:F4)

❶ 選 D16 儲存格

06 字串的相關函數

07 財務與會計函數

08 查閱與參照函數、資訊、資料驗證、資訊、

09 綜合商務應用範例

10 函數提示技巧與範例實戰 ChatGPT 大師級

A 工作技巧資料整理相關

01

公式與函數的基礎

02

數值運算的相關函數

03
....
邏輯與統計函數

04
....
常見取得資料的函數

05
....
日期與時間函數

AVERAGEIF/AVERAGEIFS
求取單一或多個條件的平均值

這兩個函數和 DAVERAGE 函數功能相近，都可以計算搜尋得到的平均值，但最大的差異點在於這兩個函數可以直接從範圍中搜尋符合條件的資料並加以平均，也就是說其搜尋條件不需用表格方式指定。但 AVERAGEIF 只能搜尋單一條件，而 AVERAGEIFS 可以搜尋多個條件。

▷ AVERAGEIF 函數

▶ 函數說明： 對儲存格範圍中符合某特定條件的儲存格進行平均。

▶ 函數語法： AVERAGEIF(range,criteria,sum_range)

▶ 引數說明： ・ range：儲存格範圍。

  ・ criteria：用以判斷是否要列入計算的篩選條件，可以是數字、表示式或文字。

  ・ sum_range：實際要加總的儲存格，若忽略此引數則以儲存格範圍為加總對象。

▷ AVERAGEIFS 函數

▶ 函數說明： 在多個儲存格內計算符合某特定條件的儲存格進行平均。

▶ 函數語法： AVERAGEIFS(sum_range,range1,criteria1,range2,criteria2,........)

▶ 引數說明： ・ sum_range：加總範圍。

  ・ range1：儲存格搜尋範圍。

  ・ criteria1：用以判斷是否要列入計算的篩選條件，可以是數字、表示式或文字。

06 字串的相關函數

07 財務與會計函數

08 查閱與參照函數
資料驗證、資訊、

09 綜合商務應用範例

10 函數提示技巧與範例
實戰 ChatGPT 大師級

A 工作技巧相關
資料整理相關

應用例 ❾ 全班男生及女生平均成績

利用 AVERAGEIF 函數來計算期末男女生的平均成績。完成工作表外觀如下：

範例 檔案：averageif.xlsx

▲	A	B	C	D
1	期末考平均成績統計表			
2				
3	學生	姓別	分數	缺課紀錄
4	許富強	男	58	1
5	邱瑞祥	男	62	0
6	朱正富	男	63	
7	陳貴玉	女	87	1
8	莊自強	男	98	公假
9	吳建文	男	69	1
10	李中訓	男	86	1
11	鄭苑鳳	女	82	1
12	王啟天	男	68	喪假
13				
14				
15		平均成績		
16	男	72		
17	女	84.5		

操作說明

❷ 輸入公式
=AVERAGEIF(B4:B12,A16,C4:C12)

❶ 選 B16 儲存格

| B17 | ▼ | : | × | ✓ | fx | =AVERAGEIF(B4:B12,A17,C4:C12) | | | |

❷ 輸入公式
=AVERAGEIF(B4:B12, A17,C4:C12)

	A	B	C	D	E	F	G
1	期末考平均成績統計表						
2							
3	學生	姓別	分數	缺課紀錄			
4	許富強	男	58	1			
5	邱瑞祥	男	62	0			
6	朱正富	男	63				
7	陳貴玉	女	87	1			
8	莊自強	男	98	公假			
9	吳建文	男	69	1			
10	李中訓	男	86	1			
11	鄭苑鳳	女	82	1			
12	王啟天	男	68	喪假			
13							
14							
15		平均成績					
16	男	72					
17	女	84.5					

❶ 選 B17 儲存格

應用例 ❿ ▶ 不同班級男生及女生平均成績 --------------------------------o

利用 AVERAGEIFS 函數來計算期末不同班級男女生的平均成績。完成工作表外觀如下：

範例 檔案：averageifs.xlsx

	A	B	C	D	E	F	G	H
1	各班成績統計表							
2						各班男女生平均成績		
3	班別	學生	姓別	分數		班別	男	女
4	甲班	許富強	男	58		甲班	61	87
5	甲班	邱瑞祥	男	62		乙班	80.25	82
6	甲班	朱正富	男	63				
7	甲班	陳貴玉	女	87				
8	乙班	莊自強	男	98				
9	乙班	吳建文	男	69				
10	乙班	李中訓	男	86				
11	乙班	鄭苑鳳	女	82				
12	乙班	王啟天	男	68				

06 字串的相關函數

07 財務與會計函數

08 查閱與參照函數 資料驗證、資訊、

09 綜合商務應用範例

10 函數提示技巧與範例 實戰 ChatGPT 大師級

A 工作技巧 資料整理相關

操作說明

❷ 輸入公式
=AVERAGEIFS($D$4:$D$12,$A$4:$A$12,$F$4,$C$4:$C$12,$G$3)

❶ 選 G4 儲存格

❷ 輸入公式
=AVERAGEIFS($D$4:$D$12,$A$4:$A$12,$F$4,$C$4:$C$12,$H$3)

❶ 選 H4 儲存格

❷ 輸入公式
=AVERAGEIFS($D$4:$D$12,$A$4:$A$12,$F$5,$C$4:$C$12,$G$3)

❶ 選 G5 儲存格

❷ 輸入公式
=AVERAGEIFS($D$4:$D$12,$A$4:$A$12,$F$5,$C$4:$C$12,$H$3)

❶ 選 H5 儲存格

06
字串的相關函數

07
財務與會計函數

08
查閱與參照函數
資料驗證、資訊、

09
綜合商務應用範例

10
函數提示技巧與範例
實戰 ChatGPT 大師級

A
工作技巧
資料整理相關

Section 3-8 FREQUENCY
區間內數值出現的次數

這個函數主要計算各個區間內數值出現的次數，例如考試成績在各區間的人數統計。

▷ **FREQUENCY 函數**

▶ **函數說明**：計算某範圍內數值出現的次數，並傳回一個垂直數值陣列。

▶ **函數語法**：FREQUENCY(data_array,bins_array)

▶ **引數說明**： ・ data_array：欲計算頻率的數值陣列或數值參照位址。

  ・ bins_array：一個陣列或一個區間的儲存格範圍參照位址，用來存放 data_array 裡的數值分組之結果。如果 bins_array 沒有數值，則 FREQUENCY 傳回 data_array 中元素的個數。

應用例 ⓫▶ 多益成績各成績區間落點的人數 ------------------------○

利用 FREQUENCY 函數計算多益成績各成績區間落點的人數。完成工作表外觀如下：

範例 檔案：frequence.xlsx

	A	B	C	D	E	F	G
1	全班多益成績各區間統計表						
2							
3	學生	分數		成績區間		人數	
4	許富強	545		500-	500	0	
5	邱瑞祥	560		501	550	1	
6	朱正富	630		551	600	1	
7	陳貴玉	820		601	650	1	
8	莊自強	885		651	700	1	
9	吳建文	900		701	750	1	
10	李中訓	765		751	800	1	
11	鄭苑鳳	720		801	850	1	
12	王啟天	670		851	900	2	
13	吳志豪	940		901	950	1	

操作說明

	A	B	C	D	E	F
1	全班多益成績各區間統計表					
2						
3	學生	分數			成績區間	人數
4	許富強	545		500-	500	
5	邱瑞祥	560		501	550	
6	朱正富	630		551	600	
7	陳貴玉	820		601	650	
8	莊自強	885		651	700	
9	吳建文	900		701	750	
10	李中訓	765		751	800	
11	鄭苑鳳	720		801	850	
12	王啟天	670		851	900	
13	吳志豪	940		901	950	

選取 F4:F13 儲存格

| F4 | | × ✓ fx | =FREQUENCY(B4:B13,E4:E13) |

	A	B	C	D	E	F	G	H
1	全班多益成績各區間統計表							
2								
3	學生	分數			成績區間	人數		
4	許富強	545		500-	500	,E4:E13)		
5	邱瑞祥	560		501	550			
6	朱正富	630		551	600			
7	陳貴玉	820		601	650			
8	莊自強	885		651	700			
9	吳建文	900		701	750			
10	李中訓	765		751	800			
11	鄭苑鳳	720		801	850			
12	王啟天	670		851	900			
13	吳志豪	940		901	950			
14								

於 F4 儲存格輸入公式 =FREQUENCY(B4:B13,E4:E13) 可以統計在 B4:B13 儲存格範圍在各成績區間 E4:E13 儲存格範圍的出現次數

| F4 | | × ✓ fx | {=FREQUENCY(B4:B13,E4:E13)} |

	A	B	C	D	E	F	G	H
1	全班多益成績各區間統計表							
2								
3	學生	分數			成績區間	人數		
4	許富強	545		500-	500	0		
5	邱瑞祥	560		501	550	1		
6	朱正富	630		551	600	1		
7	陳貴玉	820		601	650	1		
8	莊自強	885		651	700	1		
9	吳建文	900		701	750	1		
10	李中訓	765		751	800	1		
11	鄭苑鳳	720		801	850	1		
12	王啟天	670		851	900	2		
13	吳志豪	940		901	950	1		

公式輸入完畢後，同時按「ctrl」+「shift」+「enter」鍵，公式前後會自動出現 {及}，成為陣列公式 {=FREQUENCY(B4:B13,E4:E13)}

> **TIPS** 關於陣列公式
>
> 使用陣列公式計算多個結果，可以縮短許多複雜的公式。其作法如下：首先選取您要輸入陣列公式的儲存格範圍，然後輸入您想要使用的公式，接著按 Ctrl + Shift + Enter 鍵就可以完成陣列公式的輸入，請注意公式中要使用的儲存格範圍，必須於陣列中輸入完全相同的列和欄數。

06 字串的相關函數

07 財務與會計函數

08 查閱與參照函數、資訊、資料驗證、

09 綜合商務應用範例

10 函數提示技巧與範例 實戰 ChatGPT 大師級

A 工作技巧 資料整理相關

01
....
公式與函數的基礎

02
....
數值運算的相關函數

03
....
邏輯與統計函數

04
....
常見取得資料的函數

05
....
日期與時間函數

MEDIAN、MODE
中位數及眾數

一組資料的中位數是指將資料從小到大排序後，最中間的數。資料個數是偶數，則可以有不同的值。通常的做法是取最中間的兩個數做平均，例如：6 位同學的成績是 87,65,67,90,77,79，則依大小排列後中間兩個數是 77 及 79，取其平均 (77+79)/2=78，為中位數，表示這 6 位同學的中等成績是 78 分。而一組資料的眾數是指資料中出現次數最多的數值。當資料中出現最多次數的數值一個以上時，則眾數不是唯一的；而當資料中的數值出現次數都一樣多時，眾數不存在。例如：收集 7 位同學在罰球線上投籃 10 次進籃的次數，每位同學投中的次數分別為 8 7 4 3 8 1 2，何者為投中次數的眾數？因為進籃次數最多者為 8，所以眾數為 8。

▶ MEDIAN 函數

▶ **函數說明**：傳回引數串列內的中間數字。

▶ **函數語法**：MEDIAN(number1,number2,...)

▶ **引數說明**：number1,number2,...：要取其中位數的 1 到 30 個數字。

▶ MODE 函數

▶ **函數說明**：傳回在一陣列或範圍的資料中出現頻率最高的值。

▶ **函數語法**：MODE(number1,number2,...)

▶ **引數說明**：number1,number2,...：一到三十個欲計算模式的引數。

應用例 ⑫ 計算投籃大賽的中位數與眾數 ------------------------------------○

利用 MEDIAN 及 MODE 函數計算投籃大賽的中位數與眾數。完成工作表外觀如下：

06
字串的相關函數

07
財務與會計函數

08
查閱與參照函數、資訊、資料驗證、

09
綜合商務應用範例

10
函數提示技巧與範例
實戰 ChatGPT 大師級

A
工作技巧相關
資料整理

範例 檔案：ball.xlsx

	A	B	C	D	E	F
1	班際盃籃球罰球大賽			籃球投進次數的中位數及眾數		
2						
3	學生	投進次數		中位數	眾數	
4	許富強	12		10	10	
5	邱瑞祥	11				
6	朱正富	18				
7	陳貴玉	10				
8	莊自強	8				
9	吳建文	16				
10	李中訓	7				
11	鄭苑鳳	3				
12	王啟天	5				
13	孫建浩	10				
14	陳申宗	10				
15	王震寰	11				
16	陳思輝	13				

操作說明

D4 =MEDIAN(B4:B16)

於 D4 儲存格輸入公式 =MEDIAN(B4:B16)，可以計算出所有學生投進次數由小到大排序後的最中間值的次數

於 E4 儲存格輸入公式 =MODE(B4:B16) 可以計算出所有學生投進次數出現頻率最高的次數

3-29

LARGE、SMALL、LOOKUP
指定範圍排名順位

生活中常會碰到要從一堆資料中挑選第幾大或第幾小的需求,這時就可以利用 LARGE、SMALL 來求取資料組第幾順位大的數值或第幾順位小的數值。

▷ LARGE 函數

▶ 函數說明: 傳回資料組中第 k 大的數值。

▶ 函數語法: LARGE(array,k)

▶ 引數說明: · array:欲決定第 k 大的數值之陣列或資料範圍。

· k:在陣列或資料的儲存格範圍中要傳回的位置(由最大值算起),k 的值不可以超過原有的資料個數。

▷ SMALL 函數

▶ 函數說明: 傳回資料組中第 k 小的數值。

▶ 函數語法: SMALL(array,k)

▶ 引數說明: · array:欲找出第 k 小的數值之陣列或資料範圍。

· k:在陣列或要傳回資料範圍中的位置(由最小值算起),k 的值不可以超過原有的資料個數。

▷ LOOKUP 函數

▶ 函數說明: 從一列、一欄或陣列範圍中傳回一個數值。LOOKUP()有「向量」和「陣列」兩種型式。

▶ 函數語法: 向量型式:LOOKUP(lookup_value,lookup_vector,result_vector)
陣列型式:LOOKUP(lookup_value,array)

▶ 引數說明: · lookup_value:LOOKUP()函數在向量(或陣列)範圍中所要尋找的值。

· lookup_vector:單列或單欄的範圍,若此引數為數值則必須以遞增排序。

06
字串的相關函數

07
財務與會計函數

08
查閱與參照函數、資料驗證、資訊、

09
綜合商務應用範例

10
函數提示技巧與範例實戰 ChatGPT 大師級

A
工作技巧資料整理相關

- result_vector：單列或單欄的範圍，它的大小應與 Lookup_vector 引數相同。
- array：儲存格範圍。

應用例 ⑬ ▸ 列出段考總分前三名及後三名分數 ----------------------------------o

利用 LARGE、SMALL 及 LOOKUP 三種函數列出段考總分前三名及後三名分數。完成工作表外觀如下：

範例 檔案：large.xlsx

	A	B	C	D	E	F	G	H
1	列出段考成績前三名及後三名							
2							前三名	
3	學生	國文	英文	數學	總分		名次	總分
4	許富強	80	68	98	246		1	250
5	邱瑞祥	60	76	95	231		2	243
6	朱正富	85	64	94	243		3	236
7	陳貴玉	76	69	88	233			
8	莊自強	89	67	78	234			
9	吳建文	64	87	60	211			
10	李中訓	62	81	54	197		後三名	
11	鄭苑鳳	78	83	89	250		名次	總分
12	王啟天	59	75	74	208		1	187
13	孫建浩	67	74	46	187		2	197
14	陳申宗	84	70	82	236		3	208
15	王震寰	77	77	74	228			
16	陳思輝	75	90	69	234			

操作說明

於 H4 儲存格輸入公式 =LARGE(E4:$E$16,G4) 可以計算出全班第一名的分數

	A	B	C	D	E	F	G	H
1	列出段考成績前三名及後三名							
2							前三名	
3	學生	國文	英文	數學	總分		名次	總分
4	許富強	80	68	98	246		1	250
5	邱瑞祥	60	76	95	231		2	243
6	朱正富	85	64	94	243		3	236
7	陳貴玉	76	69	88	233			
8	莊自強	89	67	78	234			
9	吳建文	64	87	60	211			
10	李中訓	62	81	54	197		後三名	
11	鄭苑鳳	78	83	89	250		名次	總分
12	王啟天	59	75	74	208		1	
13	孫建浩	67	74	46	187		2	
14	陳申宗	84	70	82	236		3	
15	王震寰	77	77	74	228			
16	陳思輝	75	90	69	234			

❶ 選 H4 儲存格,並將滑鼠指標移至 H4 儲存格右下角

❷ 當指標變為 ✛ 圖示時,按住滑鼠左鍵往下拖曳至 H6 儲存格

H12 f_x =SMALL(E4:E16,G12)

	A	B	C	D	E	F	G	H
1	列出段考成績前三名及後三名							
2							前三名	
3	學生	國文	英文	數學	總分		名次	總分
4	許富強	80	68	98	246		1	250
5	邱瑞祥	60	76	95	231		2	243
6	朱正富	85	64	94	243		3	236
7	陳貴玉	76	69	88	233			
8	莊自強	89	67	78	234			
9	吳建文	64	87	60	211			
10	李中訓	62	81	54	197		後三名	
11	鄭苑鳳	78	83	89	250		名次	總分
12	王啟天	59	75	74	208		1	187
13	孫建浩	67	74	46	187		2	
14	陳申宗	84	70	82	236		3	
15	王震寰	77	77	74	228			
16	陳思輝	75	90	69	234			
17								

於 H12 儲存格輸入公式 =SMALL(E4:E16,G12) 可以計算出全班倒數第一名的分數

	A	B	C	D	E	F	G	H
1	列出段考成績前三名及後三名							
2							前三名	
3	學生	國文	英文	數學	總分		名次	總分
4	許富強	80	68	98	246		1	250
5	邱瑞祥	60	76	95	231		2	243
6	朱正富	85	64	94	243		3	236
7	陳貴玉	76	69	88	233			
8	莊自強	89	67	78	234			
9	吳建文	64	87	60	211			
10	李中訓	62	81	54	197		後三名	
11	鄭苑鳳	78	83	89	250		名次	總分
12	王啟天	59	75	74	208		1	187
13	孫建浩	67	74	46	187		2	197
14	陳申宗	84	70	82	236		3	208
15	王震寰	77	77	74	228			
16	陳思輝	75	90	69	234			
17								

❶ 選 H12 儲存格,並將滑鼠指標移至 H12 儲存格右下角

❷ 當指標變為 ✛ 圖示時,按住滑鼠左鍵往下拖曳至 H14 儲存格

06
字串的相關函數

07
財務與會計函數

08
查閱與參照函數
資料驗證、資訊、

09
綜合商務應用範例

10
函數提示技巧與範例
實戰 ChatGPT 大師級

A
工作技巧
資料整理相關

RANK.EQ
傳回在指定範圍的排名順序

競賽項目報名順序往往和得獎名次沒有相關，計算完得分後，要在茫茫數字中找到第一名，有時候不是一件容易的事，你可以使用分數排序方式找到第 1 名，當然也可以利用 RANK.EQ 函數來幫忙。使用 RANK.EQ 函數有一個好處，就是重複的數字會給相同的排名，後續的排名則會自動往後移。

▷ RANK.EQ 函數

- ▸ 函數說明：傳回某數字在一串數字清單中的順序。
- ▸ 函數語法：RANK.EQ(number,ref,order)
- ▸ 引數說明：　· number：欲求取等級的數字

　　　　　　· ref：數值陣列或數值參照位址，非數值的儲存格會被忽略。

　　　　　　· order：指定的順序。如果為「0」或忽略，則把 ref 當成由大到小排序來評定 number 的等級；若不為「0」，則當成由小到大排序來評定等級。

應用例 ⑭ 將全班段考成績由大到小排名 ----------------------------------o

利用 RANK.EQ 函數將全班段考成績由大到小排名，第一名的名次請標示為 1，
第二名標示為 2，以此類推。完成工作表外觀如下：

範例 檔案：rank.xlsx

	A	B	C	D	E	F
1	列出段考成績所有學生排名					
2						
3	學生	國文	英文	數學	總分	名次
4	鄭苑鳳	78	83	89	250	1
5	許富強	80	68	98	246	2
6	朱正富	85	64	94	243	3
7	陳申宗	84	70	82	236	4
8	莊自強	89	67	78	234	5
9	陳思輝	75	90	69	234	5
10	陳貴玉	76	69	88	233	7
11	邱瑞祥	60	76	95	231	8
12	王震寰	77	77	74	228	9
13	吳建文	64	87	60	211	10
14	王啟天	59	75	74	208	11
15	李中訓	62	81	54	197	12
16	孫建浩	67	74	46	187	13

操作說明

	A	B	C	D	E	F	G	H
1	列出段考成績所有學生排名							
2								
3	學生	國文	英文	數學	總分	名次		
4	許富強	80	68	98	246	=RANK.EQ(E4,$E$4:$E$16)		
5	邱瑞祥	60	76	95	231			
6	朱正富	85	64	94	243			
7	陳貴玉	76	69	88	233			
8	莊自強	89	67	78	234			
9	吳建文	64	87	60	211			
10	李中訓	62	81	54	197			
11	鄭苑鳳	78	83	89	250			
12	王啟天	59	75	74	208			
13	孫建浩	67	74	46	187			
14	陳申宗	84	70	82	236			
15	王震寰	77	77	74	228			
16	陳思輝	75	90	69	234			

於 F4 儲存格輸入公式 =RANK.EQ(E4,$E$4: $E$16) 可以計算出這位同學在全班的排名

06 字串的相關函數

07 財務與會計函數

08 查閱與參照函數、資訊、資料驗證、

09 綜合商務應用範例

10 函數提示技巧與範例 實戰 ChatGPT 大師級

A 工作技巧相關 資料整理

❶ 選 F4 儲存格,並將滑鼠指標移至 F4 儲存格右下角

❷ 當指標變為 ➕ 圖示時,按住滑鼠左鍵往下拖曳至 F16 儲存格

❷ 執行「資料」標籤下的數字由小到大的鈕,就可以依第 1 名開始排列順序,就可以得到本範例所要產生的輸出結果

❶ 選取名次那一欄的任意儲存格,此處選取 F4 為作用儲存格

Section
3-12

IFERROR
捕捉及處理公式中的錯誤

IFERROR 函數會處理公式過程中的錯誤,當公式發生錯誤時,則會回傳您指定的值。但是如果公式沒有發生錯誤,則會回傳公式計算後的結果值。

▷ IFERROR 函數

▸ 函數說明:捕捉及處理公式中的錯誤。

▸ 函數語法:IFERROR(value,value_if_error)

▸ 引數說明: • value:IFERROR函數會檢查此引數是否有錯誤,這個引數不能省略。

 • value_if_error:公式評估為錯誤時當第一個引數發生下列各種錯誤類型:#N/A、#VALUE!、#REF!、#DIV/0!、#NUM!、#NAME? 或 #Null!,這個引數可以用來指定要返回的值,這個引數不能省略。

應用例 ⑮ ▸ 投籃機高手團體賽 --o

請在下表中的 C 欄計算各個投籃機高中的平均得分,但因為 B 欄的「參與人數」的值有些儲存格沒有正確給定數值,因此會產生公式上的錯誤。接著請在 D 欄加入 iferror 函數,當公式的結果值有錯誤時,則輸出 "漏了輸入人數或人數輸入錯誤" 字串,否則輸出公式的正確結果,操作過程如下:

範例 檔案:iferror.xlsx

	A	B	C	D
1	投籃機高手團體賽			
2	總得分	參與人數	平均得分	加入IFERROR函數判斷
3	360	3		
4	852			
5	540	5		
6	840	3		
7	654	A		

開啟範例檔案

於 C3 儲存格輸入公式 =A3/B3 可以計算出平均成績

拖曳填滿控點複製 C3 公式到 C7，可以看到 C 欄已填滿平均得分，但也發現有錯誤值產生

於 D3 儲存格輸入公式 = IFERROR(A3/B3, "漏了輸入人數或人數輸入錯誤") 可以計算出平均成績

拖曳填滿控點複製 D3 公式到 D7，可以看到 D 欄已填滿加入 IFERROR 函數判斷的平均得分

	A	B	C	D
1	投籃機高手團體賽			
2	總得分	參與人數	平均得分	加入IFERROR函數判斷
3	360	3	120	120
4	852		#DIV/0!	漏了輸入人數或人數輸入錯誤
5	540	5	108	108
6	840	3	280	280
7	654 A		#VALUE!	漏了輸入人數或人數輸入錯誤

原先公式有錯誤值的儲存格，會以所指定的字串填入

06 字串的相關函數

07 財務與會計函數

08 查閱與參照函數 資料驗證、資訊、

09 綜合商務應用範例

10 函數提示技巧與範例 實戰 ChatGPT 大師級 工作技巧

A 資料整理相關

01
公式與函數的基礎

02
數值運算的相關函數

03
....
邏輯與統計函數

04
常見取得資料的函數

05
日期與時間函數

Section
3-13

IFS
多條件 IF 判斷

這是 Excel 2019 新增加的函數，它的功能有點像巢狀 IF 函數，但使用上則較為簡單，不會像傳統使用巢狀 IF 函數那樣的複雜，能使多個條件更容易閱讀。這個函數的核心作法就是會依照您指定的順序測試條件，來檢查是否符合一個或多個條件，如果測試通過，就會直接傳回對應至第一個 TRUE 條件的值。當所有條件都沒有符合時，也可以指定 else 來傳回指定的結果。

> **IFS 函數**

▸ 函數說明：檢查是否符合一或多個條件，並直接傳回對應至第一個 TRUE 條件的值。

▸ 函數語法：=IFS([測試條件1，值1]，[測試條件2，值2]，[測試條件3，值3])

▸ 引數說明：當「測試條件 1」成立時會傳回「值 1」，IFS 函數可讓您測試最多 127 種不同的條件。

應用例 ⑯▸IQ 智商表現水平描述 --○

請利用 IFS 函數設計一個 IQ 等級對照表，並從所輸入的智商分數，以 IFS 函數結合該 IQ 等級對照表，輸出不同的 IQ 智商應有的表現水平描述。

範例 檔案：ifs.xlsx

▲	A	B	C	D	E
1	IQ智商	表現水準描述		IQ等級對照表	
2	140			130以上	資賦優異
3	130			120以上	優秀
4	120			95以上	普通中上
5	110			71以上	普通中下
6	100			70以下	能力不足
7	90				
8	80				
9	70				
10	60				

請於 B2:B10 以 IFS 函數輸入公式來判斷不同 IQ 的表現水準描述

06 字串的相關函數

07 財務與會計函數

08 查閱與參照函數 資料驗證、資訊、

09 綜合商務應用範例

10 函數提示技巧與範例 實戰 ChatGPT 大師級

A 工作技巧相關 資料整理相關

操作說明

於 B2 儲存格輸入公式 =IFS(A2>=130,$E$2,A2>=120,$E$3,A2>=95,$E$4,A2>=71,$E$5,TRUE,$E$6)，請注意對照表的儲存格，請用絕對參照位址

B2			×	✓	fx	=IFS(A2>=130,$E$2,A2>=120,$E$3,A2>=95,$E$4,A2>=71,$E$5,TRUE,$E$6)				
▲	A	B	C	D	E	F	G	H	I	J
1	IQ智商	表現水準描述		IQ等級對照表						
2	140	資賦優異		130以上	資賦優異					
3	130			120以上	優秀					
4	120			95以上	普通中上					
5	110			71以上	普通中下					
6	100			70以下	能力不足					
7	90									
8	80									
9	70									
10	60									

▲	A	B	C	D	E
1	IQ智商	表現水準描述		IQ等級對照表	
2	140	資賦優異		130以上	資賦優異
3	130	資賦優異		120以上	優秀
4	120	優秀		95以上	普通中上
5	110	普通中上		71以上	普通中下
6	100	普通中上		70以下	能力不足
7	90	普通中下			
8	80	普通中下			
9	70	能力不足			
10	60	能力不足			
11					

拖曳複製 B2 儲存格公式到 B10 儲存格

執行結果 檔案：ifs_ok.xlsx

▲	A	B	C	D	E
1	IQ智商	表現水準描述		IQ等級對照表	
2	140	資賦優異		130以上	資賦優異
3	130	資賦優異		120以上	優秀
4	120	優秀		95以上	普通中上
5	110	普通中上		71以上	普通中下
6	100	普通中上		70以下	能力不足
7	90	普通中下			
8	80	普通中下			
9	70	能力不足			
10	60	能力不足			

完成各種不同 IQ 智商應有的表現水準描述

01
....
公式與函數的基礎

02
....
數值運算的相關函數

03
....
邏輯與統計函數

04
....
常見取得資料的函數

05
....
日期與時間函數

Section
3-14 ▶ **MAXIFS/MINIFS**
指定條件最大值及最小值

這是 Excel 2019 新增加的函數,它會傳回符合單一一組測試條件或多個準
則之儲存格範圍的最大值。這個函數允許您輸入最多 126 個範圍 / 準則配
對。有關這個函數的功能說明與語法細節,請參考底下的說明。

▷ **MAXIFS 函數**

▶ 函數說明:根據指定條件或準則,並傳回指定之儲存格範圍的最大值。

▶ 函數語法:MAXIFS(max_range,criteria_range1,criteria1,[criteria_range2,
criteria2],...)

▶ 引數說明: · max_range:要判斷最大值的儲存格範圍,這個參數不可省略。

· criteria_range1:作為準則評估的一組儲存格,這個參數不可
省略。

· criteria1:這是以數字、運算式或文字形式指定的準則,主要
功能就是作為評估為最大值的儲存格的準則。

▷ **MINIFS 函數**

▶ 函數說明:根據指定條件或準則,並傳回指定之儲存格範圍的最小值。

▶ 函數語法:MINIFS(min_range,criteria_range1,criteria1,[criteria_range2,
criteria2],...)

▶ 引數說明: · min_range:要判斷最小值的儲存格範圍,這個參數不可省略。

· criteria_range1:作為準則評估的一組儲存格,這個參數不可
省略。

· criteria1:這是以數字、運算式或文字形式指定的準則,主要
功能就是作為評估為最小值的儲存格的準則。

06

字串的相關函數

07

財務與會計函數

08

查閱與參照函數、資料驗證、資訊、

09

綜合商務應用範例

10

函數提示技巧與範例

實戰 ChatGPT 大師級

A

工作技巧

資料整理相關

應用例 ⑰ ▸ 輸出各種考試科目最高分及最低分 ⌐⌐⌐⌐⌐⌐⌐⌐⌐⌐⌐⌐⌐⌐⌐⌐⌐⌐⌐⌐⌐⌐⌐⌐⌐⌐⌐⌐⌐⌐ o

請利用 MAXIFS 函數 / MINIFS 函數設計一個工作表，可以讓老師快速從全班同學各科目的成績中快速挑出每一個科目的最高分及最低分。

範例 檔案：maxandmin.xlsx

◢	A	B	C	D	E
1	科目	各科目最高分		成績紀錄	成績
2	數學			數學	95
3	英文			英文	96
4	國文			國文	98
5				數學	96
6	科目	各科目最低分		英文	94
7	數學			國文	91
8	英文			數學	87
9	國文			英文	100
10				國文	98
11				數學	92
12				英文	97
13				國文	68
14				數學	96
15				英文	91
16				國文	97

> 利用 MAXIFS 函數 /MINIFS 函數輸出各種考試科目最高分及最低分

操作說明

B2		▼	:	✕	✓	fx	=MAXIFS($E$2:$E$16,$D$2:$D$16,A2)

◢	A	B	C	D	E	F	G
1	科目	各科目最高分		成績紀錄	成績		
2	數學	96		數學	95		
3	英文			英文	96		
4	國文			國文	98		
5				數學	96		
6	科目	各科目最低分		英文	94		
7	數學			國文	91		
8	英文			數學	87		
9	國文			英文	100		
10				國文	98		
11				數學	92		
12				英文	97		
13				國文	68		
14				數學	96		
15				英文	91		
16				國文	97		

> 於 B2 儲存格輸入公式
> =MAXIFS($E$2:$E$16,$D$2:$D$16,A2)

◢	A	B	C	D	E
1	科目	各科目最高分		成績紀錄	成績
2	數學	96		數學	95
3	英文	100		英文	96
4	國文	98		國文	98
5				數學	96
6	科目	各科目最低分		英文	94
7	數學			國文	91
8	英文			數學	87
9	國文			英文	100
10				國文	98
11				數學	92
12				英文	97
13				國文	68
14				數學	96
15				英文	91
16				國文	97

拖曳複製 B2 儲存格公式到 B4 儲存格

◢	A	B	C	D	E
1	科目	各科目最高分		成績紀錄	成績
2	數學	96		數學	95
3	英文	100		英文	96
4	國文	98		國文	98
5				數學	96
6	科目	各科目最低分		英文	94
7	數學	87		國文	91
8	英文			數學	87
9	國文			英文	100
10				國文	98
11				數學	92
12				英文	97
13				國文	68
14				數學	96
15				英文	91
16				國文	97

於 B7 儲存格輸入公式 =MINIFS($E$2:$E$16,$D$2:$D$16,A7)

◢	A	B	C	D	E
1	科目	各科目最高分		成績紀錄	成績
2	數學	96		數學	95
3	英文	100		英文	96
4	國文	98		國文	98
5				數學	96
6	科目	各科目最低分		英文	94
7	數學	87		國文	91
8	英文	91		數學	87
9	國文	68		英文	100
10				國文	98
11				數學	92
12				英文	97
13				國文	68
14				數學	96
15				英文	91
16				國文	97

拖曳複製 B7 儲存格公式到 B9 儲存格

06 字串的相關函數

07 財務與會計函數

08 查閱與參照函數、資料驗證、資訊、

09 綜合商務應用範例

10 函數提示技巧與範例 實戰 ChatGPT 大師級

A 工作技巧 資料整理相關

執行結果 檔案：maxandmin_ok.xlsx

	A	B	C	D	E
1	科目	各科目最高分		成績紀錄	成績
2	數學	96		數學	95
3	英文	100		英文	96
4	國文	98		國文	98
5				數學	96
6	科目	各科目最低分		英文	94
7	數學	87		國文	91
8	英文	91		數學	87
9	國文	68		英文	100
10				國文	98
11				數學	92
12				英文	97
13				國文	68
14				數學	96
15				英文	91
16				國文	97

最高分及最低分

分別輸出各種考試科目

SWITCH
多重條件配對

這是 Excel 2019 新增加的函數,這個函數會依據運算式的結果值,傳回對應到第一個相符值的結果。如果沒有相符的結果,則會傳回預設值。舉例來說,如果運算式的結果符合第一個條件所設定的值,就會傳回與第一個條件成對設定的回傳值。同理,如果運算式的結果符合第二個條件所設定的值,就會傳回與第二個條件成對設定的回傳值,以此類推。

▶ **SWITCH 函數**

▸ 函數說明:會依據運算式的結果值,傳回對應到第一個相符值的結果。

▸ 函數語法:=SWITCH(運算式,符合值1,傳回值1,符合值2,傳回值2,…,沒有相符時傳回的值)

▸ 引數說明:這個運算式會產生一個結果值,再一一去比對與哪一個值相符,接著會傳回與該相符值所配對的傳回值。

應用例 ⑱ 旅遊地點問卷調查 ---------------------------------○

請利用 SWITCH 函數設計一個旅遊地點問卷調查,並從員工所選擇的數字答案中,輸出每位員工最想去的旅遊地點。

範例 檔案:switch.xlsx

	A	B	C	D	E	F
1	姓名	選項	你想去的旅遊地點		項目編號	地點
2	陳大豐	2			1	花蓮
3	許伯如	1			2	台中
4	朱正文	4			3	宜蘭
5	吳健恒	3			4	高雄
6	鄭苑鳳	5				
7	陳威信	0				

於 C2:C7 儲存格利用 SWITCH 函數來產生每位員工最想去的旅遊地點

06 字串的相關函數

07 財務與會計函數

08 查閱與參照函數 資料驗證、資訊、

09 綜合商務應用範例

10 函數提示技巧與範例 實戰 ChatGPT 大師級

A 工作技巧 資料整理相關

操作說明

| C2 | | fx | =SWITCH(B2,1,$F$2,2,$F$3,3,$F$4,4,$F$5,"台北") |

	A	B	C	D	E	F	G	H
1	姓名	選項	你想去的旅遊地點		項目編號	地點		
2	陳大豐	2	台中		1	花蓮		
3	許伯如	1			2	台中		
4	朱正文	4			3	宜蘭		
5	吳健恒	3			4	高雄		
6	鄭苑鳳	5						
7	陳威信	0						

於 C2 儲存格輸入公式
=SWITCH(B2,1,$F$2,2,$F$3,3,$F$4,4,$F$5,"台北")

| C2 | | fx | =SWITCH(B2,1,$F$2,2,$F$3,3,$F$4,4,$F$5,"台北") |

	A	B	C	D	E	F	G	H
1	姓名	選項	你想去的旅遊地點		項目編號	地點		
2	陳大豐	2	台中		1	花蓮		
3	許伯如	1	花蓮		2	台中		
4	朱正文	4	高雄		3	宜蘭		
5	吳健恒	3	宜蘭		4	高雄		
6	鄭苑鳳	5	台北					
7	陳威信	0	台北					
8								

拖曳複製 C2 儲存格
公式到 C7 儲存格

執行結果　檔案：switch_ok.xlsx

	A	B	C	D	E	F
1	姓名	選項	你想去的旅遊地點		項目編號	地點
2	陳大豐	2	台中		1	花蓮
3	許伯如	1	花蓮		2	台中
4	朱正文	4	高雄		3	宜蘭
5	吳健恒	3	宜蘭		4	高雄
6	鄭苑鳳	5	台北			
7	陳威信	0	台北			

在 C 欄可以輸出各員工所希望
去的旅遊地點

Section
3-16 **COMBIN**
組合總數量

傳回指定項目數的可能群組總數。如果引數為負數或非數值，則會產生錯誤，另外數值引數會取至整數。

> **COMBIN 函數**

▶ 函數說明：傳回指定項目數的組合總數量。

▶ 函數語法：COMBIN(number,number_chosen)

▶ 引數說明： · number：這是項目的總數，是必要引數不可省略。

  · number_chosen：這是要挑選多少項目的數值，舉例如果原項目數為 10，number_chosen 數值為 3，表示從 10 個項目任選 3 個項目，再去計算可能群組總數。

應用例 ⑲ ▶ 不同摸彩獎品組合可能的總數 --------------------------------------○

請利用 COMBIN 函數設計一個工作表，可以計算不同摸彩獎品組合可能的總數，這個例子假設每個獎品以英文字母來編號，所有提供獎品的機構或個人共有 26 項獎品。假設一個部門一次可以抽 5 種獎品，請問共有多少種不同獎品的組合數可能？

範例 檔案：combin.xlsx

	A	B	C
1	不區分大小寫字母個數	獎品抽取個數	有多少可能組合
2	26	10	

請輸入公式計算會有多少種不同獎品的組合

06
字串的相關函數

07
財務與會計函數

08
查閱與參照函數
資料驗證、資訊、

09
綜合商務應用範例

10
函數提示技巧與範例
實戰 ChatGPT 大師級

A
工作技巧
資料整理相關

操作說明

	A	B	C	D
1	不區分大小寫字母個數	獎品抽取個數	有多少可能組合	
2		26	10	=COMBIN(A2,5)
3				

於 C2 儲存格輸入公式
=COMBIN(A2,5)

執行結果 檔案：type_ok.xlsx

	A	B	C
1	不區分大小寫字母個數	獎品抽取個數	有多少可能組合
2	26	10	65780

總共有 65780 種可能組合

01

公式與函數的基礎

02

數值運算的相關函數

03
....
邏輯與統計函數

04

常見取得資料的函數

05

日期與時間函數

PERMUT
排列總數

這個函數的功能是計算從指定數量物件中選取之指定物件數的排列的可能性總數。舉例來說,如果可設定密碼只有 ABC 三個字母,而密碼的位數為 2 位,則會產生 6 種可能的密碼排列:AB、BA、AC、CA、BC、CB。再舉另一個例子,如果可設定密碼只有 ABC 三個字母,而密碼的位數為 3 位,則會產生 6 種可能的密碼排列:ABC、ACB、BAC、BCA、CAB、CBA。

▷ PERMUT 函數

▶ 函數說明:計算從指定數量物件中選取之指定物件數的排列的可能性總數。

▶ 函數語法:PERMUT(number,number_chosen)

▶ 引數說明: ・ number:這是項目的總數,是必要引數不可省略。

　　　　　　 ・ number_chosen:這是要挑選多少項目的數值,舉例如果原項目數為 4,number_chosen 數值為 3,表示從 4 個項目任選 3 個項目,再去計算排列的可能性總數。

應用例 ㉑ ▸ 不同密碼字母排列的可能總數 -------------------------------------○

請利用 PERMUT 函數設計一個工作表,計算從指定字母數量中選取不同密碼字母數所產生排列的可能總數,這個例子假設每個密碼以不同英文字母來編號。

範例 檔案:permut.xlsx

	A	B	C
1	可作為密碼的字母個數	密碼設定的位數	有多少可能排列
2	1	1	
3	2	1	
4	2	2	
5	3	1	
6	3	2	
7	3	3	
8	4	1	
9	4	2	
10	4	3	
11	4	4	
12	26	1	
13	26	2	
14	26	3	
15	26	4	

> 計算不同密碼字母排列的可能總數

06 字串的相關函數

07 財務與會計函數

08 查閱與參照函數、資料驗證、資訊、

09 綜合商務應用範例

10 函數提示技巧與範例 實戰 ChatGPT 大師級

A 工作技巧 資料整理相關

操作說明

	A	B	C
1	可作為密碼的字母個數	密碼設定的位數	有多少可能排列
2	1	1	=PERMUT(A2,B2)
3	2	1	
4	2	2	
5	3	1	
6	3	2	
7	3	3	
8	4	1	
9	4	2	
10	4	3	
11	4	4	
12	26	1	
13	26	2	
14	26	3	
15	26	4	

於 C2 儲存格輸入公式 =PERMUT(A2,B2)，再按下 ENTER 鍵完成公式輸入工作

	A	B	C	D
1	可作為密碼的字母個數	密碼設定的位數	有多少可能排列	
2	1	1	1	
3	2	1	2	
4	2	2	2	
5	3	1	3	
6	3	2	6	
7	3	3	6	
8	4	1	4	
9	4	2	12	
10	4	3	24	
11	4	4	24	
12	26	1	26	
13	26	2	650	
14	26	3	15600	
15	26	4	358800	
16				

❶ C2 儲存格得到的可能排列數為 1

❷ 拖曳複製 C2 的公式到 C15 儲存格

執行結果 檔案：permut ok.xlsx

	A	B	C
1	可作為密碼的字母個數	密碼設定的位數	有多少可能排列
2	1	1	1
3	2	1	2
4	2	2	2
5	3	1	3
6	3	2	6
7	3	3	6
8	4	1	4
9	4	2	12
10	4	3	24
11	4	4	24
12	26	1	26
13	26	2	650
14	26	3	15600
15	26	4	358800

於 C 欄可以產生各種條件的排列可能總數

NOTE

04

常見取得資料的函數

Excel 提供各種實用的函數可以幫助各位設定搜尋條件,然後在一大堆的資料範圍中取得所需的資料。

IF/SUM
條件式加總

IF 函數可以根據所設定的條件，指定所需的值，如果又能搭配 SUM 函數，就可以將這些符合條件的值加總。

▷ IF 函數

▸ **函數說明：** 可讓您用來判斷測試條件是否成立。可以有兩種結果。第一個結果是比較為 True，第二個結果是比較為 False。

▸ **函數語法：** IF(logical_test,value_if_true,value_if_false)

▸ **引數說明：** · logical_test：此為判斷式。用來判斷測試條件是否成立。

 · value_if_true：此為條件成立時，所執行的程序。

 · value_if_false：此為條件不成立時，所執行的程序。

▷ SUM 函數

▸ **函數說明：** 就是加總函數，可以加總指定儲存格範圍內的所有數值。

▸ **函數語法：** SUM(number1:number2)

▸ **引數說明：** 函數中 number1 及 number2 代表來源資料的範圍。例如：SUM(A1:A10) 即表示從 A1+A2+A3... 至 +A10 為止。SUM 函數引數中，選取要加總的儲存格範圍，若是不連續的儲存格則使用「,」區隔即可。

應用例 ❶ ▸ 統計旅遊地點的參加人數 --------------------------------○

建立一個旅遊地點的工作表，並統計第一意願為「高雄」的員工人數，這個例子會搭配 IF 函數及 SUM 函數進行演練。

06
字串的相關函數

07
財務與會計函數

08
查閱與參照函數、資料驗證、資訊、

09
綜合商務應用範例

10
函數提示技巧與範例 實戰 ChatGPT 大師級

A
工作技巧相關 資料整理

範例 檔案：trip.xlsx

操作說明

選 C4 儲存格，並輸入公式 =IF(B4="高雄",1,0)

❶ 選 C4 儲存格，並將滑鼠指標移至 C4 儲存格右下角

❷ 按住滑鼠左鍵往下拖曳填滿控點至 C10 儲存格

於 C12 儲存格輸入公式 =SUM(C4:C10)

	A	B	C
1	旅遊地點		
2			
3	姓名	第一喜好	
4	許富強	高雄	1
5	邱瑞祥	宜蘭	0
6	朱正富	台北	0
7	陳貴玉	新北	0
8	鄭芸麗	台中	0
9	許伯如	高雄	1
10	林宜訓	高雄	1
11			
12		高雄統計	3

出現高雄的統計人數

06
字串的相關函數

07
財務與會計函數

08
查閱與參照函數、
資料驗證、資訊、

09
綜合商務應用範例

10
函數提示技巧與範例
實戰 ChatGPT 大師級

A
工作技巧
資料整理相關

Section
4-2

DGET
取資料庫中欄內符合指定條件的單一值

這個函數會在指定的資料來源範圍中取出符合指定條件的單一值。

▷ **DGET 函數**

▸ 函數說明：擷取清單或資料庫中欄內符合指定條件的單一值。

▸ 函數語法：DGET(database,field,criteria)

▸ 引數說明：· database：組成清單或資料庫的儲存格範圍。

· field：指出函數中使用的是哪一個資料欄。

· criteria：欲指定條件的儲存格範圍。

應用例 ② ▸ 找尋招生最好的學校及季別 ⌐------------------------------◦

建立一個工作表記錄各個學校的招生情況，並利用 MAX 利用 DGET 及 MAX 函數找尋招生最好的學校及季別。

範例 檔案：student.xlsx

▲	A	B	C	D	E	F
1	各校招生數					
2				招生最多的學校		
3	學校名稱	人數	季別	人數	學校名稱	季別
4	中元金融	2500	春季班	9800	立志大學	春季班
5	中元金融	6400	秋季班			
6	中信科技	6800	春季班			
7	中信科技	6900	秋季班			
8	立志大學	9800	春季班			
9	立志大學	7566	秋季班			
10	好出路大學	5761	春季班			
11	好出路大學	6000	秋季班			
12	東方醫學	7800	春季班			
13	東方醫學	4600	秋季班			
14	前驅大學	1999	春季班			
15	前驅大學	2655	秋季班			
16	第一科技	5000	春季班			
17	第一科技	4800	秋季班			

利用 DGET 函數於所有資料中的「學校名稱」欄位取得「人數」最多的學校

利用 DGET 函數於所有資料中的「季別」欄位取得「人數」最多的季別

操作說明

	A	B	C	D	E	F
1	各校招生數					
2				招生最多的學校		
3	學校名稱	人數	季別	人數	學校名稱	季別
4	中元金融	2500	春季班	=MAX(B4:B17)		
5	中元金融	6400	秋季班			
6	中信科技	6800	春季班			
7	中信科技	6900	秋季班			
8	立志大學	9800	春季班			
9	立志大學	7566	秋季班			
10	好出路大學	5761	春季班			
11	好出路大學	6000	秋季班			
12	東方醫學	7800	春季班			
13	東方醫學	4600	秋季班			
14	前瞻大學	1999	春季班			
15	前瞻大學	2655	秋季班			
16	第一科技	5000	春季班			
17	第一科技	4800	秋季班			

❶ 於 D4 儲存格輸入公式 =MAX(B4:B17)

	A	B	C	D	E	F
1	各校招生數					
2				招生最多的學校		
3	學校名稱	人數	季別	人數	學校名稱	季別
4	中元金融	2500	春季班		=DGET(A3:C17,A3,D3:D4)	
5	中元金融	6400	秋季班			
6	中信科技	6800	春季班			
7	中信科技	6900	秋季班			
8	立志大學	9800	春季班			
9	立志大學	7566	秋季班			
10	好出路大學	5761	春季班			
11	好出路大學	6000	秋季班			
12	東方醫學	7800	春季班			
13	東方醫學	4600	秋季班			
14	前瞻大學	1999	春季班			
15	前瞻大學	2655	秋季班			
16	第一科技	5000	春季班			
17	第一科技	4800	秋季班			

❷ 於 E4 儲存格輸入公式 =DGET(A3:C17,A3,D3:D4)

	A	B	C	D	E	F	G
1	各校招生數						
2				招生最多的學校			
3	學校名稱	人數	季別	人數	學校名稱	季別	
4	中元金融	2500	春季班	9800	立志	=DGET(A3:C17,C3,D3:D4)	
5	中元金融	6400	秋季班				
6	中信科技	6800	春季班				
7	中信科技	6900	秋季班				
8	立志大學	9800	春季班				
9	立志大學	7566	秋季班				
10	好出路大學	5761	春季班				
11	好出路大學	6000	秋季班				
12	東方醫學	7800	春季班				
13	東方醫學	4600	秋季班				
14	前瞻大學	1999	春季班				
15	前瞻大學	2655	秋季班				
16	第一科技	5000	春季班				
17	第一科技	4800	秋季班				

❸ 於 F4 儲存格輸入公式 =DGET(A3:C17,C3,D3:D4)

06
字串的相關函數

07
財務與會計函數

08
查閱與參照函數、資料驗證、資訊、

09
綜合商務應用範例

10
函數提示技巧與範例
實戰 ChatGPT 大師級

A
工作技巧
資料整理相關

Section
4-3

DSUM
符合多個條件的資料加總

這個函數會將清單或資料庫中某一欄內符合指定條件的數值予以加總，有點像 IF 與 SUM 函數的搭配，先利用 IF 函數將符合條件的值取出，再利用 SUM 函數將這些取出的進行加總。

▶ DSUM 函數

- ▶ 函數說明：將清單或資料庫中某一欄內符合指定條件的數值予以加總。
- ▶ 函數語法：DSUM(database,field,criteria)
- ▶ 引數說明： · database：組成清單或資料庫的儲存格範圍。
    · field：指定欲執行加總的欄位。
    · criteria：指定條件的儲存格範圍。

應用例 ❸ ▶ 將多個符合條件的欄位進行加總 ------------------------------○

建立一個工作表，可以將指定的三個學校的所有招生人數進行加總。其執行外觀如下：

範例 檔案：dsum.xlsx

	A	B	C	D	E
1	各校招生數				
2					
3	學校名稱	人數	季別	學校名稱	
4	中元金融	2500	春季班	中元金融	
5	中元金融	6400	秋季班	立志大學	
6	中信科技	6800	春季班	前瞻大學	
7	中信科技	6900	秋季班	三校總人數	30920
8	立志大學	9800	春季班		
9	立志大學	7566	秋季班		
10	好出路大學	5761	春季班		
11	好出路大學	6000	秋季班		
12	東方醫學	7800	春季班		
13	東方醫學	4600	秋季班		
14	前瞻大學	1999	春季班		
15	前瞻大學	2655	秋季班		
16	第一科技	5000	春季班		
17	第一科技	4800	秋季班		

操作說明

	A	B	C	D	E
1	各校招生數				
2					
3	學校名稱	人數	季別	學校名稱	
4	中元金融	2500	春季班	中元金融	
5	中元金融	6400	秋季班	立志大學	
6	中信科技	6800	春季班	前瞻大學	
7	中信科技	6900	秋季班	三柱	=DSUM(A3:C17,B3,D3:D6)
8	立志大學	9800	春季班		
9	立志大學	7566	秋季班		
10	好出路大學	5761	春季班		
11	好出路大學	6000	秋季班		
12	東方醫學	7800	春季班		
13	東方醫學	4600	秋季班		
14	前瞻大學	1999	春季班		
15	前瞻大學	2655	秋季班		
16	第一科技	5000	春季班		
17	第一科技	4800	秋季班		
18					

於 E7 儲存格輸入公式 =DSUM(A3:C17,B3, D3:D6) 就可以將指定的多個學校名稱於資料庫中進行人數的加總

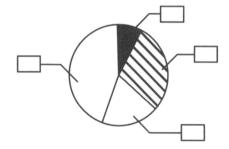

06 字串的相關函數

07 財務與會計函數

08 查閱與參照函數、資料驗證、資訊、

09 綜合商務應用範例

10 函數提示技巧與範例實戰 ChatGPT 大師級

A 工作技巧相關資料整理

Section
4-4

PERCENTILE
從一個範圍裡找出位於其中第 k 個百分比的數值

PERCENTIL 可以幫助各位從一個範圍裡，找出位於其中第 k 個百分比的數值。舉例來說，40% 表示不要取得這個資料範圍中的位於 40% 的數值，如果是 100% 則是這個資料範圍最高的數值。

▷ PERCENTILE 函數

▸ **函數說明：** 從一個範圍裡，找出位於其中第 k 個百分比的數值。

▸ **函數語法：** PERCENTILE(array,k)

▸ **引數說明：** • array：一個陣列或定義出相對位置的資料範圍。

　　　　　　　 • k：在 0 到 1 的範圍之內的百分位數（包括 0 與 1）。

應用例 ④ 考試的及格標準百分比制定 ⋯⋯⋯⋯⋯⋯⋯⋯⋯⋯⋯⋯⋯⋯⋯⋯⋯⋯⋯⋯○

這次考試的題目較難，但教授有一個習慣會固定當掉最後面的 20% 的人，請利用 PERCENTILE 及 IF 函數找出微積分期末考中各學生的及格及不及格的情況。

範例 檔案：percentile.xlsx

	A	B	C	D	E
1	微積分期末考				
2					
3	姓名	分數	是否及格	本此考試的及格標準	
4	阮志偉	24	不及格	20%	27.4
5	林郁瑞	26	不及格		
6	劉志傑	35	及格		
7	何佳智	34	及格		
8	張育屏	64	及格		
9	趙志賢	55	及格		
10	林俊堅	10	不及格		
11	黃武琪	34	及格		
12	許治剛	37	及格		
13	曹登攝	62	及格		
14	蔡昌明	48	及格		
15	蘇憲玉	33	及格		
16	劉蘭聖	45	及格		
17	謝宜欣	68	及格		
18	仇彥玫	20	不及格		
19	陳庭芷	61	及格		
20	黃志禎	34	及格		

操作說明

	A	B	C	D	E
1	微積分期末考				
2					
3	姓名	分數	是否及格	本此考試的及格標準	
4	阮志偉	24			
5	林郁瑞	26			
6	劉志傑	35			
7	何佳智	34			
8	張育屏	64			
9	趙志賢	55			
10	林俊堅	10			
11	黃武琪	34			
12	許治剛	37			
13	曹登瑋	62			
14	蔡昌明	48			
15	蘇憲玉	33			
16	劉蘭聖	45			
17	謝宜欣	68			
18	仇彥玫	20			
19	陳庭芷	61			
20	童志禎	34			

❶ 將作用儲存格移向 D4 儲存格

	A	B	C	D	E
1	微積分期末考				
2					
3	姓名	分數	是否及格	本此考試的及格標準	
4	阮志偉	24		20%	
5	林郁瑞	26			
6	劉志傑	35			
7	何佳智	34			
8	張育屏	64			
9	趙志賢	55			
10	林俊堅	10			
11	黃武琪	34			
12	許治剛	37			
13	曹登瑋	62			
14	蔡昌明	48			
15	蘇憲玉	33			
16	劉蘭聖	45			
17	謝宜欣	68			
18	仇彥玫	20			
19	陳庭芷	61			
20	童志禎	34			

❷ 於 D4 儲存格輸入 20%

	A	B	C	D	E
1	微積分期末考				
2					
3	姓名	分數	是否及格	本此考試的及格標準	
4	阮志偉	24		20%	27.4
5	林郁瑞	26			
6	劉志傑	35			
7	何佳智	34			
8	張育屏	64			
9	趙志賢	55			
10	林俊堅	10			
11	黃武琪	34			
12	許治剛	37			
13	曹登瑋	62			
14	蔡昌明	48			
15	蘇憲玉	33			
16	劉蘭聖	45			
17	謝宜欣	68			
18	仇彥玫	20			
19	陳庭芷	61			
20	童志禎	34			

❸ 於 E4 儲存格輸入公式 =
PERCENTILE(B4:B20,D4)

	A	B	C	D	E
1	微積分期末考				
2					
3	姓名	分數	是否及格	本此考試的及格標準	
4	阮志偉	24	不及格	20%	27.4
5	林郁瑞	26			
6	劉志傑	35			
7	何佳智	34			
8	張育屏	64			
9	趙志賢	55			
10	林俊堅	10			
11	黃武琪	34			
12	許治剛	37			
13	曹登珊	62			
14	蔡昌明	48			
15	蘇憲玉	33			
16	劉蘭聖	45			
17	謝宜欣	68			
18	仇彥玫	20			
19	陳庭芷	61			
20	童志禎	34			

❹ 於 C4 儲存格輸入公式 = IF(B4>=$E$4,"及格","不及格")

	A	B	C	D	E
1	微積分期末考				
2					
3	姓名	分數	是否及格	本此考試的及格標準	
4	阮志偉	24	不及格	20%	27.4
5	林郁瑞	26	不及格		
6	劉志傑	35	及格		
7	何佳智	34	及格		
8	張育屏	64	及格		
9	趙志賢	55	及格		
10	林俊堅	10	不及格		
11	黃武琪	34	及格		
12	許治剛	37	及格		
13	曹登珊	62	及格		
14	蔡昌明	48	及格		
15	蘇憲玉	33	及格		
16	劉蘭聖	45	及格		
17	謝宜欣	68	及格		
18	仇彥玫	20	不及格		
19	陳庭芷	61	及格		
20	童志禎	34	及格		

❺ 將 C4 儲存格公式拖曳複製到 C20

06 字串的相關函數

07 財務與會計函數

08 查閱與參照函數 資料驗證、資訊、

09 綜合商務應用範例

10 函數提示技巧與範例 實戰 ChatGPT 大師級

A 工作技巧 資料整理相關

Section 4-5

PERCENTRANK
傳回某特定數值在一個資料組中的百分比等級

PERCENTRANK 則是幫助傳回某特定數值在一個資料組中的百分比等級。
範圍從 0% 到 100%。

▶ **PERCENTRANK 函數**

▸ 函數說明： 傳回某數值在一個資料組中的百分比等級。

▸ 函數語法： PERCENTRANK(array,x,significance)

▸ 引數說明：· array：一個定義出相對位置的數值資料範圍或陣列。

· x：欲知道等級的數值。

· significance：指定傳回百分比的顯著位數。為可省略的引
數，如果省略時，PERCENTRANK 將使用三位小數 (0.xxx)。

應用例 ❺ ▸ 給定學生的成績表現評語 ------------------------------------○

在所有成績表現中如果最終表現在全體人員的 90% 的表現則定為「優良」，其
他分數則不給多額外評語，在評語欄則以空白呈現。

範例 檔案：percentrank.xlsx

	A	B	C	D
1	微積分期末考			
2				
3	姓名	分數	表現百分比	評語
4	阮志偉	24	13%	
5	林郁瑞	26	19%	
6	劉志傑	35	50%	
7	何佳智	34	31%	
8	張育屏	64	94%	優良
9	趙志賢	55	75%	
10	林俊堅	10	0%	
11	黃武琪	34	31%	
12	許治剛	37	56%	
13	曹登珊	62	88%	
14	蔡昌明	48	69%	
15	蘇憲玉	33	25%	
16	劉蘭聖	45	63%	
17	謝宜欣	68	100%	優良
18	仇彥玫	20	6%	
19	陳庭茁	61	81%	
20	童志禎	34	31%	

06 字串的相關函數

07 財務與會計函數

08 查閱與參照函數 資料驗證、資訊、

09 綜合商務應用範例

10 函數提示技巧與範例 實戰 ChatGPT 大師級

A 工作技巧相關 資料整理

操作說明

第一個表格：

	A	B	C	D
1	微積分期末考			
2				
3	姓名	分數	表現百分比	評語
4	阮志偉	24	0.125	
5	林郁瑞	26		
6	劉志傑	35		
7	何佳智	34		
8	張育屏	64		
9	趙志賢	55		
10	林俊堅	10		
11	黃武琪	34		
12	許治剛	37		
13	曹登珊	62		
14	蔡昌明	48		
15	蘇憲玉	33		
16	劉蘭聖	45		
17	謝宜欣	68		
18	仇彥玫	20		
19	陳庭茫	61		
20	童志禎	34		

於 C4 儲存格輸入公式 =PERCENTRANK($B$4:$B$20,B4)，此例的資料範圍請用絕對參照位址

第二個表格：

	A	B	C	D
1	微積分期末考			
2				
3	姓名	分數	表現百分比	評語
4	阮志偉	24	0.125	
5	林郁瑞	26	0.187	
6	劉志傑	35	0.5	
7	何佳智	34	0.312	
8	張育屏	64	0.937	
9	趙志賢	55	0.75	
10	林俊堅	10	0	
11	黃武琪	34	0.312	
12	許治剛	37	0.562	
13	曹登珊	62	0.875	
14	蔡昌明	48	0.687	
15	蘇憲玉	33	0.25	
16	劉蘭聖	45	0.625	
17	謝宜欣	68	1	
18	仇彥玫	20	0.062	
19	陳庭茫	61	0.812	
20	童志禎	34	0.312	

拖曳 C4 儲存格公式到 C20 儲存格

第三個表格：

	A	B	C	D
1	微積分期末考			
2				
3	姓名	分數	表現百分比	評語
4	阮志偉	24	13%	
5	林郁瑞	26	19%	
6	劉志傑	35	50%	
7	何佳智	34	31%	
8	張育屏	64	94%	
9	趙志賢	55	75%	
10	林俊堅	10	0%	
11	黃武琪	34	31%	
12	許治剛	37	56%	
13	曹登珊	62	88%	
14	蔡昌明	48	69%	
15	蘇憲玉	33	25%	
16	劉蘭聖	45	63%	
17	謝宜欣	68	100%	
18	仇彥玫	20	6%	
19	陳庭茫	61	81%	
20	童志禎	34	31%	

在「常用」標籤下將數值變更為百分比的數位顯示外觀

	A	B	C	D
1	微積分期末考			
2				
3	姓名	分數	表現百分比	評語
4	阮志偉	24		=IF(C4>90%,"優良","")
5	林郁瑞	26	19%	
6	劉志傑	35	50%	
7	何佳智	34	31%	
8	張育屏	64	94%	
9	趙志賢	55	75%	
10	林俊堅	10	0%	
11	黃武琪	34	31%	
12	許治剛	37	56%	
13	曹登珊	62	88%	
14	蔡昌明	48	69%	
15	蘇憲玉	33	25%	
16	劉蘭聖	45	63%	
17	謝宜欣	68	100%	
18	仇彥玫	20	6%	
19	陳庭芷	61	81%	
20	童志禎	34	31%	

於 D4 儲存格輸入公式 =IF(C4>90%,"優良","")

	A	B	C	D
1	微積分期末考			
2				
3	姓名	分數	表現百分比	評語
4	阮志偉	24	13%	
5	林郁瑞	26	19%	
6	劉志傑	35	50%	
7	何佳智	34	31%	
8	張育屏	64	94%	優良
9	趙志賢	55	75%	
10	林俊堅	10	0%	
11	黃武琪	34	31%	
12	許治剛	37	56%	
13	曹登珊	62	88%	
14	蔡昌明	48	69%	
15	蘇憲玉	33	25%	
16	劉蘭聖	45	63%	
17	謝宜欣	68	100%	優良
18	仇彥玫	20	6%	
19	陳庭芷	61	81%	
20	童志禎	34	31%	

拖曳 D4 儲存格公式到 D20 儲存格，就可以看到表現百分比大於 90% 的同學，評語會顯示出「優良」二字

06
字串的相關函數

07
財務與會計函數

08
查閱與參照函數、
資料驗證、資訊、

09
綜合商務應用範例

10
函數提示技巧與範例
實戰 ChatGPT 大師級

A
工作技巧
資料整理相關

Section
4-6

VLOOKUP
取得直向參照表中尋找特定值的欄位

VLOOKUP 函數就是在一陣列或表格的最左欄中尋找含有某特定值的欄位，再傳回同一列中某一指定儲存格中的值，其中的 V 的英文全名為 Vertical，也就是垂直的意思。

▷ VLOOKUP 函數

▶ 函數說明：在一陣列或表格的最左欄中尋找含有某特定值的欄位，再傳回同一列中某一指定儲存格中的值。

▶ 函數語法：VLOOKUP(lookup_value,table_array,col_index_num,range_lookup)

▶ 引數說明：· lookup_value：欲在陣列的最左欄中搜尋的值，可以是數值、參照位址或文字字串。

· table_array：要在其中搜尋的資料表格，通常是儲存格範圍的參照位址或類似資料庫或清單的範圍名稱。

· col_index_num：傳回值位於 table_array 中的第幾欄。

· range_lookup：為一邏輯值，用來指定 VLOOKUP()函數要尋找完全符合或部分符合的值。當此引數值為 TRUE 或被忽略時，會傳回部分符合的數值。

在電腦的世界中，給予獨一無二的識別碼，是資料庫管理非常重要的一件事，我們也會幫所有的員工編號，方便員工資料管理，但是 007 到底是誰？這時候就要使用 VLOOKUP 函數幫我們從員工資料庫中，找到員工編號 007 的員工姓名。

公式 = VLOOKUP(想要查的儲存格 , 搜尋的儲存格範圍 , 指定欄號 , 符合的程度)

= VLOOKUP(員工編號 007, 員工資料範圍 , 第 2 欄的姓名 , 完全符合)

= VLOOKUP(D6,A2:B11,2,0)

要特別注意的是查閱值必須在資料範圍的首欄。以這個範例來說員工編號就一定要在員工資料庫中的第 1 欄，找到 007 的值，傳回同列第 2 欄的姓名。

應用例 ⑥ 以 VLOOKUP 查詢各員工報名的套裝旅遊行程價格 ⋯⋯⋯⋯⋯⋯⋯⋯⋯○

建立一個各套裝旅遊行程的價目表，並從員工所選定的旅遊行程，以 VLOOKUP 函數查詢現有的套裝旅遊行程價目表，填入各員工所報名的套裝旅遊行程價格。

範例 檔案：vlookup.xlsx

	A	B	C	D	E	F
1	報名旅遊套裝行程					
2						
3	姓名	科目	收費		各種行程收費表	
4	阮志偉	台北三日遊	18000		台北三日遊	18000
5	林郁瑞	高雄三日遊	16000		高雄三日遊	16000
6	劉志傑	花蓮五日遊	25000		花蓮五日遊	25000
7	何佳智	高雄三日遊	16000		馬祖五日遊	28000
8	張育屏	高雄三日遊	16000			
9	趙志賢	馬祖五日遊	28000			
10	林俊堅	高雄三日遊	16000			
11	黃武琪	高雄三日遊	16000			
12	許治剛	台北三日遊	18000			
13	曹登珊	花蓮五日遊	25000			
14	蔡昌明	高雄三日遊	16000			
15	蘇憲玉	馬祖五日遊	28000			
16	劉蘭聖	花蓮五日遊	25000			
17	謝宜欣	高雄三日遊	16000			
18	仇參玫	馬祖五日遊	28000			
19	陳庭茁	台北三日遊	18000			
20	童志禎	馬祖五日遊	28000			

06

字串的相關函數

07

財務與會計函數

08

查閱與參照函數、資料驗證、資訊、

09

綜合商務應用範例

10

函數提示技巧與範例實戰 ChatGPT 大師級

A

工作技巧資料整理相關

操作說明

於 C4 儲存格輸入公式
=VLOOKUP(B4,$E$4:
$F$7,2,0)

拖曳 C4 儲存格公式到 C20 儲存格，各位可
以看到自動填入不同行程的收費金額

Section 4-7 **HLOOKUP** 取得橫向參照表中尋找特定值的欄位

與 VLOOKUP 是雙胞胎的是 HLOOKUP 函數,使用方法相同,但因為資料庫的排列方式不同,必須選擇其中一個。HLOOKUP 函數就是在一陣列或表格的第一列中尋找含有某特定值的欄位,再傳回同一欄中某一指定儲存格中的值。其中的 H 的英文全名為 Horizontal,也就是水平橫向的意思。

▶ HLOOKUP 函數

▸ 函數說明:在一陣列或表格的第一列中尋找含有某特定值的欄位,再傳回同一欄中某一指定儲存格中的值。

▸ 函數語法:HLOOKUP(lookup_value,table_array,row_index_num,range_lookup)

▸ 引數說明: · lookup_value:在表格第一列中搜尋的值。lookup_value 可以是數值、參照位址或文字串。

· table_array:要在其中搜尋資料的資料表格。

· row_index_num:是個數字,代表所要傳回的值位於 table_array 列中的第幾列。

· range_lookup:是個邏輯值,用來指定 HLOOKUP 要尋找完全符合或部分符合的值。當此引數值為 TRUE 或被省略了,會傳回部分符合的值;也就是找不到完全符合的值時,會傳回僅次於 lookup_value 的值。當此引數值為 FALSE 時,HLOOKUP 只會尋找完全符合的值,如果找不到,則傳回錯誤值 #N/A。

應用例 ❼ 以 HLOOKUP 查詢各員工報名的套裝旅遊行程價格

建立一個各套裝旅遊行程的價目表,並從員工所選定的旅遊行程,以 HLOOKUP 函數查詢現有的套裝旅遊行程價目表,填入各員工所報名的套裝旅遊行程價格。

06 字串的相關函數

07 財務與會計函數

08 查閱與參照函數、資料驗證、資訊、

09 綜合商務應用範例

10 函數提示技巧與範例 實戰 ChatGPT 大師級

A 工作技巧 資料整理相關

範例 檔案:hlookup.xlsx

操作說明

於 C4 儲存格輸入公式
=HLOOKUP(B4,$E$4:
$H$5,2,0)

拖曳 C4 儲存格公式到 C20 儲存格,各位
可以看到自動填入不同行程的收費金額

> **TIPS**
>
> 這裡順道介紹一個功能還不錯的函數，不過這個函數目前只有 Excel 365 才有支援，在 Excel 2019 沒有支援這個函數。這個函數可以讓您在一欄中尋找要搜尋字詞，然後回傳該列不同欄的資訊，以下圖為例，要搜尋的字詞是書號「1001」，該函數就可以返回同一列不同欄的資訊，例如下圖要求回傳同一列的書名，因此下圖中在 F2 儲存格輸入公式「XLOOKUP(F2,A2:A5,C2:C5)」會回傳「App Inventor 一週速成」的書名。如果在 F2 儲存格改輸入書號「1003」，會回傳「C 語言入門8 堂課」的書名。
>
> | | A | B | C | D | E | F |
> |---|---|---|---|---|---|---|
> | 1 | 書號 | 作者 | 書名 | | 以書號來查詢書籍名稱 | |
> | 2 | 1001 | 陳大豐 | APP Inventor一週速成 | | 輸入書號 | 1001 |
> | 3 | 1002 | 朱元伯 | Python從入門到精通 | | 書籍名稱 | =XLOOKUP(F2,A2:A5,C2:C5) |
> | 4 | 1003 | 許麗仁 | C語言入門8堂課 | | | |
> | 5 | 1004 | 吳乃文 | 現代多媒體概論 | | | |

06
字串的相關函數

07
財務與會計函數

08
查閱與參照函數、
資料驗證、資訊、

09
綜合商務應用範例

10
函數提示技巧與範例
實戰 ChatGPT 大師級

A
工作技巧
資料整理相關

<table>
<tr><td>Section
4-8</td><td>INDIRECT
傳回文字串指定的參照位址並顯示其內容</td></tr>
</table>

INDIRECT 函數會傳回一文字串所指定的參照位址並顯示其內容，這個函數常被應用在一種情況，就是當您想在公式中變更儲存格參照卻不想改變原先已設計好的公式。

▶ INDIRECT 函數

▶ **函數說明：** 傳回一文字串所指定的參照的資料內容。

▶ **函數語法：** INDIRECT(ref_text,a1)

▶ **引數說明：** ・ ref_text：單一儲存格的參照位址；而這個儲存格含有依 a1 格式或 R1C1 格式所指定的參照位址、一個定義為參照位址的名稱或是一個定義為參照位址的字串。

　　　　　　　・ a1：邏輯值；用以區別 ref_text 所指定的儲存格參照位址，是以哪種方式表示的。

應用例 8 ▶ 傳回指定參照的資料內容應用 ------------------------------o

建立兩個類別的產品編號、產品名稱及定價，再以 INDIRECT 函數取出指定產品類別及產品編號，並顯示出該產品名稱及定價。

範例 檔案：indirect.xlsx

	A	B	C	D	E	F
1	資訊類					
2						
3	產品編號	產品名稱	定價		查詢類別	語言類
4	zct001	APCS	2500		查詢編號	zct003
5	zct002	AI	2000		產品名稱	日文N5級
6	zct003	POWER BI	1800		定價	2600
7	zct004	Office	1500			
8	zct005	Java	2400			
9						
10	語言類					
11						
12	產品編號	產品名稱	定價			
13	zct001	多益檢定	3000			
14	zct002	德語	2800			
15	zct003	日文N5級	2600			
16	zct004	越南語	1800			
17	zct005	韓語	2200			

操作說明

為了避免資料輸入錯誤，首先請在 F3 儲存格建立資料驗證清單，此功能位於「資料」標籤下的「資料驗證」功能

❶ 在此選擇「清單」

❷ 輸入清單的來源，中間以逗號區隔

❸ 按「確定」鈕

完成後就可以用下拉式清單選擇要查詢的類別

同樣作法，請建立查詢編號的資料驗證的下接式清單，選單內容如圖所示

❷ 將此範圍命名為「資訊類」

❶ 選取 A4:C8 儲存格範圍

❷ 將此範圍命名為「語言類」

❶ 選取 A13:C17 儲存格範圍

於 F5 儲存格輸入公式
=VLOOKUP(F4,
INDIRECT(F3),2,0)

於 F6 儲存格輸入公式
=VLOOKUP(F4,
INDIRECT(F3),3,0)

06 字串的相關函數

07 財務與會計函數

08 查閱與參照函數、資料驗證、資訊、

09 綜合商務應用範例

10 函數提示技巧與範例

實戰 ChatGPT 大師級工作技巧

A 資料整理相關

01
....
公式與函數的基礎

02
....
數值運算的相關函數

03
....
邏輯與統計函數

04
....
常見取得資料的函數

05
....
日期與時間函數

INDEX
傳回一個表格或範圍內的某個值或參照位址

INDEX 函數會傳回指定的欄編號及列編號交會所參照儲存格的值，也就是說給定一個欄編號及列編號，透過這個函數就可以取出第幾列第幾欄的儲存格內容值。

▶ INDEX 函數

▶ **函數說明**：傳回一個表格或範圍內的某個值或參照位址。INDEX()函數有「陣列」和「參照」兩種型式。

▶ **函數語法**：陣列型式：INDEX(array,row_num,column_num)

　　　　　　　參照型式：INDEX(reference,row_num,column_num,area_num)

▶ **引數說明**：　• array：以陣列方式輸入的儲存格範圍。

　　　　　　　• row_num：指定所要傳回的元素是位於陣列（或參照）裡的第幾列。

　　　　　　　• column_num：指定所要傳回的元素是位於陣列（或參照）裡的第幾欄。

　　　　　　　• reference：單一儲存格或多個儲存格範圍的參照位址。

　　　　　　　• area_num：指定所要參照的對象位於多個範圍裡的第幾個區域。

應用例 ❾ ▶ 軟體授權價目表查詢 ---○

建立一個軟體授權價目表，並由此工作表中以數字表示的方式輸入「產品序號」及「授權年限」，再透過 INDEX 函數從表格中查詢出授權費。

06 字串的相關函數

07 財務與會計函數

08 查閱與參照函數
資料驗證、資訊、

09 綜合商務應用範例

10 函數提示技巧與範例
實戰 ChatGPT 大師級

A 工作技巧
資料整理相關

範例 檔案：index.xlsx

	A	B	C	D	E
1	軟體授權價目表				
2		1年授權費	2年授權費	3年授權費	
3	1.全腦速記德語初級	1000	1800	2600	
4	2.全腦速記日語初級	800	1500	2200	
5	3.全腦速記韓語初級	700	1200	1800	
6	4.全腦速記越語初級	900	1700	2500	
7	5.全腦速記泰語初級	1000	1800	2600	
8	6.全腦速記法語初級	850	1600	2450	
9					
10					
11	產品序號	1			
12	授權年限	3			
13	授權費用	2600			
14					

[操作說明]

	A	B	C	D	E
1	軟體授權價目表				
2		1年授權費	2年授權費	3年授權費	
3	1.全腦速記德語初級	1000	1800	2600	
4	2.全腦速記日語初級	800	1500	2200	
5	3.全腦速記韓語初級	700	1200	1800	
6	4.全腦速記越語初級	900	1700	2500	
7	5.全腦速記泰語初級	1000	1800	2600	
8	6.全腦速記法語初級	850	1600	2450	
9					
10					
11	產品序號				
12	授權年限				
13	授權費用	=INDEX(B3:D8,B11,B12)			
14					

於 B13 儲存格輸入公式
=INDEX(B3:D8,B11,B12)

	A	B	C	D
1	軟體授權價目表			
2		1年授權費	2年授權費	3年授權費
3	1.全腦速記德語初級	1000	1800	2600
4	2.全腦速記日語初級	800	1500	2200
5	3.全腦速記韓語初級	700	1200	1800
6	4.全腦速記越語初級	900	1700	2500
7	5.全腦速記泰語初級	1000	1800	2600
8	6.全腦速記法語初級	850	1600	2450
9				
10				
11	產品序號			
12	授權年限			
13	授權費用	#VALUE!		

此處會出現查詢不到值的錯誤，
這是因為 B12 及 B13 儲存格還沒
有輸入任何數值

	A	B	C	D
1	軟體授權價目表			
2		1年授權費	2年授權費	3年授權費
3	1.全腦速記德語初級	1000	1800	2600
4	2.全腦速記日語初級	800	1500	2200
5	3.全腦速記韓語初級	700	1200	1800
6	4.全腦速記越語初級	900	1700	2500
7	5.全腦速記泰語初級	1000	1800	2600
8	6.全腦速記法語初級	850	1600	2450
9				
10				
11	產品序號	6		
12	授權年限	2		
13	授權費用	1600		

❶ 如果要查詢第 6 項產品及 2 年
授權費用，則分別於 B11 及
B12 儲存格輸入 6 及 2

❷ 輸入完成後，就可以利用 INDEX
函數查詢出授權費用

06
字串的相關函數

07
財務與會計函數

08
資料驗證、資訊、連圍與參照函數

09
綜合商務應用範例

10
實戰 ChatGPT 大師級函數提示技巧與範例

A
資料整理相關工作技巧

<table>
<tr><td>Section
4-10</td><td>MATCH
依比對方式傳回陣列中與搜尋值相符合的相對位置</td></tr>
</table>

MATCH 依照指定的比對方式，傳回一陣列中與搜尋值相符合的相對位置。也就是說，它會根據傳入的搜尋值在指定的搜尋範圍中的相對位置傳回該搜尋值是第幾順位？

> ## MATCH 函數

▶ 函數說明：依照指定的比對方式，傳回一陣列中與搜尋值相符合的相對位置。

▶ 函數語法：MATCH(lookup_value,lookup_array,match_type)

▶ 引數說明： · lookup_value：在 lookup_array 陣列中欲尋找的值。

· lookup_array：可以是數字、文字、邏輯值，或是一個參照到數字、文字、邏輯值的參照位址。

· match_type：是個「-1」、「0」或「1」數字，預設值為「1」。

「-1」：MATCH()函數會找到等於或大於 lookup_value 值中的最小值。

「0」：MATCH()函數會找第一個完全等於 lookup_value 的比較值。

「1」：MATCH()函數會找到等於或僅次於 lookup_value 的值。

應用例 ⑩▶ 應用例 10 以 INDEX 及 MATCH 軟體授權費用查詢 ----------------◦

建立一個軟體授權價目表，其中「產品序號」及「授權年限」以下拉式表單的輸入方式輸出全名，而「授權費用」的查詢則以 index 及 match 搭配查詢。

範例 檔案：match.xlsx

	A	B	C	D	E
1	軟體授權價目表				
2		1年授權費	2年授權費	3年授權費	
3	1.全腦速記德語初級	1000	1800	2600	
4	2.全腦速記日語初級	800	1500	2200	
5	3.全腦速記韓語初級	700	1200	1800	
6	4.全腦速記越語初級	900	1700	2500	
7	5.全腦速記泰語初級	1000	1800	2600	
8	6.全腦速記法語初級	850	1600	2450	
9					
10					
11	產品序號	1.全腦速記德語初級			
12	授權年限	3年授權費			
13	授權費用	2600			
14					

操作說明

	A	B	C	D	E
1	軟體授權價目表				
2		1年授權費	2年授權費	3年授權費	
3	1.全腦速記德語初級	1000	1800	2600	
4	2.全腦速記日語初級	800	1500	2200	
5	3.全腦速記韓語初級	700	1200	1800	
6	4.全腦速記越語初級	900	1700	2500	
7	5.全腦速記泰語初級	1000	1800	2600	
8	6.全腦速記法語初級	850	1600	2450	
9					
10					
11	產品序號				
12	授權年限				
13	授權費用	=index(B3:D8,			
14					

於 B13 儲存格先輸入
公式 =index(B3:D8,

	A	B	C	D	E
1	軟體授權價目表				
2		1年授權費	2年授權費	3年授權費	
3	1.全腦速記德語初級	1000	1800	2600	
4	2.全腦速記日語初級	800	1500	2200	
5	3.全腦速記韓語初級	700	1200	1800	
6	4.全腦速記越語初級	900	1700	2500	
7	5.全腦速記泰語初級	1000	1800	2600	
8	6.全腦速記法語初級	850	1600	2450	
9					
10					
11	產品序號				
12	授權年限				
13	授權費用	=index(B3:D8,match(B11,A3:A8,0)			
14					

接著輸入「match(B11,
A3:A8,0)」

	A	B	C	D	E
1	軟體授權價目表				
2		1年授權費	2年授權費	3年授權費	
3	1.全腦速記德語初級	1000	1800	2600	
4	2.全腦速記日語初級	800	1500	2200	
5	3.全腦速記韓語初級	700	1200	1800	
6	4.全腦速記越語初級	900	1700	2500	
7	5.全腦速記泰語初級	1000	1800	2600	
8	6.全腦速記法語初級	850	1600	2450	
9					
10					
11	產品序號				
12	授權年限				
13	授權費用	=index(B3:D8,match(B11,A3:A8,0),match(B12,B2:D2,0)			
14					

接著繼續輸入「,match (B12,B2: D2,0))」

	A	B	C	D
1	軟體授權價目表			
2		1年授權費	2年授權費	3年授權費
3	1.全腦速記德語初級	1000	1800	2600
4	2.全腦速記日語初級	800	1500	2200
5	3.全腦速記韓語初級	700	1200	1800
6	4.全腦速記越語初級	900	1700	2500
7	5.全腦速記泰語初級	1000	1800	2600
8	6.全腦速記法語初級	850	1600	2450
9				
10				
11	產品序號			
12	授權年限			
13	授權費用	#N/A		

此處會出現查詢不到值的錯誤，這是因為 B11 及 B12 儲存格還沒有輸入任何數值

	A	B	C	D
1	軟體授權價目表			
2		1年授權費	2年授權費	3年授權費
3	1.全腦速記德語初級	1000	1800	2600
4	2.全腦速記日語初級	800	1500	2200
5	3.全腦速記韓語初級	700	1200	1800
6	4.全腦速記越語初級	900	1700	2500
7	5.全腦速記泰語初級	1000	1800	2600
8	6.全腦速記法語初級	850	1600	2450
9				
10				
11	產品序號			
12	授權年限	1.全腦速記德語初級		
13	授權費用	2.全腦速記日語初級		
14		3.全腦速記韓語初級		
		4.全腦速記越語初級		
15		5.全腦速記泰語初級		
		6.全腦速記法語初級		

選擇第 1 個產品序號

06 字串的相關函數

07 財務與會計函數

08 查閱與參照函數、資料驗證、資訊、

09 綜合商務應用範例

10 函數提示技巧與範例實戰 ChatGPT 大師級

A 工作技巧相關資料整理

01

公式與函數的基礎

02

數值運算的相關函數

03

邏輯與統計函數

04

....

常見取得資料的函數

05

日期與時間函數

	A	B	C	D
1	軟體授權價目表			
2		1年授權費	2年授權費	3年授權費
3	1.全腦速記德語初級	1000	1800	2600
4	2.全腦速記日語初級	800	1500	2200
5	3.全腦速記韓語初級	700	1200	1800
6	4.全腦速記越語初級	900	1700	2500
7	5.全腦速記泰語初級	1000	1800	2600
8	6.全腦速記法語初級	850	1600	2450
9				
10				
11	產品序號	1.全腦速記德語初級		
12	授權年限			
13	授權費用	1年授權費		
		2年授權費		
14		3年授權費		

選擇「3 年授權費」

	A	B	C	D	E
1	軟體授權價目表				
2		1年授權費	2年授權費	3年授權費	
3	1.全腦速記德語初級	1000	1800	2600	
4	2.全腦速記日語初級	800	1500	2200	
5	3.全腦速記韓語初級	700	1200	1800	
6	4.全腦速記越語初級	900	1700	2500	
7	5.全腦速記泰語初級	1000	1800	2600	
8	6.全腦速記法語初級	850	1600	2450	
9					
10					
11	產品序號	1.全腦速記德語初級			
12	授權年限	3年授權費			
13	授權費用	2600			
14					

於 B13 儲存格顯示出授權費用

06
字串的相關函數

07
財務與會計函數

08
查閱與參照函數、資料驗證、資訊、

09
綜合商務應用範例

10
函數提示技巧與範例
實戰 ChatGPT 大師級

A
工作技巧相關
資料整理相關

AGGREGATE
資料彙總

這個可以將不同的彙總函數套用至清單或資料庫，函數中的其中一個引數，可以讓使用者選擇忽略隱藏列及錯誤值。

▷ AGGREGATE 函數

▶ **函數說明**：傳回清單或資料庫中的彙總。

▶ **函數語法**：AGGREGATE(函數編號,選項,ref1,[ref2],...)

▶ **引數說明**：
- 函數編號：共有 19 個編號，每一個數值代表特定的函數，例如編號 1 代表 AVERAGE 函數，在輸入這個引數時，會有提示視窗供各位選擇要彙總的函數。

- 選項：一個數值，是用來告知函數的評估範圍中要忽略哪些值，這個引數一定要指定，例如選項 6 代表忽略錯誤值，在輸入這個引數時，會有提示視窗供各位選擇要彙總的函數。

- ref1：計算彙總值的引數，這個引數不能省略。

- ref2 之後的引數：計算彙總值的第 2 個到第 253 個數值引數，這個引數是選擇性的。

請注意，對於接受陣列的函數，ref1 是您要計算彙總值的陣列、陣列公式或儲存格範圍的參照，而 ref2 是某些函數所需的第二個引數，例如：LARGE(array,k) 或 SMALL(array,k) 這類函數都需要第二個引數。

應用例 ⑪ 彙總平均分數、前 3 名及倒數 3 名分數

範例 檔案：aggregate.xlsx

◢	A	B	C
1	#DIV/0!	50	60
2	76	88	98
3		#DIV/0!	
4	100	85	77
5	54	76	48
6	67	95	92
7	23	45	77
8			
9	功能描述	公式	結果值
10	會計算平均值，並忽略範圍中的錯誤值		
11	會計算最小的值，並忽略範圍中的錯誤值		
12	會計算倒數第二小的值，並忽略範圍中的錯誤值		
13	會計算倒數第三小的值，並忽略範圍中的錯誤值		
14	會計算最大的值，並忽略範圍中的錯誤值		
15	會計算第二大的值，並忽略範圍中的錯誤值		
16	會計算第三大的值，並忽略範圍中的錯誤值		

操作說明

❶ 於 C10 儲存格輸入公式 =AGGREGATE (1,6,$A$1:$C$7)，其中第一個引數值為 1 代表求平均值的函數

❷ 出現平均值

❶ 於 C11 儲存格輸入公式 =AGGREGATE (15,6,$A$1:$C$7,1)，其中第一個引數值為 15 代表 SMALL 函數，最後一個引數為 1 代表求最小的值

❷ 出現最小的值

❶ 於 C12 儲存格輸入公式 =AGGREGATE(15,6,$A$1:$C$7,2)，其中第一個引數值為 15 代表 SMALL 函數，最後一個引數為 2 代表第二小的值

❷ 出現第二小的值

❶ 於 C13 儲存格輸入公式 =AGGREGATE(15,6,$A$1:$C$7,3)，其中第一個引數值為 15 代表 SMALL 函數，最後一個引數為 3 代表第三小的值

❷ 出現第三小的值

❶ 於 C14 儲存格輸入公式 =AGGREGATE(14,6,$A$1:$C$7,1)，其中第一個引數值為 14 代表 LARGE 函數，最後一個引數為 1 代表求最大的值

❷ 出現最大的值

06 字串的相關函數

07 財務與會計函數

08 查閱與參照函數、資料驗證、資訊、

09 綜合商務應用範例

10 函數提示技巧與範例、實戰 ChatGPT 大師級

A 工作技巧、資料整理相關

C15　|　×　✓　fx　=AGGREGATE(14,6,$A$1:$C$7,2)

	A	B	C
1	#DIV/0!		50	60
2	76		88	98
3		#DIV/0!	
4	100		85	77
5	54		76	48
6	67		95	92
7	23		45	77
8			
9	功能描述	公式	結果值
10	會計算平均值，並忽略範圍中的錯誤值		71.23529
11	會計算最小的值，並忽略範圍中的錯誤值		23
12	會計算倒數第二小的值，並忽略範圍中的錯誤值		45
13	會計算倒數第三小的值，並忽略範圍中的錯誤值		48
14	會計算最大的值，並忽略範圍中的錯誤值		100
15	會計算第二大的值，並忽略範圍中的錯誤值		98
16	會計算第三大的值，並忽略範圍中的錯誤值		

❶ 於 C15 儲存格輸入公式 =AGGREGATE(14,6,$A$1:$C$7,2)，其中第一個引數值為 14 代表 LARGE 函數，最後一個引數為 2 代表求第二大的值

❷ 出現第二大的值

C16　|　×　✓　fx　=AGGREGATE(14,6,$A$1:$C$7,3)

	A	B	C
1	#DIV/0!		50	60
2	76		88	98
3		#DIV/0!	
4	100		85	77
5	54		76	48
6	67		95	92
7	23		45	77
8			
9	功能描述	公式	結果值
10	會計算平均值，並忽略範圍中的錯誤值		71.23529
11	會計算最小的值，並忽略範圍中的錯誤值		23
12	會計算倒數第二小的值，並忽略範圍中的錯誤值		45
13	會計算倒數第三小的值，並忽略範圍中的錯誤值		48
14	會計算最大的值，並忽略範圍中的錯誤值		100
15	會計算第二大的值，並忽略範圍中的錯誤值		98
16	會計算第三大的值，並忽略範圍中的錯誤值		95

❶ 於 C16 儲存格輸入公式 =AGGREGATE(14,6,$A$1:$C$7,3)，其中第一個引數值為 14 代表 LARGE 函數，最後一個引數為 3 代表第三大的值

❷ 出現第三大的值

執行結果 　檔案：aggregate_ok.xlsx

B10　|　×　✓　fx　=FORMULATEXT(C10)

	A	B	C
1	#DIV/0!		50	60
2	76		88	98
3		#DIV/0!	
4	100		85	77
5	54		76	48
6	67		95	92
7	23		45	77
8			
9	功能描述	公式	結果值
10	會計算平均值，並忽略範圍中的錯誤值	=AGGREGATE(1, 6, $A$1:$C$7)	71.23529
11	會計算最小的值，並忽略範圍中的錯誤值	=AGGREGATE(15,6,$A$1:$C$7,1)	23
12	會計算倒數第二小的值，並忽略範圍中的錯誤值	=AGGREGATE(15,6,$A$1:$C$7,2)	45
13	會計算倒數第三小的值，並忽略範圍中的錯誤值	=AGGREGATE(15,6,$A$1:$C$7,3)	48
14	會計算最大的值，並忽略範圍中的錯誤值	=AGGREGATE(14,6,$A$1:$C$7,1)	100
15	會計算第二大的值，並忽略範圍中的錯誤值	=AGGREGATE(14,6,$A$1:$C$7,2)	98
16	會計算第三大的值，並忽略範圍中的錯誤值	=AGGREGATE(14,6,$A$1:$C$7,3)	95

05
日期與時間函數

既然講到日期，就順便介紹幾個常用的日期函數。經常我們在輸入員工生日時，都是直接輸入「年／月／日」在同一個儲存格中，如果想知道單獨的年、月或日就可以利用下列幾個日期函數。

Section
5-1 ▶ 認識日期與時間序列值

Excel 會以連續的序列值儲存日期,以便將日期用於計算。根據預設,1900 年 1 月 1 日是序列值 1,最後一個時間為 9999 年 12 月 31 日,該序列值為 2958465。

我們可以利用 DATE 函數來將日期轉換為序列值,例如要計算兩個日期之間的天數就可以利用 DATE 函數去進行相減。例如:

▶ =DATE(2021,5,6)-DATE(2021,4,2)

其結果值為 34,表示這兩個日期間相差 34 天。

時間序列值可以顯示到千分之一秒。例如在單元格輸入 23:59:59.999,並自定義儲存格格式為「h:m:s.000」,即可使該時間顯示到千分之一秒。

只要結合 TIME 函數就可以計算兩個時間點之間的差距。例如:

▶ =TIME(9,50,0)-TIME(1,4,0)

其結果值為 08:46 AM。

06 字串的相關函數

07 財務與會計函數

08 查閱與參照函數、資料驗證、資訊

09 綜合商務應用範例

10 函數提示技巧與範例 實戰 ChatGPT 大師級

A 工作技巧 資料整理相關

Section 5-2

YEAR、MONTH、DAY
傳回年、月、日

YEAR() 單看字面意思就是「年」，沒錯！如果只要使用某個日期中的年份，就要使用 YEAR 函數。例如只要知道出生年份只要輸入「=YEAR(B2)」，就能得到「1986」。

MONTH() 單看字面意思就是「月」，使用方法和 YEAR() 相同。在 MONTH 函數引數中參照日期儲存格即可。

DAY() 就是傳回「日」，使用方法和 YEAR() 和 MONTH() 相同。

▷ YEAR 函數

- ▶ 函數說明：傳回日期的年份部分。年份傳回介於 1900 到 9999 之間的整數。
- ▶ 函數語法：YEAR(serial_number)
- ▶ 引數說明：serial_number：要尋找的年份日期。

▷ MONTH 函數

- ▶ 函數說明：傳回介於 1（1 月）到 12（12 月）之間的整數，以代表日期的月份。
- ▶ 函數語法：MONTH(serial_number)
- ▶ 引數說明：serial_number：要尋找的月份日期。

▷ DAY 函數

- ▶ 函數說明：傳回日期的天數，以序列號碼表示之。日數的有效範圍是 1 到 31 之間的整數。
- ▶ 函數語法：DAY(serial_number)
- ▶ 引數說明：serial_number：試著要尋找的日期。日期必須使用 DATE 功能登入，或是其他公式或功能的結果。

應用例 ❶▶將生日取出年月日三種資訊

建立一個同仁基本資料，該表格包括各同仁的姓名及出生年，請利用 YEAR()、MONTH()、DAY()三個函數分別取出每位同仁年月日三種資訊。最後依出生月為第一順位的排序鍵，出生日第二順位的排序鍵進行排序。

範例 檔案：year.xlsx

	A	B	C	D	E
1	同仁基本資料				
2	姓名	出生年月日	出生年	出生月	出生日
3	黃昕慧	1966/7/23			
4	顏長靖	1988/5/4			
5	許郁婷	2001/4/12			
6	陳耀中	2003/5/16			
7	陳漢以	1999/8/1			
8	謝晉俊	2000/5/6			
9	游興亞	2008/6/6			
10	林怡伯	1988/7/12			
11	陳韻紫	1997/4/18			
12	楊淑琪	2002/8/4			
13	蔡卓財	2006/2/9			
14	蔡秀娟	1905/6/2			
15	趙彥霖	1984/12/22			
16	黃志偉	1997/11/23			
17	蔡善生	2001/10/24			
18	李威貴	1977/9/25			

執行結果 檔案：year_ok.xlsx

	A	B	C	D	E
1	同仁基本資料				
2	姓名	出生年月日	出生年	出生月	出生日
3	蔡卓財	2006/2/9	2006	2	9
4	許郁婷	2001/4/12	2001	4	12
5	陳韻紫	1997/4/18	1997	4	18
6	顏長靖	1988/5/4	1988	5	4
7	謝晉俊	2000/5/6	2000	5	6
8	陳耀中	2003/5/16	2003	5	16
9	蔡秀娟	1905/6/2	1905	6	2
10	游興亞	2008/6/6	2008	6	6
11	林怡伯	1988/7/12	1988	7	12
12	黃昕慧	1966/7/23	1966	7	23
13	陳漢以	1999/8/1	1999	8	1
14	楊淑琪	2002/8/4	2002	8	4
15	李威貴	1977/9/25	1977	9	25
16	蔡善生	2001/10/24	2001	10	24
17	黃志偉	1997/11/23	1997	11	23
18	趙彥霖	1984/12/22	1984	12	22

06
字串的相關函數

07
財務與會計函數

08
查閱與參照函數、資料驗證、資訊、

09
綜合商務應用範例

10
函數提示技巧與範例實戰 ChatGPT 大師級

A
工作技巧資料整理相關

操作說明

	A	B	C	D	E
1	同仁基本資料				
2	姓名	出生年月日	出生年	出生月	出生日
3	黃昕慧	1966/7/23	=YEAR(B3)		
4	顏長靖	1988/5/4			
5	許郁婷	2001/4/12			
6	陳耀中	2003/5/16			
7	陳漢以	1999/8/1			
8	謝晉俊	2000/5/6			
9	游興亞	2008/6/6			
10	林怡伯	1988/7/12			
11	陳韻紫	1997/4/18			
12	楊淑琪	2002/8/4			
13	蔡卓財	2006/2/9			
14	蔡秀娟	1905/6/2			
15	趙彥霖	1984/12/22			
16	黃志偉	1997/11/23			
17	蔡善生	2001/10/24			
18	李威貴	1977/9/25			

於 C3 儲存格輸入公式 =YEAR(B3)

	A	B	C	D	E
1	同仁基本資料				
2	姓名	出生年月日	出生年	出生月	出生日
3	黃昕慧	1966/7/23	1966		
4	顏長靖	1988/5/4	1988		
5	許郁婷	2001/4/12	2001		
6	陳耀中	2003/5/16	2003		
7	陳漢以	1999/8/1	1999		
8	謝晉俊	2000/5/6	2000		
9	游興亞	2008/6/6	2008		
10	林怡伯	1988/7/12	1988		
11	陳韻紫	1997/4/18	1997		
12	楊淑琪	2002/8/4	2002		
13	蔡卓財	2006/2/9	2006		
14	蔡秀娟	1905/6/2	1905		
15	趙彥霖	1984/12/22	1984		
16	黃志偉	1997/11/23	1997		
17	蔡善生	2001/10/24	2001		
18	李威貴	1977/9/25	1977		
19					

拖曳複製 C3 公式到 C18 儲存格，可以看出 C 欄已填滿每位員工的出生年份

	A	B	C	D	E
1	同仁基本資料				
2	姓名	出生年月日	出生年	出生月	出生日
3	黃昕慧	1966/7/23	1966	=MONTH(B3)	
4	顏長靖	1988/5/4	1988		
5	許郁婷	2001/4/12	2001		
6	陳耀中	2003/5/16	2003		
7	陳漢以	1999/8/1	1999		
8	謝晉俊	2000/5/6	2000		
9	游興亞	2008/6/6	2008		
10	林怡伯	1988/7/12	1988		
11	陳韻紫	1997/4/18	1997		
12	楊淑琪	2002/8/4	2002		
13	蔡卓財	2006/2/9	2006		
14	蔡秀娟	1905/6/2	1905		
15	趙彥霖	1984/12/22	1984		
16	黃志偉	1997/11/23	1997		
17	蔡善生	2001/10/24	2001		
18	李成貴	1977/9/25	1977		

於 D3 儲存格輸入公式 =MONTH(B3)

	A	B	C	D	E
1	同仁基本資料				
2	姓名	出生年月日	出生年	出生月	出生日
3	黃昕慧	1966/7/23	1966	7	
4	顏長靖	1988/5/4	1988	5	
5	許郁婷	2001/4/12	2001	4	
6	陳耀中	2003/5/16	2003	5	
7	陳漢以	1999/8/1	1999	8	
8	謝晉俊	2000/5/6	2000	5	
9	游興亞	2008/6/6	2008	6	
10	林怡伯	1988/7/12	1988	7	
11	陳韻紫	1997/4/18	1997	4	
12	楊淑琪	2002/8/4	2002	8	
13	蔡卓財	2006/2/9	2006	2	
14	蔡秀娟	1905/6/2	1905	6	
15	趙彥霖	1984/12/22	1984	12	
16	黃志偉	1997/11/23	1997	11	
17	蔡善生	2001/10/24	2001	10	
18	李成貴	1977/9/25	1977	9	

拖曳複製 D3 公式到 D18 儲存格，可以看出 D 欄已填滿每位員工的出生月份

	A	B	C	D	E
1	同仁基本資料				
2	姓名	出生年月日	出生年	出生月	出生日
3	黃昕慧	1966/7/23	1966	7	=DAY(B3)
4	顏長靖	1988/5/4	1988	5	
5	許郁婷	2001/4/12	2001	4	
6	陳耀中	2003/5/16	2003	5	
7	陳漢以	1999/8/1	1999	8	
8	謝晉俊	2000/5/6	2000	5	
9	游興亞	2008/6/6	2008	6	
10	林怡伯	1988/7/12	1988	7	
11	陳韻紫	1997/4/18	1997	4	
12	楊淑琪	2002/8/4	2002	8	
13	蔡卓財	2006/2/9	2006	2	
14	蔡秀娟	1905/6/2	1905	6	
15	趙彥霖	1984/12/22	1984	12	
16	黃志偉	1997/11/23	1997	11	
17	蔡善生	2001/10/24	2001	10	
18	李成貴	1977/9/25	1977	9	

於 E3 儲存格輸入公式 =DAY(B3)

06 字串的相關函數

07 財務與會計函數

08 查閱與參照函數、資料驗證、資訊、

09 綜合商務應用範例

10 函數提示技巧與範例實戰 ChatGPT 大師級

A 工作技巧資料整理相關

拖曳複製 E3 公式到 E18 儲存格,可以看出 E 欄已填滿每位員工的出生日期

❷ 在「資料」索引標籤下按「排序」鈕

❶ 選取 A2:E18 儲存檔範圍

❷ 按「新增層級」

❶ 第一順位的排序鍵設定為「出生月」,由小到大排序

❶ 次要排序方式的排序鍵設定為「出生日」，由小到大排序

❷ 按「確定」鈕

	A	B	C	D	E
1	同仁基本資料				
2	姓名	出生年月日	出生年	出生月	出生日
3	蔡卓財	2006/2/9	2006	2	9
4	許郁婷	2001/4/12	2001	4	12
5	陳韻紫	1997/4/18	1997	4	18
6	顏長靖	1988/5/4	1988	5	4
7	謝晉俊	2000/5/6	2000	5	6
8	陳耀中	2003/5/16	2003	5	16
9	蔡秀娟	1905/6/2	1905	6	2
10	游興亞	2008/6/6	2008	6	6
11	林怡伯	1988/7/12	1988	7	12
12	黃昕慧	1966/7/23	1966	7	23
13	陳漢以	1999/8/1	1999	8	1
14	楊淑琪	2002/8/4	2002	8	4
15	李威貴	1977/9/25	1977	9	25
16	蔡善生	2001/10/24	2001	10	24
17	黃志偉	1997/11/23	1997	11	23
18	趙彥霖	1984/12/22	1984	12	22
19					

已依出生月份及出生日期進行排序，這樣以後要為同仁慶生就不會忘記了

06 字串的相關函數

07 財務與會計函數

08 查閱與參照函數 資料驗證、資訊、

09 綜合商務應用範例

10 函數提示技巧與範例 實戰 ChatGPT 大師級

A 工作技巧 資料整理相關

TODAY、NOW
顯示當天日期與現在時間

有時候要計算年資或製作日報表，每次都要重新輸入當天日期，雖然不是花時間太困難的工作，還是有點 ...... 懶惰！是吧！所以遇到這種時候，一定要善用這兩個 TODAY() 及 NOW() 日期函數。TODAY() 可以自動顯示電腦系統當天的日期，而且在下次開啟檔案的時候，依據當天的日期自動更新。而 NOW() 則是會順便顯示當下的時間。

▷ **TODAY 函數**

▸ 函數說明：傳回目前日期序列值，如果儲存格格式是「通用」，則結果的格式會是日期格式。

▸ 函數語法：TODAY()

▷ **NOW 函數**

▸ 函數說明：傳回目前日期與時間的序列號碼，如果儲存格格式為「通用」，則結果的格式會是日期格式。

▸ 函數語法：NOW()

應用例 ❷ ▸ 食品保鮮期追蹤

建立一個各種食品的保存期限，並以 NOW() 及 TODAY() 函數來判斷各食物還剩下多少天的保存時間，如果已超過保存期限則以紅色的負數來表達。

範例 檔案：today.xlsx

	A	B	C
1	各種食品保鮮期追蹤		
2	現在時間		
3	食品名稱	保存期限	剩額可食天數
4	維力炸醬麵	2021/7/23	
5	來一客鮮蝦魚板風味	2022/5/4	
6	台酒花雕雞麵	2021/10/12	
7	滿漢大餐麻辣鍋牛肉麵	2021/8/16	
8	統一肉燥	2021/7/31	
9	隨緣椎茸之味湯麵	2021/10/30	
10	阿舍乾麵	2021/4/15	
11	阿Q蒜香珍肉	2022/3/30	

執行結果 ▷ 檔案：today_ok.xlsx

	A	B	C
1	各種食品保鮮期追蹤		
2	現在時間	2021/4/18 09:43	
3	食品名稱	保存期限	剩額可食天數
4	維力炸醬麵	2021/7/23	96
5	來一客鮮蝦魚板風味	2022/5/4	381
6	台酒花雕雞麵	2021/10/12	177
7	滿漢大餐麻辣鍋牛肉麵	2021/8/16	120
8	統一肉燥	2021/7/31	104
9	隨緣椎茸之味湯麵	2021/10/30	195
10	阿舍乾麵	2021/4/15	-3
11	阿Q蒜香珍肉	2022/3/30	346

操作說明

	A	B	C
1	各種食品保鮮期追蹤		
2	現在時間	=NOW()	
3	食品名稱	保存期限	剩額可食天數
4	維力炸醬麵	2021/7/23	
5	來一客鮮蝦魚板風味	2022/5/4	
6	台酒花雕雞麵	2021/10/12	
7	滿漢大餐麻辣鍋牛肉麵	2021/8/16	
8	統一肉燥	2021/7/31	
9	隨緣椎茸之味湯麵	2021/10/30	
10	阿舍乾麵	2021/4/15	
11	阿Q蒜香珍肉	2022/3/30	

請於 B2 儲存格輸入公式 =NOW()

	A	B	C
1	各種食品保鮮期追蹤		
2	現在時間	2021/4/18 09:39	
3	食品名稱	保存期限	剩額可食天數
4	維力炸醬麵	2021/7/23	=B4-today()
5	來一客鮮蝦魚板風味	2022/5/4	
6	台酒花雕雞麵	2021/10/12	
7	滿漢大餐麻辣鍋牛肉麵	2021/8/16	
8	統一肉燥	2021/7/31	
9	隨緣椎茸之味湯麵	2021/10/30	
10	阿舍乾麵	2021/4/15	
11	阿Q蒜香珍肉	2022/3/30	

請於 C4 儲存格輸入公式 =B4-TODAY()，它會計算目前還剩下多少天可以食用

06 字串的相關函數

07 財務與會計函數

08 查閱與參照函數、資料驗證、資訊、

09 綜合商務應用範例

10 函數提示技巧與範例 實戰 ChatGPT 大師級

A 工作技巧相關 資料整理

在 C4 儲存格按右鍵，執行快顯功能表中的「儲存格格式」指令

❶ 選數值

❷ 小數位數設 0

❸ 選這一種負數表示方式

❹ 按「確定」鈕

拖曳複製 C4 儲存格公式到 C11 儲存格，各位可以看到其中 C10 儲存格的數值為負數，表示該食期已超過保存期限

01
....
公式與函數的基礎

02
....
數值運算的相關函數

03
....
邏輯與統計函數

04
....
常見取得資料的函數

05
....
日期與時間函數

Section
5-4

DATE
回傳日期格式

我們可以把一個完整的日期，分別拆成年、月、日，當然 Excel 也提供一個可以將年、月、日合併成一個日期的函數，那就是 DATE 函數，所謂「合久必分、分久必合」這個道理中外古今亦然。

當然你也可以直接在函數引數中輸入數字，也能拼湊成一個完整的日期。

▶ DATE 函數

▸ 函數說明：傳回代表特定日期的序列號碼。如果在輸入函數前，儲存格格式為「通用」，則結果的格式會是日期格式。

▸ 函數語法：DATE(year,month,day)

▸ 引數說明：‧ year：為四位數的其中一個。

　　　　　　‧ month：通常為 1 ～ 12 的數字以代表一年中的月份，若大於 12，則會進位累加到年份上。

　　　　　　‧ day：通常為 1 ～ 31 的數字以代表月份中的日數，若大於 31，則會進位累加到月份上。

06 字串的相關函數

07 財務與會計函數

08 查閱與參照函數 資料驗證、資訊、

09 綜合商務應用範例

10 函數提示技巧與範例 實戰ChatGPT大師級

A 工作技巧 資料整理相關

應用例 ③ ▸ 建立同仁的出生年月日基本資料

有一工作表已建立了各同仁基本資料，該資料表中分別記錄了該同仁的出生年、出生月及出生日，請利用 DATE()函數將該位同仁的出生年月日，以日期格式輸出。

範例 檔案：date.xlsx

	A	B	C	D	E
1	同仁基本資料				
2	姓名	出生年	出生月	出生日	出生年月日
3	黃昕慧	1966	7	23	
4	顏長靖	1988	5	4	
5	許郁婷	2001	4	12	
6	陳耀中	2003	5	16	
7	陳漢以	1999	8	1	
8	謝晉俊	2000	5	6	
9	游興亞	2008	6	6	
10	林怡伯	1988	7	12	
11	陳韻紫	1997	4	18	
12	楊淑琪	2002	8	4	
13	蔡卓財	2006	2	9	
14	蔡秀娟	1905	6	2	
15	趙彥霖	1984	12	22	
16	黃志偉	1997	11	23	
17	蔡善生	2001	10	24	
18	李威貴	1977	9	25	

執行結果 檔案：date_ok.xlsx

	A	B	C	D	E
1	同仁基本資料				
2	姓名	出生年	出生月	出生日	出生年月日
3	黃昕慧	1966	7	23	1966/7/23
4	顏長靖	1988	5	4	1988/5/4
5	許郁婷	2001	4	12	2001/4/12
6	陳耀中	2003	5	16	2003/5/16
7	陳漢以	1999	8	1	1999/8/1
8	謝晉俊	2000	5	6	2000/5/6
9	游興亞	2008	6	6	2008/6/6
10	林怡伯	1988	7	12	1988/7/12
11	陳韻紫	1997	4	18	1997/4/18
12	楊淑琪	2002	8	4	2002/8/4
13	蔡卓財	2006	2	9	2006/2/9
14	蔡秀娟	1905	6	2	1905/6/2
15	趙彥霖	1984	12	22	1984/12/22
16	黃志偉	1997	11	23	1997/11/23
17	蔡善生	2001	10	24	2001/10/24
18	李威貴	1977	9	25	1977/9/25

操作說明

	A	B	C	D	E	F
1	同仁基本資料					
2	姓名	出生年	出生月	出生日	出生年月日	
3	黃昕慧	1966	7	23	=DATE(B3,C3,D3)	
4	顏長靖	1988	5	4		
5	許郁婷	2001	4	12		
6	陳耀中	2003	5	16		
7	陳漢以	1999	8	1		
8	謝晉俊	2000	5	6		
9	游興亞	2008	6	6		
10	林怡伯	1988	7	12		
11	陳韻紫	1997	4	18		
12	楊淑琪	2002	8	4		
13	蔡卓財	2006	2	9		
14	蔡秀娟	1905	6	2		
15	趙彥霖	1984	12	22		
16	黃志偉	1997	11	23		
17	蔡善生	2001	10	24		
18	李威貴	1977	9	25		

於 E3 儲存格輸入公式
= DATE(B3,C3,D3)

	A	B	C	D	E	F
1	同仁基本資料					
2	姓名	出生年	出生月	出生日	出生年月日	
3	黃昕慧	1966	7	23	1966/7/23	
4	顏長靖	1988	5	4	1988/5/4	
5	許郁婷	2001	4	12	2001/4/12	
6	陳耀中	2003	5	16	2003/5/16	
7	陳漢以	1999	8	1	1999/8/1	
8	謝晉俊	2000	5	6	2000/5/6	
9	游興亞	2008	6	6	2008/6/6	
10	林怡伯	1988	7	12	1988/7/12	
11	陳韻紫	1997	4	18	1997/4/18	
12	楊淑琪	2002	8	4	2002/8/4	
13	蔡卓財	2006	2	9	2006/2/9	
14	蔡秀娟	1905	6	2	1905/6/2	
15	趙彥霖	1984	12	22	1984/12/22	
16	黃志偉	1997	11	23	1997/11/23	
17	蔡善生	2001	10	24	2001/10/24	
18	李威貴	1977	9	25	1977/9/25	
19						

拖曳複製 E3 儲存格公式到 E18 儲存格，各位可以看到每一個被複製公式的儲存格已顯示出日期資料類型

06 字串的相關函數

07 財務與會計函數

08 資料驗證、資訊、查閱與參照函數

09 綜合商務應用範例

10 函數提示技巧與範例實戰 ChatGPT 大師級

A 工作技巧相關資料整理

TIME
回傳時間格式

TIME()函數的主要功能就是將代表小時、分、秒的給定數字轉換成 Excel 時間格式序列值。

▷ TIME 函數

- ▶ **函數說明**：將代表小時、分、秒的給定數字轉換成 Excel 時間格式序列值。
- ▶ **函數語法**：TIME(hour,minute,second)
- ▶ **引數說明**：
  - hour：代表小時的數字，範圍從 0（零）到 32767。任何比 23 大的值將會除於 24，且餘數視為小時值。
  - minute：代表分鐘的數字，範圍從 0 到 32767。任何大於 59 的值將會轉換成小時和分鐘。
  - second：代表秒鐘的數字，範圍從 0 到 32767。任何大於 59 的值將會轉換成小時、分鐘和秒鐘。

應用例 ❹ ▸ 記錄各年度全馬平均時間 ------------------------------------○

建立一個各年度完成全馬路跑的平均時間，並利用 TIME()函數將該年平均時間以時間類型呈現。

範例 檔案：time.xlsx

	A	B	C	D	E
1	完成全馬平均時間				
2	年份	時	分	秒	該年平均時間
3	2010	3	52	35	
4	2011	3	53	40	
5	2012	3	55	21	
6	2013	3	58	19	
7	2014	3	58	45	
8	2015	3	59	30	
9	2016	4	10	12	
10	2017	4	21	15	
11	2018	4	32	49	

執行結果 檔案：time_ok.xlsx

	A	B	C	D	E
1	完成全馬平均時間				
2	年份	時	分	秒	該年平均時間
3	2010	3	52	35	03時52分35秒
4	2011	3	53	40	03時53分40秒
5	2012	3	55	21	03時55分21秒
6	2013	3	58	19	03時58分19秒
7	2014	3	58	45	03時58分45秒
8	2015	3	59	30	03時59分30秒
9	2016	4	10	12	04時10分12秒
10	2017	4	21	15	04時21分15秒
11	2018	4	32	49	04時32分49秒

操作說明

	A	B	C	D	E
1	完成全馬平均時間				
2	年份	時	分	秒	該年平均時間
3	2010	3	52	35	=TIME(B3,C3,D3
4	2011	3	53	40	
5	2012	3	55	21	
6	2013	3	58	19	
7	2014	3	58	45	
8	2015	3	59	30	
9	2016	4	10	12	
10	2017	4	21	15	
11	2018	4	32	49	

於 E3 儲存格輸入公式
=TIME(B3,C3,D3)

	A	B	C	D	
1	完成全馬平均時間				剪下(T)
2	年份	時	分	秒	複製(C)
3		2010	3	52	35
4		2011	3	53	40
5		2012	3	55	21
6		2013	3	58	19
7		2014	3	58	45
8		2015	3	59	30
9		2016	4	10	12
10		2017	4	21	15
11		2018	4	32	49
12					
13					
14					
15					
16					
17					
18					

貼上選項：

選擇性貼上(S)...

智慧查閱(L)

插入(I)...

刪除(D)...

清除內容(N)

快速分析(Q)

篩選(E)

排序(O)

從表格/範圍取得資料(G)...

插入註解(M)

儲存格格式(F)

從下拉式清單挑選(K)...

顯示注音標示欄位(S)

定義名稱(A)...

Sheet1   Sheet2   Sheet3   ⊕

在 E3 儲存格按右鍵，執行快顯功能表中的「儲存格格式」指令

06 字串的相關函數

07 財務與會計函數

08 查閱與參照函數、資料驗證、資訊、

09 綜合商務應用範例

10 函數提示技巧與範例實戰 ChatGPT 大師級

A 工作技巧資料整理相關

❶ 類別選「自訂」

❷ 選這一種時間類型

❸ 按「確定」鈕

拖曳複製 E3 儲存格公式到 E11 儲存格，各位可以看到每一個被複製公式的儲存格已顯示出該年平均時間

YEARFRAC
計算兩個日期間的完整天數占一年中的比例

老公最怕老婆問今年結婚幾週年？但是也有越來越多的老婆，工作和家庭兩頭忙，自己也會忘記。只是大部分的人，一定不會忘記自己的年資，畢竟有關特別休假，想忘記也很難。

▶ YEARFRAC 函數

▶ 函數說明：計算兩個日期間的完整天數占一年中的比例。

▶ 函數語法：YEARFRAC(start_date,end_date,[basis])

▶ 引數說明： ・ start_date：這是代表開始日期的日期。

・ end_date：這是代表結束日期的日期。

・ basis：選擇性，這是要使用的日計數基礎類型。

計算兩個日期間的天數本來應該使用 DAYS 函數，但是這只是計算「天數」，我們還要將天數轉換成「年」，實在麻煩！但是 YEARFRAC 函數，結合了 2 個步驟，直接計算間隔天數並轉換成「年」的比例，雖然會有小數點位數，但就當「眼睛業障重」，自動忽略小數點後面位數就好。

公式＝YEARFRAC(開始日期,結束日期,日計數基礎類型)

＝YEARFRAC(B3,$B$1,1)

06 字串的相關函數

07 財務與會計函數

08 查閱與參照函數、資訊、資料驗證、

09 綜合商務應用範例

10 函數提示技巧與範例 實戰 ChatGPT 大師級

A 工作技巧 資料整理相關

應用例 ⑤ 同仁虛歲年齡計算

給定同仁出生年月日，請利用 TODAY() 及 YEARFRAC() 函數計算該位同仁最真實實歲，接著利用 ROUNDUP() 函數計算該位同仁的虛歲。

範例 檔案：yearfrac.xlsx

	A	B	C	D
1	同仁年紀計算			
2	今天日期			
3	姓名	出生年月日	實歲	虛歲
4	黃昕慧	1966/7/23		
5	顏長靖	1988/5/4		
6	許郁婷	2001/4/12		
7	陳耀中	2003/5/16		
8	陳漢以	1999/8/1		
9	謝晉俊	2000/5/6		
10	游興亞	2008/6/6		
11	林怡伯	1988/7/12		
12	陳韻紫	1997/4/18		
13	楊淑琪	2002/8/4		
14	蔡卓財	2006/2/9		
15	蔡秀娟	1995/6/2		
16	趙彥霖	1984/12/22		
17	黃志偉	1997/11/23		
18	蔡善生	2001/10/24		
19	李威貴	1977/9/25		

執行結果 檔案：yearfrac_ok.xlsx

	A	B	C	D
1	同仁年紀計算			
2	今天日期	2021/4/18		
3	姓名	出生年月日	實歲	虛歲
4	黃昕慧	1966/7/23	54.7361111	55
5	顏長靖	1988/5/4	32.9555556	33
6	許郁婷	2001/4/12	20.0166667	21
7	陳耀中	2003/5/16	17.9222222	18
8	陳漢以	1999/8/1	21.7138889	22
9	謝晉俊	2000/5/6	20.95	21
10	游興亞	2008/6/6	12.8666667	13
11	林怡伯	1988/7/12	32.7666667	33
12	陳韻紫	1997/4/18	24	24
13	楊淑琪	2002/8/4	18.7055556	19
14	蔡卓財	2006/2/9	15.1916667	16
15	蔡秀娟	1995/6/2	25.8777778	26
16	趙彥霖	1984/12/22	36.3222222	37
17	黃志偉	1997/11/23	23.4027778	24
18	蔡善生	2001/10/24	19.4833333	20
19	李威貴	1977/9/25	43.5638889	44

操作說明

	A	B	C	D
1	同仁年紀計算			
2	今天日期	=TODAY()		
3	姓名	出生年月日	實歲	虛歲
4	黃昕慧	1966/7/23		
5	顏長靖	1988/5/4		
6	許郁婷	2001/4/12		
7	陳耀中	2003/5/16		
8	陳漢以	1999/8/1		
9	謝晉俊	2000/5/6		
10	游興亞	2008/6/6		
11	林怡伯	1988/7/12		
12	陳韻紫	1997/4/18		
13	楊淑琪	2002/8/4		
14	蔡卓財	2006/2/9		
15	蔡秀娟	1995/6/2		
16	趙彥霖	1984/12/22		
17	黃志偉	1997/11/23		
18	蔡善生	2001/10/24		
19	李威貴	1977/9/25		

於 B2 儲存格輸入公式 =TODAY()

	A	B	C	D
1	同仁年紀計算			
2	今天日期	2021/4/18		
3	姓名	出生年月日	實歲	虛歲
4	黃昕慧	1966/7/23	=YEARFRAC($B$2,B4)	
5	顏長靖	1988/5/4		
6	許郁婷	2001/4/12		
7	陳耀中	2003/5/16		
8	陳漢以	1999/8/1		
9	謝晉俊	2000/5/6		
10	游興亞	2008/6/6		
11	林怡伯	1988/7/12		
12	陳韻紫	1997/4/18		
13	楊淑琪	2002/8/4		
14	蔡卓財	2006/2/9		
15	蔡秀娟	1995/6/2		
16	趙彥霖	1984/12/22		
17	黃志偉	1997/11/23		
18	蔡善生	2001/10/24		
19	李威貴	1977/9/25		

於 C4 儲存格輸入公式 =YEARFRAC($B$2,B4)，此處的 B2 儲存格請用絕對位址參照

06 字串的相關函數

07 財務與會計函數

08 查閱與參照函數
資料驗證、資訊、

09 綜合商務應用範例

10 函數提示技巧與範例
實戰 ChatGPT 大師級

A 工作技巧
資料整理相關

▲	A	B	C	D
1	同仁年紀計算			
2	今天日期	2021/4/18		
3	姓名	出生年月日	實歲	虛歲
4	黃昕慧	1966/7/23	54.7361111	
5	顏長靖	1988/5/4	32.9555556	
6	許郁婷	2001/4/12	20.0166667	
7	陳耀中	2003/5/16	17.9222222	
8	陳漢以	1999/8/1	21.7138889	
9	謝晉俊	2000/5/6	20.95	
10	游興亞	2008/6/6	12.8666667	
11	林怡伯	1988/7/12	32.7666667	
12	陳韻紫	1997/4/18	24	
13	楊淑琪	2002/8/4	18.7055556	
14	蔡卓財	2006/2/9	15.1916667	
15	蔡秀娟	1995/6/2	25.8777778	
16	趙彥霖	1984/12/22	36.3222222	
17	黃志偉	1997/11/23	23.4027778	
18	蔡善生	2001/10/24	19.4833333	
19	李威貴	1977/9/25	43.5638889	
20				

拖曳複製 C4 儲存格公式到 C19 儲存格，可以算出該位同仁最真實年紀

▲	A	B	C	D	E
1	同仁年紀計算				
2	今天日期	2021/4/18			
3	姓名	出生年月日	實歲	虛歲	
4	黃昕慧	1966/7/23	54.7361111	=ROUNDUP(C4,0)	
5	顏長靖	1988/5/4	32.9555556		
6	許郁婷	2001/4/12	20.0166667		
7	陳耀中	2003/5/16	17.9222222		
8	陳漢以	1999/8/1	21.7138889		
9	謝晉俊	2000/5/6	20.95		
10	游興亞	2008/6/6	12.8666667		
11	林怡伯	1988/7/12	32.7666667		
12	陳韻紫	1997/4/18	24		
13	楊淑琪	2002/8/4	18.7055556		
14	蔡卓財	2006/2/9	15.1916667		
15	蔡秀娟	1995/6/2	25.8777778		
16	趙彥霖	1984/12/22	36.3222222		
17	黃志偉	1997/11/23	23.4027778		
18	蔡善生	2001/10/24	19.4833333		
19	李威貴	1977/9/25	43.5638889		

於 D4 儲存格輸入公式
=ROUNDUP(C4,0)

	A	B	C	D
1	同仁年紀計算			
2	今天日期	2021/4/18		
3	姓名	出生年月日	實歲	虛歲
4	黃昕慧	1966/7/23	54.7361111	55
5	顏長靖	1988/5/4	32.9555556	33
6	許郁婷	2001/4/12	20.0166667	21
7	陳耀中	2003/5/16	17.9222222	18
8	陳漢以	1999/8/1	21.7138889	22
9	謝晉俊	2000/5/6	20.95	21
10	游興亞	2008/6/6	12.8666667	13
11	林怡伯	1988/7/12	32.7666667	33
12	陳韻紫	1997/4/18	24	24
13	楊淑琪	2002/8/4	18.7055556	19
14	蔡卓財	2006/2/9	15.1916667	16
15	蔡秀娟	1995/6/2	25.8777778	26
16	趙彥霖	1984/12/22	36.3222222	37
17	黃志偉	1997/11/23	23.4027778	24
18	蔡善生	2001/10/24	19.4833333	20
19	李威貴	1977/9/25	43.5638889	44
20				

拖曳複製 D4 儲存格公式到 D19 儲存格，可以算出該位同仁虛歲

06
字串的相關函數

07
財務與會計函數

08
查閱與參照函數、
資料驗證、資訊、

09
綜合商務應用範例

10
函數提示技巧與範例
實戰 ChatGPT 大師級

A
工作技巧
資料整理相關

Section 5-7

DATEDIF
計算兩個日期之間的天數、月數或年數

▷ DATEDIF 函數

▸ **函數說明：** 計算兩個日期之間的天數、月數或年數。

▸ **函數語法：** DATEDIF(start_date,end_date,unit)

▸ **引數說明：** · start_date：給定期間之第一個或開始日期的日期。日期可以在引號內輸入成文字字串（例如"2021/5/25"）。

· end_date：代表該期間最後或結束日期的日期。

· unit：這是要退回的資訊類型。

· "Y" 期間內整年的年數。

· "M" 期間內整月的月數。

· "D" 期間內的日數。

· "MD" start_date 與 end_date 間的日差異。

· "YM" start_date 與 end_date 間的月差異。

· "YD" start_date 與 end_date 間的日差異。

應用例 ❻ 同仁年齡計算到月份 --------------------------------○

建立一個工作表紀錄同仁的出生年月日,藉由輸入今天的日期,可以判斷出該位同仁的實際年齡目前為多少實歲,並可以計算到月份。

範例 檔案:datedif.xlsx

	A	B	C	D
1	同仁年紀計算(計算到月)			
2	今天日期			
3	姓名	出生年月日	實歲(年)	實歲(月)
4	黃昕慧	1966/7/23		
5	顏長靖	1988/5/4		
6	許郁婷	2001/4/12		
7	陳耀中	2003/5/16		
8	陳漢以	1999/8/1		
9	謝晉俊	2000/5/6		
10	游興亞	2008/6/6		
11	林怡伯	1988/7/12		
12	陳韻紫	1997/4/18		
13	楊淑琪	2002/8/4		
14	蔡卓財	2006/2/9		
15	蔡秀娟	1995/6/2		
16	趙彥霖	1984/12/22		
17	黃志偉	1997/11/23		
18	蔡善生	2001/10/24		
19	李咸貴	1977/9/25		

執行結果 檔案:datedif_ok.xlsx

	A	B	C	D
1	同仁年紀計算(計算到月)			
2	今天日期	2021/5/30		
3	姓名	出生年月日	實歲(年)	實歲(月)
4	黃昕慧	1966/7/23	54	10
5	顏長靖	1988/5/4	33	0
6	許郁婷	2001/4/12	20	1
7	陳耀中	2003/5/16	18	0
8	陳漢以	1999/8/1	21	9
9	謝晉俊	2000/5/6	21	0
10	游興亞	2008/6/6	12	11
11	林怡伯	1988/7/12	32	10
12	陳韻紫	1997/4/18	24	1
13	楊淑琪	2002/8/4	18	9
14	蔡卓財	2006/2/9	15	3
15	蔡秀娟	1995/6/2	25	11
16	趙彥霖	1984/12/22	36	5
17	黃志偉	1997/11/23	23	6
18	蔡善生	2001/10/24	19	7
19	李咸貴	1977/9/25	43	8

06 字串的相關函數

07 財務與會計函數

08 查閱與參照函數
資料驗證、資訊、

09 綜合商務應用範例

10 函數提示技巧與範例
實戰 ChatGPT 大師級

A 工作技巧
資料整理相關

操作說明

	A	B	C	D
1	同仁年紀計算(計算到月)			
2	今天日期	2021/5/30		
3	姓名	出生年月日	實歲(年)	實歲(月)
4	黃昕慧	1966/7/23	54	
5	顏長靖	1988/5/4	33	
6	許郁婷	2001/4/12	20	
7	陳耀中	2003/5/16	18	
8	陳漢以	1999/8/1	21	
9	謝�首俊	2000/5/6	21	
10	游興亞	2008/6/6	12	
11	林怡伯	1988/7/12	32	
12	陳韻紫	1997/4/18	24	
13	楊淑琪	2002/8/4	18	
14	蔡卓財	2006/2/9	15	
15	蔡秀娟	1995/6/2	25	
16	趙彥霖	1984/12/22	36	
17	黃志偉	1997/11/23	23	
18	蔡善生	2001/10/24	19	
19	李威貴	1977/9/25	43	

拖曳複製 C4 儲存格公式到 C19 儲存格，可以算出該位同仁實歲

於 D4 儲存格輸入公式 =DATEDIF(B4,$B$2,"YM")

	A	B	C	D	E	F
1	同仁年紀計算(計算到月)					
2	今天日期	2021/5/30				
3	姓名	出生年月日	實歲(年)	實歲(月)		
4	黃昕慧	1966/7/23	54	=DATEDIF(B4,$B$2,"YM")		
5	顏長靖	1988/5/4	33	DATEDIF()		
6	許郁婷	2001/4/12	20			
7	陳耀中	2003/5/16	18			
8	陳漢以	1999/8/1	21			
9	謝曾俊	2000/5/6	21			
10	游興亞	2008/6/6	12			
11	林怡伯	1988/7/12	32			
12	陳韻紫	1997/4/18	24			
13	楊淑琪	2002/8/4	18			
14	蔡卓財	2006/2/9	15			
15	蔡秀娟	1995/6/2	25			
16	趙彥霖	1984/12/22	36			
17	黃志偉	1997/11/23	23			
18	蔡善生	2001/10/24	19			

	A	B	C	D
1	同仁年紀計算(計算到月)			
2	今天日期	2021/5/30		
3	姓名	出生年月日	實歲(年)	實歲(月)
4	黃昕慧	1966/7/23	54	10
5	顏長靖	1988/5/4	33	0
6	許郁婷	2001/4/12	20	1
7	陳耀中	2003/5/16	18	0
8	陳漢以	1999/8/1	21	9
9	謝晉俊	2000/5/6	21	0
10	游興亞	2008/6/6	12	11
11	林怡伯	1988/7/12	32	10
12	陳韻紫	1997/4/18	24	1
13	楊淑琪	2002/8/4	18	9
14	蔡卓財	2006/2/9	15	3
15	蔡秀娟	1995/6/2	25	11
16	趙彥霖	1984/12/22	36	5
17	黃志偉	1997/11/23	23	6
18	蔡善生	2001/10/24	19	7
19	李威貴	1977/9/25	43	8

拖曳複製 D4 儲存格公式到 D19 儲存格,可以算出該位同仁實歲

06 字串的相關函數

07 財務與會計函數

08 查閱與參照函數、資訊、資料驗證、資訊、

09 綜合商務應用範例

10 函數提示技巧與範例 實戰 ChatGPT 大師級

A 工作技巧 資料整理相關

Section
5-8

WEEKDAY
傳回對應於日期的星期數值

這個函數會傳回對應於日期的星期數值，此數據在預設下會回傳的數值為介於 1 (星期日) 到 7 (星期六) 的整數。

▶ WEEKDAY 函數

▶ **函數說明：** 這個函數會傳回對應於日期的星期數值。

▶ **函數語法：** WEEKDAY(serial_number,[return_type])

▶ **引數說明：** · serial_number：代表要尋找之該天日期，這個日期必須使用 DATE 函數輸入，或為其他公式或函數的結果。

· return_type：可以省略，這是決定傳回值類型的數字。

· 1 或省略：數字 1（星期日）到 7（星期六）。

· 2 數字：1（星期一）到 7（星期日）。

· 3 數字：0（星期一）到 6（星期六）。

· 11 數字：1（星期一）到 7（星期日）。

· 12 數字：1（星期二）到 7（星期一）。

· 13 數字：1（星期三）到 7（星期二）。

· 14 數字：1（星期四）到 7（星期三）。

· 15 數字：1（星期五）到 7（星期四）。

· 16 數字：1（星期六）到 7（星期五）。

· 17 數字：1（星期日）到 7（星期六）。

06 字串的相關函數

07 財務與會計函數

08 查閱與參照函數、資料驗證、資訊、

09 綜合商務應用範例

10 函數提示技巧與範例實戰 ChatGPT 大師級

A 工作技巧資料整理相關

應用例 ❼ 吃到飽自助餐平日及假日收費表

建立一個日式吃到飽自助餐工作表，該工作表會列出各天的日期，請以 WEEKDAY()函數判斷出該日期是平日或假日，如果是星期六或星期日則為假日，請秀出該日期為「平日」或「假日」時段，並利用 IF()函數計算出各天的收費金額。

範例 檔案：weekday.xlsx

	A	B	C	D
1	日式吃到飽自助餐			
2	日期	星期幾	平日或假日	價位(元)
3	2021/4/18			
4	2021/4/19			
5	2021/4/20			
6	2021/4/21			
7	2021/4/22			
8	2021/4/23			
9	2021/4/24			
10	2021/4/25			
11	2021/4/26			
12	2021/4/27			
13	2021/4/28			
14	2021/4/29			
15	2021/4/30			

執行結果 檔案：weekday_ok.xlsx

	A	B	C	D
1	日式吃到飽自助餐			
2	日期	星期幾	平日或假日	價位(元)
3	2021/4/18	7.00	假日	799
4	2021/4/19	1.00	平日	599
5	2021/4/20	2.00	平日	599
6	2021/4/21	3.00	平日	599
7	2021/4/22	4.00	平日	599
8	2021/4/23	5.00	平日	599
9	2021/4/24	6.00	假日	799
10	2021/4/25	7.00	假日	799
11	2021/4/26	1.00	平日	599
12	2021/4/27	2.00	平日	599
13	2021/4/28	3.00	平日	599
14	2021/4/29	4.00	平日	599
15	2021/4/30	5.00	平日	599

01
....
公式與函數的基礎

02
....
數值運算的相關函數

03
....
邏輯與統計函數

04
....
常見取得資料的函數

05
....
日期與時間函數

操作說明

	A	B	C	D
1	日式吃到飽自助餐			
2	日期	星期幾	平日或假日	價位(元)
3	2021/4/18	=WEEKDAY(A3,2)		
4	2021/4/19			
5	2021/4/20			
6	2021/4/21			
7	2021/4/22			
8	2021/4/23			
9	2021/4/24			
10	2021/4/25			
11	2021/4/26			
12	2021/4/27			
13	2021/4/28			
14	2021/4/29			
15	2021/4/30			

於 B3 儲存格輸入公式 =WEEKDAY(A3,2)

	A	B	C	D
1	日式吃到飽自助餐			
2	日期	星期幾	平日或假日	價位(元)
3	2021/4/18	7.00		
4	2021/4/19	1.00		
5	2021/4/20	2.00		
6	2021/4/21	3.00		
7	2021/4/22	4.00		
8	2021/4/23	5.00		
9	2021/4/24	6.00		
10	2021/4/25	7.00		
11	2021/4/26	1.00		
12	2021/4/27	2.00		
13	2021/4/28	3.00		
14	2021/4/29	4.00		
15	2021/4/30	5.00		

拖曳複製 B3 儲存格公式到 B15 儲存格

	A	B	C	D
1	日式吃到飽自助餐			
2	日期	星期幾	平日或假日	價位(元)
3	2021/4/18		=IF(B3>5,"假日","平日")	
4	2021/4/19	1.00		
5	2021/4/20	2.00		
6	2021/4/21	3.00		
7	2021/4/22	4.00		
8	2021/4/23	5.00		
9	2021/4/24	6.00		
10	2021/4/25	7.00		
11	2021/4/26	1.00		
12	2021/4/27	2.00		
13	2021/4/28	3.00		
14	2021/4/29	4.00		
15	2021/4/30	5.00		

於 C3 儲存格輸入公式 =IF(B3>5,"假日","平日")，這個公式可以由 B3 儲存格的數值是否大於 5 來設定 C3 儲存的值為「假日」或「平日」

06 字串的相關函數

07 財務與會計函數

08 查閱與參照函數 資料驗證、資訊、

09 綜合商務應用範例

10 函數提示技巧與範例 實戰 ChatGPT 大師級

A 工作技巧 資料整理相關

	A	B	C	D
1	日式吃到飽自助餐			
2	日期	星期幾	平日或假日	價位(元)
3	2021/4/18	7.00	假日	
4	2021/4/19	1.00	平日	
5	2021/4/20	2.00	平日	
6	2021/4/21	3.00	平日	
7	2021/4/22	4.00	平日	
8	2021/4/23	5.00	平日	
9	2021/4/24	6.00	假日	
10	2021/4/25	7.00	假日	
11	2021/4/26	1.00	平日	
12	2021/4/27	2.00	平日	
13	2021/4/28	3.00	平日	
14	2021/4/29	4.00	平日	
15	2021/4/30	5.00	平日	
16				

拖曳複製 C3 儲存格公式到 C15 儲存格，可以發現 C 欄已判斷出不同日期到底是假日或平日

	A	B	C	D	E
1	日式吃到飽自助餐				
2	日期	星期幾	平日或假日	價位(元)	
3	2021/4/18	7.00	假日	=IF(C3="假日",799,599)	
4	2021/4/19	1.00	平日		
5	2021/4/20	2.00	平日		
6	2021/4/21	3.00	平日		
7	2021/4/22	4.00	平日		
8	2021/4/23	5.00	平日		
9	2021/4/24	6.00	假日		
10	2021/4/25	7.00	假日		
11	2021/4/26	1.00	平日		
12	2021/4/27	2.00	平日		
13	2021/4/28	3.00	平日		
14	2021/4/29	4.00	平日		
15	2021/4/30	5.00	平日		

於 D3 儲存格輸入公式 =IF(C3="假日",799,599)，如果為「假日」價格為 799 元，如果為「平日」價格為 599 元

	A	B	C	D
1	日式吃到飽自助餐			
2	日期	星期幾	平日或假日	價位(元)
3	2021/4/18	7.00	假日	799
4	2021/4/19	1.00	平日	599
5	2021/4/20	2.00	平日	599
6	2021/4/21	3.00	平日	599
7	2021/4/22	4.00	平日	599
8	2021/4/23	5.00	平日	599
9	2021/4/24	6.00	假日	799
10	2021/4/25	7.00	假日	799
11	2021/4/26	1.00	平日	599
12	2021/4/27	2.00	平日	599
13	2021/4/28	3.00	平日	599
14	2021/4/29	4.00	平日	599
15	2021/4/30	5.00	平日	599
16				

拖曳複製 D3 儲存格公式到 D15 儲存格，就可以填入不同時間的收費標準

NETWORKDAYS.INTL
傳回兩個日期之間的所有工作日數

這個函數會將週休二日及假日排除掉,傳回兩個日期之間的所有工作日數。現在到公務機關洽公,許多便民的項目,都可以在當天完成;但是畢竟每項工作都有不同的必需工作天數,如果要較多天數的工作項目,就必須請民眾改天再跑一趟來取件。Excel 提供一個很好用的函數,可以計算出取件日期。

NETWORKDAYS.INTL 函數會扣除掉週末、週日以及假日,顯示指定工作日數以後的日期。如果遇到特殊的假日,如雙十節、彈性休假日…等假日,也可以先這些假日列表,然後在函數第 3 個引數中選取特殊假日的儲存格範圍,就可以將這些假日排除在工作日外。

▶ NETWORKDAYS.INTL 函數

- ▶ **函數說明**:這個函數可以透過參數指出哪幾天和多少天是週末,並傳回兩個日期之間的所有工作日數。

- ▶ **函數語法**:NETWORKDAYS.INTL(start_date,end_date,[weekend],[holidays])

- ▶ **引數說明**: · start_date:這是要計算差距的開始日期。start_date 可以早於、等於或晚於 end_date。

  · end_date:這是要計算差距的結束日期。

  · weekend:是指定何時是週末的數字或字串。

  · holidays:是指國定假日,可以是這些日期之序列值的常數陣列,或是包含日期的儲存格範圍。

其中 weekend 是以類型編號來指定到底星期幾為週末，如果省略這個引數，就會以星期六、星期日為週末，底下為各 weekend 數值分別對應星期幾為週末：

weekend 類型數值	週末日
1 或省略	星期六、星期日
2	星期日、星期一
3	星期一、星期二
4	星期二、星期三
5	星期三、星期四
6	星期四、星期五
7	星期五、星期六
11	星期日
12	星期一
13	星期二
14	星期三
15	星期四
16	星期五
17	星期六

另外，weekend 引數除了用上述的類型編號數值來指定週末外，也可以以字串值長度為七個字元來表示，且字串中每個字元會代表一週內的一天，從星期一開始。1 代表非工作日，0 代表工作日。字串中僅允許字元 1 和 0。例如，0000011 代表週末為星期六和星期日。

應用例 ⑧ ▸ 軟體開發時間表實際工作日 ··○

建立一個軟體開發時間表的實際工作日，這張工作表中包括了「專案類型」、「委託日」、「交件日」，在計算實際工作日時，請扣除掉週休二日及國定假日。

06 字串的相關函數

07 財務與會計函數

08 查閱與參照函數、資料驗證、資訊、

09 綜合商務應用範例

10 函數提示技巧與範例 實戰 ChatGPT 大師級

A 工作技巧相關 資料整理

範例 檔案：networkdays.xlsx

	A	B	C	D	E	F	G	H
1	軟體開發時間表							
2	專案類型	委託日	交件日	實際工作日		其它國定假日		
3	進銷存系統	2021/1/3	2021/6/3			2021/1/1	元旦	
4	人事行政系統	2021/2/4	2021/10/4			2021/2/11	除夕	
5	保全系統	2021/3/10	2021/10/10			2021/2/12	春節	
6	網管系統	2021/4/12	2021/8/12			2021/2/28	和平紀念日	
7	3D引擎系統	2021/1/20	2021/7/15			2021/4/4	兒童節	
8	RWD網頁化系統	2021/2/6	2021/12/10			2021/4/5	清明節	
9	公司首頁更新	2021/7/30	2021/12/30			2001/5/1	勞動節	
10						2001/6/14	端午節	
11						2001/9/21	中秋節	
12						2001/10/10	國慶日	

執行結果 檔案：networkdays_ok.xlsx

	A	B	C	D	E	F	G
1	軟體開發時間表						
2	專案類型	委託日	交件日	實際工作日		其它國定假日	
3	進銷存系統	2021/1/3	2021/6/3	106		2021/1/1	元旦
4	人事行政系統	2021/2/4	2021/10/4	170		2021/2/11	除夕
5	保全系統	2021/3/10	2021/10/10	152		2021/2/12	春節
6	網管系統	2021/4/12	2021/8/12	89		2021/2/28	和平紀念日
7	3D引擎系統	2021/1/20	2021/7/15	124		2021/4/4	兒童節
8	RWD網頁化系統	2021/2/6	2021/12/10	217		2021/4/5	清明節
9	公司首頁更新	2021/7/30	2021/12/30	110		2001/5/1	勞動節
10						2001/6/14	端午節
11						2001/9/21	中秋節
12						2001/10/10	國慶日

操作說明

D3　fx =NETWORKDAYS.INTL(B3,C3,1,$F$4:$F$12)

	A	B	C	D	E	F	G
1	軟體開發時間表						
2	專案類型	委託日	交件日	實際工作日		其它國定假日	
3	進銷存系統	2021/1/3	2021/6/3	106		2021/1/1	元旦
4	人事行政系統	2021/2/4	2021/10/4			2021/2/11	除夕
5	保全系統	2021/3/10	2021/10/10			2021/2/12	春節
6	網管系統	2021/4/12	2021/8/12			2021/2/28	和平紀念日
7	3D引擎系統	2021/1/20	2021/7/15			2021/4/4	兒童節
8	RWD網頁化系統	2021/2/6	2021/12/10			2021/4/5	清明節
9	公司首頁更新	2021/7/30	2021/12/30			2001/5/1	勞動節
10						2001/6/14	端午節
11						2001/9/21	中秋節
12						2001/10/10	國慶日

於 D3 儲存格輸入公式
=NETWORKDAYS.INTL
(B3,C3,1,$F$4:$F$12)

	A	B	C	D	E	F	G
1	軟體開發時間表						
2	專案類型	委託日	交件日	實際工作日		其它國定假日	
3	進銷存系統	2021/1/3	2021/6/3	106		2021/1/1	元旦
4	人事行政系統	2021/2/4	2021/10/4	170		2021/2/11	除夕
5	保全系統	2021/3/10	2021/10/10	152		2021/2/12	春節
6	網管系統	2021/4/12	2021/8/12	89		2021/2/28	和平紀念日
7	3D引擎系統	2021/1/20	2021/7/15	124		2021/4/4	兒童節
8	RWD網頁化系統	2021/2/6	2021/12/10	217		2021/4/5	清明節
9	公司首頁更新	2021/7/30	2021/12/30	110		2001/5/1	勞動節
10						2001/6/14	端午節
11						2001/9/21	中秋節
12						2001/10/10	國慶日

拖曳複製 D3 儲存格
公式到 D9 儲存格，
就可以計算出每件軟
體開發專案類型的實
際工作日

06 字串的相關函數

07 財務與會計函數

08 查閱與參照函數 資料驗證、資訊、

09 綜合商務應用範例

10 函數提示技巧與範例 實戰 ChatGPT 大師級

A 工作技巧 資料整理相關

Section 5-10	EOMONTH

EOMONTH
傳回在起始日期前後所指定之月份數之當月最後一天的序列值

這是用來指定起始日期開始，去計算幾個月之前或幾個月之後的該月的最後一天的月底到期日。

EOMONTH 函數

▶ 函數說明：這是用來指定起始日期開始，去計算幾個月之前或幾個月之後的該月的最後一天的月底到期日。

▶ 函數語法：EOMONTH(start_date,months)

▶ 引數說明： · start_date：此為代表開始日期的日期。日期必須使用 DATE 函數輸入，或為其他公式或函數的結果。

　　　　　　 · months：start_date 之前或之後的月份數。正值表示未來日期；負值表示過去日期。

應用例 ⑨ ▶ 軟體開發專案付款日

建立一個軟體開發時間表，包括專案類型及該專案的委託日及交件日，請利用 EOMONTH()函數計算交件後 2 個月月底的付款日。

範例 檔案：eomonth.xlsx

	A	B	C	D
1	軟體開發時間表			
2	專案類型	委託日	交件日	付款日
3	進銷存系統	2021/1/3	2021/6/3	
4	人事行政系統	2021/2/4	2021/10/4	
5	保全系統	2021/3/10	2021/10/10	
6	網管系統	2021/4/12	2021/8/12	
7	3D引擎系統	2021/1/20	2021/7/15	
8	RWD網頁化系統	2021/2/6	2021/12/10	
9	公司首頁更新	2021/7/30	2021/12/30	

執行結果 檔案：eomonth_ok.xlsx

	A	B	C	D
1	軟體開發時間表			
2	專案類型	委託日	交件日	付款日
3	進銷存系統	2021/1/3	2021/6/3	2021/8/31
4	人事行政系統	2021/2/4	2021/10/4	2021/12/31
5	保全系統	2021/3/10	2021/10/10	2021/12/31
6	網管系統	2021/4/12	2021/8/12	2021/10/31
7	3D引擎系統	2021/1/20	2021/7/15	2021/9/30
8	RWD網頁化系統	2021/2/6	2021/12/10	2022/2/28
9	公司首頁更新	2021/7/30	2021/12/30	2022/2/28

操作說明

	A	B	C	D	E
1	軟體開發時間表				
2	專案類型	委託日	交件日	付款日	
3	進銷存系統	2021/1/3	2021/6/3	=EOMONTH(C3,2)	
4	人事行政系統	2021/2/4	2021/10/4		
5	保全系統	2021/3/10	2021/10/10		
6	網管系統	2021/4/12	2021/8/12		
7	3D引擎系統	2021/1/20	2021/7/15		
8	RWD網頁化系統	2021/2/6	2021/12/10		
9	公司首頁更新	2021/7/30	2021/12/30		

於 D3 儲存格輸入公式 =EOMONTH(C3,2)，這個公式可用來計算 C3 儲存格指定日期 2 個月後的付款日

	A	B	C	D	E
1	軟體開發時間表				
2	專案類型	委託日	交件日	付款日	
3	進銷存系統	2021/1/3	2021/6/3	2021/8/31	
4	人事行政系統	2021/2/4	2021/10/4	2021/12/31	
5	保全系統	2021/3/10	2021/10/10	2021/12/31	
6	網管系統	2021/4/12	2021/8/12	2021/10/31	
7	3D引擎系統	2021/1/20	2021/7/15	2021/9/30	
8	RWD網頁化系統	2021/2/6	2021/12/10	2022/2/28	
9	公司首頁更新	2021/7/30	2021/12/30	2022/2/28	
10					

拖曳複製 D3 儲存格公式到 D9 儲存格，就完成了各專案的付款日的計算

06

字串的相關函數

07

財務與會計函數

08

查閱與參照函數、資料驗證、資訊、

09

綜合商務應用範例

10

函數提示技巧與範例實戰 ChatGPT 大師級

A

工作技巧相關資料整理

Section
5-11

WORKDAY.INTL
傳回指定工作日數之前或之後日期的序列值

這個函數可以設定起始日期的參數，並回傳從該指定日期的前（或後）個工作日後的日期，不過這個函數會避開這段時間內的例假日或國定假日。

▷ WORKDAY.INTL 函數

▸ **函數說明**：傳回指定工作日數之前或之後日期，不過這個函數會避開這段時間內的例假日或國定假日。

▸ **函數語法**：WORKDAY.INTL(start_date,days,[weekend],[holidays])

▸ **引數說明**： ・ start_date：這是取為整數的開始日期。

　　　　　　　　・ days：這是 start_date 之前或之後的工作日數。正值表示未來日期；負值表示過去日期。

　　　　　　　　・ weekend：指出一週中屬於週末日而不視為工作日的日子。weekend 可以用類型數字指定，也可以用字串方式指定。

應用例 ❿ 實習工作體驗日申請計畫

建立一個實習工作體驗日申請計畫工作表，包括實習生姓名、報到日、實習天數，並以表格方式指定其他國定假日，請試以 WORKDAY.INTL 計算每一位實習生的實習結案日。

範例 檔案：workday.xlsx

	A	B	C	D	E	F	G
1	實習工作體驗日申請						
2	實習生姓名	報到日	實習天數	實習結案日		其它國定假日	
3	林冠雪	2021/1/3	60			2021/1/1	元旦
4	李宗冰	2021/2/4	30			2021/2/11	除夕
5	葉怡中	2021/3/10	60			2021/2/12	春節
6	姜佳蓉	2021/4/12	45			2021/2/28	和平紀念日
7	林美雪	2021/1/20	30			2021/4/4	兒童節
8	吳雅惠	2021/2/6	120			2021/4/5	清明節
9	陳玉婷	2021/7/30	90			2001/5/1	勞動節
10						2001/6/14	端午節
11						2001/9/21	中秋節
12						2001/10/10	國慶日

執行結果 檔案：workday_ok.xlsx

	A	B	C	D	E	F	G
1	實習工作體驗日申請						
2	實習生姓名	報到日	實習天數	實習結案日		其它國定假日	
3	林冠雪	2021/1/3	60	2021/3/30		2021/1/1	元旦
4	李宗冰	2021/2/4	30	2021/3/22		2021/2/11	除夕
5	葉怡中	2021/3/10	60	2021/6/3		2021/2/12	春節
6	姜佳蓉	2021/4/12	45	2021/6/14		2021/2/28	和平紀念日
7	林美雪	2021/1/20	30	2021/3/5		2021/4/4	兒童節
8	吳雅惠	2021/2/6	120	2021/7/28		2021/4/5	清明節
9	陳玉婷	2021/7/30	90	2021/12/3		2001/5/1	勞動節
10						2001/6/14	端午節
11						2001/9/21	中秋節
12						2001/10/10	國慶日

操作說明

	A	B	C	D	E	F	G
1	實習工作體驗日申請						
2	實習生姓名	報到日	實習天數	實習結案日		其它國定假日	
3	林冠雪	2021/1/3	60	=WORKDAY.INTL(B3,C3,1,$F$3:$F$12)			
4	李宗冰	2021/2/4	30			2021/2/11	除夕
5	葉怡中	2021/3/10	60			2021/2/12	春節
6	姜佳蓉	2021/4/12	45			2021/2/28	和平紀念日
7	林美雪	2021/1/20	30			2021/4/4	兒童節
8	吳雅惠	2021/2/6	120			2021/4/5	清明節
9	陳玉婷	2021/7/30	90			2001/5/1	勞動節
10						2001/6/14	端午節
11						2001/9/21	中秋節
12						2001/10/10	國慶日

於 D3 儲存格輸入公式 =WORKDAY.INTL(B3, C3,1,$F$3:$F$12)，這個公式可用來計算傳回指定工作日數之後日期的序列值

	A	B	C	D	E	F	G
1	實習工作體驗日申請						
2	實習生姓名	報到日	實習天數	實習結案日			
3	林冠雪	2021/1/3	60	44285	✂ 剪下(T)		旦
4	李宗冰	2021/2/4	30		複製(C)		夕
5	葉怡中	2021/3/10	60		貼上選項		節
6	姜佳蓉	2021/4/12	45		選擇性貼上(S)...		平紀念日
7	林美雪	2021/1/20	30		智慧查閱(L)		童節
8	吳雅惠	2021/2/6	120		插入(I)...		明節
9	陳玉婷	2021/7/30	90		刪除(D)...		動節
10					清除內容(N)		午節
11					快速分析(Q)		秋節
12					篩選(E)		慶日
13					排序(O)		
14							
15					從表格/範圍取得資料(G)...		
16					插入註解(M)		
					儲存格格式(F)...		

❶ 點選 D3 儲存格使用成為作用儲存格，並按下滑鼠右鍵

❷ 從快顯功能表中執行「儲存格格式」指令

❶ 切換到「數值」索引標籤

❷ 類型選「日期」

❸ 設定成這一種日期類型

❹ 地區設定請選「中文(台灣)」

❺ 行事曆類型選「西曆」

❻ 按下「確定」鈕

在 D3 儲存格顯示出實習結案日,接著拖曳複製 D3 儲存格公式到 D9 儲存格,就完成了各實習結案日的計算

06 字串的相關函數

07 財務與會計函數

08 查閱與參照函數、資料驗證、資訊

09 綜合商務應用範例

10 函數提示技巧與範例實戰 ChatGPT 大師級工作技巧

A 工作技巧資料整理相關

01
....
公式與函數的基礎

02
....
數值運算的相關函數

03
....
邏輯與統計函數

04
....
常見取得資料的函數

05
....
日期與時間函數

Section
5-12

EDATE
傳回指定日期前或後所指定之月份數的日期

是用來指定一個開始日期及月份,並回傳從該開始日期起幾個月前(或後)的日期,一般被應用在軟體或線上影音課程多少個月後的使用期限,或是像有些公司會於月底付款給廠商,都可以利用這個函數來回傳指定的日期。

▷ EDATE 函數

▸ **函數說明**:傳回指定日期之前或之後所指定之月份數的日期。

▸ **函數語法**:EDATE(start_date,months)

▸ **引數說明**:・ start_date:這是代表開始日期的日期。日期必須使用 DATE 函數輸入,或為其他公式或函數的結果。例如使用 DATE(2021,7,21) 表示 2021 年 7 月 21 日。

　　　　　　　・ months:start_date 之前或之後的月份數。正值表示未來日期;負值表示過去日期。

應用例 ⑪ 設定軟體試用到期日 ------------------------------------○

開啟範例檔案,該工作表中包括各種軟體的開通日及可試用月份,請計算每一種軟體的試用期滿日。

範例 檔案:edate.xlsx

	A	B	C	D
1	軟體試用到期日			
2	試用語言	軟體開通日	可試用月份	試用期滿日
3	德語	2021/1/3	3	
4	日語	2021/2/4	3	
5	法語	2021/3/10	2	
6	越南語	2021/4/12	6	
7	西班牙語	2021/1/20	5	
8	韓語	2021/2/6	1	
9	俄語	2021/7/30	4	

06 字串的相關函數

07 財務與會計函數

08 查閱與參照函數 資料驗證、資訊、

09 綜合商務應用範例

10 函數提示技巧與範例 實戰 ChatGPT 大師級

A 工作技巧 資料整理相關

執行結果 檔案：edate_ok.xlsx

	A	B	C	D
1	軟體試用到期日			
2	試用語言	軟體開通日	可試用月份	試用期滿日
3	德語	2021/1/3	3	2021/4/2
4	日語	2021/2/4	3	2021/5/3
5	法語	2021/3/10	2	2021/5/9
6	越南語	2021/4/12	6	2021/10/11
7	西班牙語	2021/1/20	5	2021/6/19
8	韓語	2021/2/6	1	2021/3/5
9	俄語	2021/7/30	4	2021/11/29

操作說明

	A	B	C	D	E
1	軟體試用到期日				
2	試用語言	軟體開通日	可試用月份	試用期滿日	
3	德語	2021/1/3	3	=EDATE(B3,C3)-1	
4	日語	2021/2/4	3		
5	法語	2021/3/10	2		
6	越南語	2021/4/12	6		
7	西班牙語	2021/1/20	5		
8	韓語	2021/2/6	1		
9	俄語	2021/7/30	4		

於 D3 儲存格輸入公式 =EDATE(B3,C3)-1

	A	B	C	D	E
1	軟體試用到期日				
2	試用語言	軟體開通日	可試用月份	試用期滿日	
3	德語	2021/1/3	3	2021/4/2	
4	日語	2021/2/4	3	2021/5/3	
5	法語	2021/3/10	2	2021/5/9	
6	越南語	2021/4/12	6	2021/10/11	
7	西班牙語	2021/1/20	5	2021/6/19	
8	韓語	2021/2/6	1	2021/3/5	
9	俄語	2021/7/30	4	2021/11/29	
10					

拖曳複製 D3 儲存格公式 到 D9 儲存格將會自動填 入試用期滿日

01
....
公式與函數的基礎

02
....
數值運算的相關函數

03
....
邏輯與統計函數

04
....
常見取得資料的函數

05
....
日期與時間函數

HOUR、MINUTE、SECOND
傳回時、分、秒

HOUR 函數可回傳日期值或表示日期的文字的小時數。傳回值是 0(12:00 A.M.) 到 23(11:00 P.M.)。MINUTE 函數會返回時間值中的分鐘數，是一個 0 到 59 之間的整數。

▷ HOUR 函數

▸ **函數說明**：傳回時間值的小時。小時必須用整數指定，有效範圍是 0(12:00 A.M.) 到 23(11:00 P.M.)。

▸ **函數語法**：HOUR(serial_number)

▸ **引數說明**：serial_number：要尋找的時間（包含小時）。

▷ MINUTE 函數

▸ **函數說明**：傳回分鐘時間值，介於 0 到 59 之間的整數。

▸ **函數語法**：MINUTE(serial_number)

▸ **引數說明**：serial_number：要尋找的時間（包含分鐘）。

▷ SECOND 函數

▸ **函數說明**：傳回秒鐘時間值，介於 0 到 59 之間的整數。

▸ **函數語法**：SECOND(serial_number)

▸ **引數說明**：serial_number：要尋找的時間（包含秒鐘）。

06 字串的相關函數

07 財務與會計函數

08 查閱與參照函數 資料驗證、資訊、

09 綜合商務應用範例

10 函數提示技巧與範例 實戰 ChatGPT 大師級

A 工作技巧 資料整理相關

應用例 ⑫ 全馬平均時間計算時、分、秒三欄位資訊

建立一個完成全馬平均時間，這個表格會以時間類型給定每一個年度的平均時間，請分別以 HOUR()、MINUTE()、SECOND() 三個函數分別計算出時、分、秒三欄位資訊。

範例 檔案：timerev.xlsx

	A	B	C	D	E
1	完成全馬平均時間				
2	年份	該年平均時間	時	分	秒
3	2010	03:52:35			
4	2011	03:53:40			
5	2012	03:55:21			
6	2013	03:58:19			
7	2014	03:58:45			
8	2015	03:59:30			
9	2016	04:10:12			
10	2017	04:21:15			
11	2018	04:32:49			

執行結果 檔案：timerev_ok.xlsx

	A	B	C	D	E
1	完成全馬平均時間				
2	年份	該年平均時間	時	分	秒
3	2010	03:52:35	3	52	35
4	2011	03:53:40	3	53	40
5	2012	03:55:21	3	55	21
6	2013	03:58:19	3	58	19
7	2014	03:58:45	3	58	45
8	2015	03:59:30	3	59	30
9	2016	04:10:12	4	10	12
10	2017	04:21:15	4	21	15
11	2018	04:32:49	4	32	49

操作說明

	A	B	C	D	E
1	完成全馬平均時間				
2	年份	該年平均時間	時	分	秒
3	2010	03:52:35	=HOUR(B3)		
4	2011	03:53:40			
5	2012	03:55:21			
6	2013	03:58:19			
7	2014	03:58:45			
8	2015	03:59:30			
9	2016	04:10:12			
10	2017	04:21:15			
11	2018	04:32:49			

於 C3 儲存格輸入公式
=HOUR(B3)

	A	B	C	D	E
1	完成全馬平均時間				
2	年份	該年平均時間	時	分	秒
3	2010	03:52:35	3		
4	2011	03:53:40	3		
5	2012	03:55:21	3		
6	2013	03:58:19	3		
7	2014	03:58:45	3		
8	2015	03:59:30	3		
9	2016	04:10:12	4		
10	2017	04:21:15	4		
11	2018	04:32:49	4		
12					

拖曳複製 C3 儲存格公式到 C11 儲存格將會自動填入幾個小時的數值

	A	B	C	D	E
1	完成全馬平均時間				
2	年份	該年平均時間	時	分	秒
3	2010	03:52:35	3	=MINUTE(B3)	
4	2011	03:53:40	3		
5	2012	03:55:21	3		
6	2013	03:58:19	3		
7	2014	03:58:45	3		
8	2015	03:59:30	3		
9	2016	04:10:12	4		
10	2017	04:21:15	4		
11	2018	04:32:49	4		

於 D3 儲存格輸入公式
=MINUTE(B3)

	A	B	C	D	E
1	完成全馬平均時間				
2	年份	該年平均時間	時	分	秒
3	2010	03:52:35	3	52	
4	2011	03:53:40	3	53	
5	2012	03:55:21	3	55	
6	2013	03:58:19	3	58	
7	2014	03:58:45	3	58	
8	2015	03:59:30	3	59	
9	2016	04:10:12	4	10	
10	2017	04:21:15	4	21	
11	2018	04:32:49	4	32	
12					

拖曳複製 D3 儲存格公式到 D11 儲存格將會自動填入幾分鐘的數值

	A	B	C	D	E	F
1	完成全馬平均時間					
2	年份	該年平均時間	時	分	秒	
3	2010	03:52:35	3	52	=SECOND(B3)	
4	2011	03:53:40	3	53		
5	2012	03:55:21	3	55		
6	2013	03:58:19	3	58		
7	2014	03:58:45	3	58		
8	2015	03:59:30	3	59		
9	2016	04:10:12	4	10		
10	2017	04:21:15	4	21		
11	2018	04:32:49	4	32		

於 E3 儲存格輸入公式
=SECOND(B3)

	A	B	C	D	E
1	完成全馬平均時間				
2	年份	該年平均時間	時	分	秒
3	2010	03:52:35	3	52	35
4	2011	03:53:40	3	53	40
5	2012	03:55:21	3	55	21
6	2013	03:58:19	3	58	19
7	2014	03:58:45	3	58	45
8	2015	03:59:30	3	59	30
9	2016	04:10:12	4	10	12
10	2017	04:21:15	4	21	15
11	2018	04:32:49	4	32	49
12					

拖曳複製 E3 儲存格公式
到 E11 儲存格將會自動填
入幾秒鐘的數值

06
字串的相關函數

07
財務與會計函數

08
查閱與參照函數
資料驗證、資訊、

09
綜合商務應用範例

10
函數提示技巧與範例
實戰 ChatGPT 大師級

A
工作技巧
資料整理相關

NOTE

06

字串的相關函數

字串的相關函數可以讓一整串文字，說分就分、說合就合，就像變魔術一樣
精彩。

CHAR/CODE
傳回字元集對應的字元 / 文字串第一個字元的數字代碼

這兩個函數有點互補關係，其中 CHAR() 函數會根據電腦的字元集，傳回數字所對應的字元。而 CODE() 函數則會傳回文字字串中第一個字元的的數字代碼，傳回的代碼會對應至您電腦所使用的字元集。

▶ CHAR 函數

- ▶ **函數說明：** 根據電腦的字元集，傳回數字所對應的字元。
- ▶ **函數語法：** CHAR(number)
- ▶ **引數說明：** number：一個介於 1 到 255 之間的數字，指定出所要的字元。

▶ CODE 函數

- ▶ **函數說明：** 這個函數會傳回文字字串中第一個字元的的數字代碼，傳回的代碼會對應至您電腦所使用的字元集。
- ▶ **函數語法：** CODE(text)
- ▶ **引數說明：** text：這是想傳回其第一個字元代碼的文字字串。

應用例 ❶ ▶ CHAR 與 CODE 函數應用 ----------------------------------○

建立一個工作表，在 A 欄提供 CODE() 函數傳入的文字字串引數，並於 B 欄回傳 A 欄字串中第一個字元的 ASCII 值，再於 C 欄以 CHAR() 來驗證 B 欄的結果值是否就是 A 欄字串的第一個字元。

範例 檔案：char.xlsx

	A	B	C
1	CHAR與CODE函數應用		
2	原字串	Code函數回傳值	CHAR函數回傳值
3	A		
4	a		
5	Happy		
6	birthday		

06
字串的相關函數

07
財務與會計函數

08
查閱與參照函數、資料驗證、資訊、

09
綜合商務應用範例

10
函數提示技巧與範例、實戰 ChatGPT 大師級

A
工作技巧相關、資料整理

執行結果 〉檔案：char_ok.xlsx

	A	B	C
1	CHAR與CODE函數應用		
2	原字串	Code函數回傳值	CHAR函數回傳值
3	A	65	A
4	a	97	a
5	Happy	72	H
6	birthday	98	b

操作說明

於 B3 儲存格輸入
公式 =CODE(A3)

拖曳複製 B3 公式到 B6
儲存格，可以看出 B 欄
已填滿 A 欄 CODE 函數
的回傳值

於 C3 儲存格輸入
公式 =CHAR(B3)

拖曳複製 C3 公式到 C6
儲存格，可以看出 C 欄
已填滿 B 欄 CHAR 函數
的回傳值

CONCATENATE
字串合併

CONCATENATE 可以將多個字串合併成一個字串。以下圖為例,我們可以利用 CONCATENATE 函數製作出 Word 合併列印的效果,再利用 Outlook 逐一傳送到個人的電子信箱,作員工基本資料的年度核對工作,省事又環保。

公式 = CONCATENATE(儲存格或文字1,儲存格或文字2,.....)

    = CONCATENATE(嗨!,A2,"~你的聯絡地址是",D2,"~請核對!")

G2				f_x	=CONCATENATE("嗨!",A2,"~你的聯絡地址是",D2,"~請核對!")	
	A	D			G	
1	姓名	聯絡地址			合併	
2	鄭 希	高雄市新興區中東街			嗨!鄭 希~你的聯絡地址是高雄市新興區中東街~請核對!	
3	梁 誼	高雄市鳳山區中山西路			嗨!梁 誼~你的聯絡地址是高雄市鳳山區中山西路~請核對!	
4	林宜蓁	高雄市三民區陽明路			嗨!林宜蓁~你的聯絡地址是高雄市三民區陽明路~請核對!	

基本資料

▷ CONCATENATE 函數

▶ **函數說明**:將多組文字串連成一個文字串。

▶ **函數語法**:CONCATENATE(text1,text2,...)

▶ **引數說明**:text1,text2...:要打算串連成一個文字串的 1 到 30 個文字串。

應用例 ❷ 線上軟體登入帳號的大量生成 ------------------------------○

許多學校會採購線上軟體,如果他們現有資料庫的欄位只有學生的姓名代號及學號,請實作利用 CONCATENATE()函數快速產生學生的登入帳號,登入帳號的前 3 碼必須是學生的姓名代號,接著是該位學生的學號。

06
....
字串的相關函數

07
....
財務與會計函數

08
....
查閱與參照函數、資訊、資料驗證、資訊、

09
....
綜合商務應用範例

10
....
函數提示技巧與範例
實戰 ChatGPT 大師級

A
....
工作技巧
資料整理相關

範例 檔案：concatenate.xlsx

	A	B
1	txw	910101
2	jch	910102
3	abc	910103
4	kun	910104
5	wpp	910105
6	fgi	910106
7	bda	910107
8	ttb	910108
9	kin	910110
10	pos	910111
11	jlm	910113
12	mon	910115
13	stu	910116
14	tea	910117
15	ppp	910118
16	xoy	910119
17	wys	910120
18	skd	910121
19	kdn	910122
20	qrn	910124

原始檔案包括兩個欄位：A 欄是姓名代號，B 欄是學生學號

執行結果 檔案：concatenate_ok.xlsx

	A	B	C
1	txw	910101	txw910101
2	jch	910102	jch910102
3	abc	910103	abc910103
4	kun	910104	kun910104
5	wpp	910105	wpp910105
6	fgi	910106	fgi910106
7	bda	910107	bda910107
8	ttb	910108	ttb910108
9	kin	910110	kin910110
10	pos	910111	pos910111
11	jlm	910113	jlm910113
12	mon	910115	mon910115
13	stu	910116	stu910116
14	tea	910117	tea910117
15	ppp	910118	ppp910118
16	xoy	910119	xoy910119
17	wys	910120	wys910120
18	skd	910121	skd910121
19	kdn	910122	kdn910122
20	qrn	910124	qrn910124

請在 C 欄將 A 欄及 B 欄的文字進行串接，以產生含姓名代碼及學號的 9 位字元的登入帳號

操作說明

	A	B	C
1	txw	910101	=CONCATENATE(A1,B1)
2	jch	910102	
3	abc	910103	
4	kun	910104	
5	wpp	910105	
6	fgi	910106	
7	bda	910107	
8	ttb	910108	
9	kin	910110	
10	pos	910111	
11	jlm	910113	
12	mon	910115	
13	stu	910116	
14	tea	910117	
15	ppp	910118	
16	xoy	910119	
17	wys	910120	
18	skd	910121	
19	kdn	910122	
20	qrn	910124	

於 C1 儲存格輸入公式
=CONCATENATE(A1,B1)

	A	B	C
1	txw	910101	txw910101
2	jch	910102	jch910102
3	abc	910103	abc910103
4	kun	910104	kun910104
5	wpp	910105	wpp910105
6	fgi	910106	fgi910106
7	bda	910107	bda910107
8	ttb	910108	ttb910108
9	kin	910110	kin910110
10	pos	910111	pos910111
11	jlm	910113	jlm910113
12	mon	910115	mon910115
13	stu	910116	stu910116
14	tea	910117	tea910117
15	ppp	910118	ppp910118
16	xoy	910119	xoy910119
17	wys	910120	wys910120
18	skd	910121	skd910121
19	kdn	910122	kdn910122
20	qrn	910124	qrn910124
21			

拖曳複製 C1 公式到 C20 儲存格，可以看出 C 欄已填滿 A 欄與 B 欄的串接結果，接著就可以將這個結果值以複製及選擇性貼上的方式，並只貼上值，就可以產生自己所需的 9 位字元的登入帳號

06
字串的相關函數

07
財務與會計函數

08
資料驗證、資訊、查閱與參照函數

09
綜合商務應用範例

10
函數提示技巧與範例實戰 ChatGPT 大師級

A
資料整理相關工作技巧

FIND
尋找字串

FIND可以在另一個文字串中(within_text)找到某個文字串(find_text)，並傳回該文字字串在第一個文字字串中的起始位置。

▷ FIND 函數

- ▶ **函數說明**：在另一個文字串中(within_text)找到某個文字串(find_text)的起始位置。

- ▶ **函數語法**：FIND(find_text,within_text,start_num)

- ▶ **引數說明**： · find_text：欲搜尋的文字串。

  · within_text：一個含有要尋找文字串的搜尋目標文字串。

  · start_num：指定從搜尋目標的第幾個字元開始尋找。所以 within_text 中的第一個字元就是位置1。如果省略了 start_num 引數，則自動設定為 1。

應用例 ❸ ▶FIND()函數的各種不同實例 ----------------------------------○

建立一個工作表，實際展示 FIND()函數，並分別示範如何找到指定的大寫字母及小寫字母，另一個情況則是指定從第幾個字元開始搜尋指定的字元。

範例 檔案：find.xlsx

	A
1	Happy Birthday
2	
3	

執行結果 檔案：find_ok.xlsx

	A
1	Happy Birthday
2	1
3	11
4	14

此處分別輸入 3 個 find 函數來練習 find 函數的使用方法

操作說明

找第 A1 儲存格第一個出現 h 字元的位置

找第 A1 儲存格第一個出現 H 字元的位置

儲存格 A1 中，從第 7 個字元開始的第一個「y」的位置

06
....
字串的相關函數

07
....
財務與會計函數

08
....
查閱與參照函數

資料驗證、資訊、

09
....
綜合商務應用範例

10
....
函數提示技巧與範例

實戰 ChatGPT 大師級

A
....
工作技巧相關

資料整理

Section

6-4

LEFT、RIGHT、MID
取子字串相關函數

這三個函數都是用來取子字串的函數。舉例來說,為了個資問題,公開的員工資料中,身分證字號只顯示末 4 碼。就可以使用 RIGHT 函數。又例如我們要將聯絡地址中的縣市獨立出來,以便後續查詢。因此要從地址最左邊開始,3 個字剛好是縣市名稱。另外,聯絡地址中的縣市後方通常都是鄉鎮區名稱,如果我們要將鄉鎮區名稱獨立出來,此時就要從地址第 4 個開始傳回 3 個字元長度的字串,就可以使用 MID 函數。

▷ **LEFT 函數**

▶ **函數說明**: 傳回指定文字字串中左邊第一個字元或字元組。

▶ **函數語法**: LEFT(text,num_chars)

▶ **引數說明**: ・ text:指定的文字字串。

　　　　　　　 ・ num_chars:自字串左邊開始擷取幾個字元數。

▷ **RIGHT 函數**

▶ **函數說明**: 依據所指定的字元組數,傳回一文字串的最後字元或字元組。

▶ **函數語法**: RIGHT(text,num_chars)

▶ **引數說明**: ・ text:含有想選錄的部分字串之文字字串。

　　　　　　　 ・ num_chars:指定所選錄的字串長度。

▷ **MID 函數**

▶ **函數說明**: 傳回文字字串中某起始位置至指定長度之間的字元組數。用於雙位元字元集。

▶ **函數語法**: MID(text,start_num,num_chars)

▶ **引數說明**： · text：含有想選錄的部分字串之文字字串。

· start_num：用以指定要由 text 的第若干個位元組開始抽選。text 中的第一個字元為 start_num 1，以此類推。

· num_chars：指定要 MID 從字串傳回的字元組。

應用例 ❹ 從識別證文字取出欄位資訊 ------------------------------------o

從已建立的工作表中的「識別證文字」的欄位資訊，分別利用 LEFT()、MID()、RIGHT()三個函數取出該「識別證文字」中的「學校代碼」、「學校名稱」、「所屬隊別編號」。

範例 檔案：left.xlsx

	A	B	C	D
1	3對3籃球鬥牛賽			
2	識別證文字	學校代碼	學校名稱	所屬隊別編號
3	kyu台苑科技大學001			
4	kyu台苑科技大學002			
5	kyu台苑科技大學003			
6	myu明玉科技大學004			
7	myu明玉科技大學005			
8	myu明玉科技大學006			
9	myu明玉科技大學007			
10	jyu領南科技大學008			
11	jyu領南科技大學009			
12	jyu領南科技大學010			

執行結果 檔案：left_ok.xlsx

	A	B	C	D
1	3對3籃球鬥牛賽			
2	識別證文字	學校代碼	學校名稱	所屬隊別編號
3	kyu台苑科技大學001	kyu	台苑科技大學	001
4	kyu台苑科技大學002	kyu	台苑科技大學	002
5	kyu台苑科技大學003	kyu	台苑科技大學	003
6	myu明玉科技大學004	myu	明玉科技大學	004
7	myu明玉科技大學005	myu	明玉科技大學	005
8	myu明玉科技大學006	myu	明玉科技大學	006
9	myu明玉科技大學007	myu	明玉科技大學	007
10	jyu領南科技大學008	jyu	領南科技大學	008
11	jyu領南科技大學009	jyu	領南科技大學	009
12	jyu領南科技大學010	jyu	領南科技大學	010

06
字串的相關函數

07
財務與會計函數

08
查閱與參照函數、資料驗證、資訊、

09
綜合商務應用範例

10
函數提示技巧與範例實戰 ChatGPT 大師級

A
工作技巧相關資料整理

操作說明

	A	B	C	D
1	3對3籃球鬥牛賽			
2	識別證文字	學校代碼	學校名稱	所屬隊別編號
3	kyu台	=LEFT(A3,3)		
4	kyu台苑科技大學002			
5	kyu台苑科技大學003			
6	myu明玉科技大學004			
7	myu明玉科技大學005			
8	myu明玉科技大學006			
9	myu明玉科技大學007			
10	jyu領南科技大學008			
11	jyu領南科技大學009			
12	jyu領南科技大學010			

於 B3 儲存格輸入公式
=LEFT(A3,3)

	A	B	C	D
1	3對3籃球鬥牛賽			
2	識別證文字	學校代碼	學校名稱	所屬隊別編號
3	kyu台苑科技大學001	kyu		
4	kyu台苑科技大學002	kyu		
5	kyu台苑科技大學003	kyu		
6	myu明玉科技大學004	myu		
7	myu明玉科技大學005	myu		
8	myu明玉科技大學006	myu		
9	myu明玉科技大學007	myu		
10	jyu領南科技大學008	jyu		
11	jyu領南科技大學009	jyu		
12	jyu領南科技大學010	jyu		
13				

拖曳複製 B3 公式到 B12 儲存格，可以看出 B 欄已填滿學校代碼

	A	B	C	D
1	3對3籃球鬥牛賽			
2	識別證文字	學校代碼	學校名稱	所屬隊別編號
3	kyu台苑科技大學001	kyu	=MID(A3,4,6)	
4	kyu台苑科技大學002	kyu		
5	kyu台苑科技大學003	kyu		
6	myu明玉科技大學004	myu		
7	myu明玉科技大學005	myu		
8	myu明玉科技大學006	myu		
9	myu明玉科技大學007	myu		
10	jyu領南科技大學008	jyu		
11	jyu領南科技大學009	jyu		
12	jyu領南科技大學010	jyu		

於 C3 儲存格輸入公式
=MID(A3,4,6) 式

拖曳複製 C3 公式到 C12 儲存格,可以看出 C 欄已填滿學校名稱

於 D3 儲存格輸入公式 =RIGHT(A3,3)

	A	B	C	D
1	3對3籃球鬥牛賽			
2	識別證文字	學校代碼	學校名稱	所屬隊別編號
3	kyu台苑科技大學001	kyu	台苑科技大學	001
4	kyu台苑科技大學002	kyu	台苑科技大學	002
5	kyu台苑科技大學003	kyu	台苑科技大學	003
6	myu明玉科技大學004	myu	明玉科技大學	004
7	myu明玉科技大學005	myu	明玉科技大學	005
8	myu明玉科技大學006	myu	明玉科技大學	006
9	myu明玉科技大學007	myu	明玉科技大學	007
10	jyu領南科技大學008	jyu	領南科技大學	008
11	jyu領南科技大學009	jyu	領南科技大學	009
12	jyu領南科技大學010	jyu	領南科技大學	010
13				

拖曳複製 D3 公式到 D12 儲存格,可以看出 D 欄已填滿所屬隊別編號

06

字串的相關函數

07

財務與會計函數

08

查閱與參照函數、資料驗證、資訊、

09

綜合商務應用範例

10

函數提示技巧與範例實戰 ChatGPT 大師級

A

工作技巧相關資料整理

Section
6-5

NUMBERSTRING
將數字轉化為中文大寫

Excel 函數 NumberString 將數字轉化為中文大寫，在開支票或提款時財務場合，有時會需要將數字轉化為中文大寫，比如壹仟貳佰元整，這個時候就可以利用 NUMBERSTRING() 函數來幫忙。

NUMBERSTRING 函數

▸ 函數說明：將數字轉化為中文大寫。

▸ 函數語法：NUMBERSTRING(value,type)

▸ 引數說明：
  · value 是需要轉化的原始參數。
  · type 是要轉為的樣式。

應用例 ⑤ 以國字表示貨品金額 ----------------------------------

請設定不同的樣式引數，將下列空白工作表的數字，利用 NUMBERTSTRING() 函數將數字轉化為各種不同樣式的中文大寫。

範例 檔案：numberstring.xlsx

	A	B	C	D
1	以國字表示貨品金額			
2	商品	客戶	金額	大寫金額
3	電腦PC	數位	45600	
4	筆電	僑新	29560	
5	信箱一封	震旦	4599	

執行結果 檔案：numberstring_ok.xlsx

	A	B	C	D
1	以國字表示貨品金額			
2	商品	客戶	金額	大寫金額
3	電腦PC	數位	45600	四萬五千六百
4	筆電	僑新	29560	貳萬玖仟伍佰陸拾
5	信箱一封	震旦	4599	四五九九

操作說明

	A	B	C	D
1	以國字表示貨品金額			
2	商品	客戶	金額	大寫金額
3	電腦PC	數位	45600	=NUMBERSTRING(C3,1)
4	筆電	僑新	29560	
5	信箱一封	震旦	4599	

於 D3 儲存格輸入公式
=NUMBERSTRING
(C3,1)

	A	B	C	D
1	以國字表示貨品金額			
2	商品	客戶	金額	大寫金額
3	電腦PC	數位	45600	四萬五千六百
4	筆電	僑新	29560	=NUMBERSTRING(C4,2)
5	信箱一封	震旦	4599	

於 D4 儲存格輸入公式
=NUMBERSTRING
(C4,2)

	A	B	C	D
1	以國字表示貨品金額			
2	商品	客戶	金額	大寫金額
3	電腦PC	數位	45600	四萬五千六百
4	筆電	僑新	29560	貳萬玖仟伍佰陸拾
5	信箱一封	震旦	4599	=NUMBERSTRING(C5,3)
6				

於 D5 儲存格輸入公式
=NUMBERSTRING
(C5,3)

	A	B	C	D
1	以國字表示貨品金額			
2	商品	客戶	金額	大寫金額
3	電腦PC	數位	45600	四萬五千六百
4	筆電	僑新	29560	貳萬玖仟伍佰陸拾
5	信箱一封	震旦	4599	四五九九

各種不同大寫金額的
表示方式

06
字串的相關函數

07
財務與會計函數

08
查閱與參照函數、資料驗證、資訊、

09
綜合商務應用範例

10
函數提示技巧與範例實戰 ChatGPT 大師級

A
工作技巧相關資料整理

Section
6-6

PROPER/UPPER
首字大寫及全部大寫

> ## PROPER 函數

- ▶ **函數說明**：將文字字串中的第一個英文字母轉換成大寫字母。其餘的所有字母則都轉換成小寫字母。
- ▶ **函數語法**：PROPER(text)
- ▶ **引數說明**：text：以引號括住的文字、傳回文字的公式或是一個意指包含想要將其部分變為大寫的文字之儲存格的參照。

> ## UPPER 函數

- ▶ **函數說明**：將文字轉換成大寫。
- ▶ **函數語法**：UPPER(text)
- ▶ **引數說明**：text：欲轉換成大寫的文字。

應用例 ⑥ 將姓名首字大寫、國籍全部轉換為大寫

開啟範例檔案的工作表，並將該工作表的 A 欄「姓名」於 B 欄以首字大寫的方式表示，另外該工作表的 C 欄「國籍縮寫」於 D 欄將「國籍縮寫」以大寫的方式表示。

範例 檔案：proper.xlsx

	A	B	C	D
1	proper與upper函數實作			
2	姓名	首字大寫	國籍縮寫	國籍縮寫大寫
3	tsanming		roc	
4	michael		usa	
5	tetsuro		jp	
6	rohit		ko	

執行結果 檔案：proper_ok.xlsx

	A	B	C	D
1	proper與upper函數實作			
2	姓名	首字大寫	國籍縮寫	國籍縮寫大寫
3	tsanming	Tsanming	roc	ROC
4	michael	Michael	usa	USA
5	tetsuro	Tetsuro	jp	JP
6	rohit	Rohit	ko	KO

操作說明

	A	B	C	D
1	proper與upper函數實作			
2	姓名	首字大寫	國籍縮寫	國籍縮寫大寫
3	tsanming	=PROPER(A3)	roc	
4	michael		usa	
5	tetsuro		jp	
6	rohit		ko	

於 B3 儲存格輸入公式
=PROPER(A3)

	A	B	C	D
1	proper與upper函數實作			
2	姓名	首字大寫	國籍縮寫	國籍縮寫大寫
3	tsanming	Tsanming	roc	
4	michael	Michael	usa	
5	tetsuro	Tetsuro	jp	
6	rohit	Rohit	ko	
7				

拖曳複製 B3 公式到
B6 儲存格，可以看
出 B 欄姓名已全部以
首字大寫的方式表示

	A	B	C	D
1	proper與upper函數實作			
2	姓名	首字大寫	國籍縮寫	國籍縮寫大寫
3	tsanming	Tsanming	roc	=UPPER(C3)
4	michael	Michael	usa	
5	tetsuro	Tetsuro	jp	
6	rohit	Rohit	ko	

於 D3 儲存格輸入公式
=UPPER(C3)

	A	B	C	D
1	proper與upper函數實作			
2	姓名	首字大寫	國籍縮寫	國籍縮寫大寫
3	tsanming	Tsanming	roc	ROC
4	michael	Michael	usa	USA
5	tetsuro	Tetsuro	jp	JP
6	rohit	Rohit	ko	KO
7				

拖曳複製 D3 公式到
D6 儲存格，可以看
出 D 欄的國籍縮寫已
全部以大寫方式表示

06
....
字串的相關函數

07
....
財務與會計函數

08
....
查閱與參照函數、資料驗證、資訊、

09
....
綜合商務應用範例

10
....
函數提示技巧與範例

實戰 ChatGPT 大師級

A
....
工作技巧相關

資料整理相關

REPLACE、SUSTITUTE
字元取代

這兩個函數都可作為字元取代的函數,但是如果要取代文字字串中的特定字串時,可以使用 SUBSTITUTE;若要取代文字字串中特定位置上的任何字串,請使用 REPLACE。

REPLACE 主要功能是取代字串中指定位置的字元數,替換成其他字元。現在有個資法保護,對於公開在外的個人資料都要非常小心,不可以有半點疏失。我們常見信用卡會以「*」取代部分號碼,那麼員工的銀行帳號是否也可以比照辦理?當然可以,Excel 也提供相關的函數協助。

公式 = REPLACE(舊字串儲存格位置,從第幾個字元,要替換幾個字元,新的替換文字)

= REPLACE(H2,9,3,"***")

	A	H	I
1	姓名	銀行帳號	銀行帳號
2	鄭 希	001-001-055001-2	001-001-***001-2
3	梁 誼	001-001-007043-4	001-001-***043-4

I2　fx　=REPLACE(H2,9,3,"***")

基本資料

▷ **REPLACE 函數**

▶ 函數說明:使用不同的文字字串來取代文字字串的某一部分。

▶ 函數語法:REPLACE(old_text,start_num,num_chars,new_text)

▶ 引數說明: · old_text:所要取代某些字元的文字資料
  · start_num:用以指出在 old_text 中要以 new_text 取代的字元位置。
  · num_chars:將 old_text 取代成 new_text 的字元的長度。
  · new_text:將在 old_text 中所要取代的新文字串。

▷ SUSTITUTE 函數

▸ **函數說明：** 將文字字串中的 old_text 部分以 new_text 取代。

▸ **函數語法：** SUBSTITUTE(text,old_text,new_text,[instance_num])

▸ **引數說明：**
- text：這是要以字元取代其中的指定文字的文字或儲存格參照，它是必要的引數。
- old_text：這是用來指定第一個引數中要被取代的文字，它是必要的引數。
- new_text：這是要用來指定要以哪一個新文字來取代所要取代的舊文字，它是必要的引數。
- instance_num：這個引數為選擇性，可有可無，是用指定要將第幾個 old_text 取代為 new_text。如果您有指定 instance_num 這個引數，則只會取代該指定的 old_text。

應用例 ⑦ 快速變更新舊產品編號與名稱 ----------------------------------○

開啟範例檔案，這個檔案中包括兩欄資訊，一欄為舊的產品編號，另一欄為舊的產品名稱，請分別將範例中的「舊編號」中的「109」以 REPLACE 函數變更成「110」的「新編號」。另外將「舊產品名稱」中的「超右腦」以 SUSTITUTE 函數變更成「全方位圖像」的「新產品名稱」。

範例 檔案：replace.xlsx

	A	B	C	D
1	舊編號	舊產品名稱	新編號	新產品名稱
2	109001	超右腦全民英檢初級		
3	109002	超右腦全民英檢中級		
4	109003	超右腦日語N5檢定		
5	109004	超右腦德語初級檢定		
6	109005	超右腦韓語初級檢定		
7	109006	超右腦法語初級檢定		
8	109007	超右腦越語初級檢定		
9	109008	超右腦泰語初級檢定		

執行結果 檔案：replace_ok.xlsx

	A	B	C	D
1	舊編號	舊產品名稱	新編號	新產品名稱
2	109001	超右腦全民英檢初級	110001	全方位圖像全民英檢初級
3	109002	超右腦全民英檢中級	110002	全方位圖像全民英檢中級
4	109003	超右腦日語N5檢定	110003	全方位圖像日語N5檢定
5	109004	超右腦德語初級檢定	110004	全方位圖像德語初級檢定
6	109005	超右腦韓語初級檢定	110005	全方位圖像韓語初級檢定
7	109006	超右腦法語初級檢定	110006	全方位圖像法語初級檢定
8	109007	超右腦越語初級檢定	110007	全方位圖像越語初級檢定
9	109008	超右腦泰語初級檢定	110008	全方位圖像泰語初級檢定

操作說明

	A	B	C	D
1	舊編號	舊產品名稱	新編號	新產品名稱
2	109001		=REPLACE(A2,1,3,"110")	
3	109002	超右腦全民英檢中級		
4	109003	超右腦日語N5檢定		
5	109004	超右腦德語初級檢定		
6	109005	超右腦韓語初級檢定		
7	109006	超右腦法語初級檢定		
8	109007	超右腦越語初級檢定		
9	109008	超右腦泰語初級檢定		

於 C2 儲存格輸入公式
=REPLACE(A2,1,3,"110")

	A	B	C	D
1	舊編號	舊產品名稱	新編號	新產品名稱
2	109001	超右腦全民英檢初級	110001	
3	109002	超右腦全民英檢中級	110002	
4	109003	超右腦日語N5檢定	110003	
5	109004	超右腦德語初級檢定	110004	
6	109005	超右腦韓語初級檢定	110005	
7	109006	超右腦法語初級檢定	110006	
8	109007	超右腦越語初級檢定	110007	
9	109008	超右腦泰語初級檢定	110008	
10				

拖曳複製 C2 公式到 C9 儲存格，可以看出 C 欄已產生出產品的新編號

	A	B	C	D	E
1	舊編號	舊產品名稱	新編號	新產品名稱	
2	109001	超右腦全民英檢初級		=SUBSTITUTE(B2,"超右腦","全方位圖像")	
3	109002	超右腦全民英檢中級	110002		
4	109003	超右腦日語N5檢定	110003		
5	109004	超右腦德語初級檢定	110004		
6	109005	超右腦韓語初級檢定	110005		
7	109006	超右腦法語初級檢定	110006		
8	109007	超右腦越語初級檢定	110007		
9	109008	超右腦泰語初級檢定	110008		

於 D2 儲存格輸入公式
=SUBSTITUTE(B2,"超右腦","全方位圖像")

	A	B	C	D
1	舊編號	舊產品名稱	新編號	新產品名稱
2	109001	超右腦全民英檢初級	110001	全方位圖像全民英檢初級
3	109002	超右腦全民英檢中級	110002	全方位圖像全民英檢中級
4	109003	超右腦日語N5檢定	110003	全方位圖像日語N5檢定
5	109004	超右腦德語初級檢定	110004	全方位圖像德語初級檢定
6	109005	超右腦韓語初級檢定	110005	全方位圖像韓語初級檢定
7	109006	超右腦法語初級檢定	110006	全方位圖像法語初級檢定
8	109007	超右腦越語初級檢定	110007	全方位圖像越語初級檢定
9	109008	超右腦泰語初級檢定	110008	全方位圖像泰語初級檢定

拖曳複製 D2 公式到 D9 儲存格，可以看出 D 欄的產品名稱中的「超右腦」已更改成「全方位圖像」

06
字串的相關函數

07
財務與會計函數

08
查閱與參照函數、資料驗證、資訊、

09
綜合商務應用範例

10
函數提示技巧與範例實戰 ChatGPT 大師級

A
工作技巧相關資料整理

Section
6-8

TEXT
將數值轉換成文字函數

> **TEXT 函數**

▶ 函數說明：依指定的數字格式將數值轉換成文字。

▶ 函數語法：TEXT(value,format_text)

▶ 引數說明： ‧ value：可以是數值或是一個參照到含有數值資料的儲存格參照位址。

‧ format_text：數值內容轉換為文字內容要套用的格式代碼，請注意，格式代碼前後必須以半形的小括號括住。將指定參照儲存格位置的數值，轉換成為「文字」型態。「format_text」是指文字型態的數值格式，可以參考「儲存格格式」對話方塊的日期格式，如下圖。例如：「e 年 m 月 d 日」則代表民國日期。

應用例 8 各種 TEXT() 函數的語法實例 ┄┄┄┄┄┄┄┄┄┄┄┄┄┄┄┄┄┄┄┄ o

範例 檔案：text.xlsx

底下為 TEXT() 函數的語法實例：

執行結果 檔案：text_ok.xlsx

TEXT 函數語法範例	執行結果
=TEXT(1234.567,"$#,##0.00")	$1,234.57
=TEXT(TODAY(),"MM/DD/YY")	04/30/21
=TEXT(TODAY(),"DDDD")	Friday
=TEXT(NOW(),"H:MM AM/PM")	9:39 AM
=TEXT(0.285,"0.0%")	28.5%
=TEXT(4.34,"# ?/?")	4 1/3
=TEXT(12200000,"0.00E+00")	1.22E+07
=TEXT(TODAY(),"E年M月D日")	110年4月30日

06
字串的相關函數

07
財務與會計函數

08
重關與參照函數
資料驗證、資訊、

09
綜合商務應用範例

10
函數提示技巧與範例
實戰 ChatGPT 大師級

A
工作技巧相關
資料整理相關

Section
6-9
REPT
依指定次數重複顯示文字

使用這個函數可在儲存格中填入重複出現的字串、數字或圖案。

▷ **REPT 函數**

▶ 函數說明：依指定次數重複顯示文字。

▶ 函數語法：REPT(text,number_times)

▶ 引數說明： ‧ text：所要重複顯示的文字資料。

　　　　　　‧ number_times：用以指定所要重複的次數。

應用例 ⑨ 候選人看好度 -------------------------------○

建立一個候選人看好度的分析，並以 REPT 函數來重複出現來表示看好度的差異。

範例 檔案：rept.xlsx

操作說明

	A	B	C	D	E
1	候選人滿意度調查表				
2					
3	姓名	兩岸政策	經濟政策	環保意識	看好度
4	許富強	4	5	4	=REPT("*",SUM(B4:D4))
5	邱瑞祥	3	3	3	
6	朱正富	2	2	3	
7	陳貴玉	4	3	5	

於 E4 儲存格輸入公式 =REPT("*",SUM(B4:D4))

	A	B	C	D	E
1	候選人滿意度調查表				
2					
3	姓名	兩岸政策	經濟政策	環保意識	看好度
4	許富強	4	5	4	*************
5	邱瑞祥	3	3	3	*********
6	朱正富	2	2	3	*******
7	陳貴玉	4	3	5	************

拖曳複製 E4 公式 =REPT("*",SUM(B4:D4)) 到 E7 儲存格

CONCAT
合併來自多個範圍字串

使用這個函數可在儲存格中填入重複出現的字串、數字或圖案。這是 Excel 2019 新增加的函數，它的功能類似 CONCATENATE，這個函數會合併來自多個範圍和 / 或字串的文字，但這個函數沒有提供分隔符號或忽略空白的引數。如果想在要合併的文字之間包含分隔符號(例如間距或(-))，以及移除您不想顯示在合併文字結果中的空白引數，則可以使用 TEXTJOIN 函數。

會有 CONCAT 這個新函數的主要目的是希望可以取代 CONCATENATE 函數。但是考慮到與舊版 Excel 軟體的相容性，CONCATENATE 這個函數目前還是可以正常使用。CONCAT 函數與 CONCATENATE 函數的差異除了函數名稱較短外，也同時支援儲存格參照及範圍參照。

▷ CONCAT 函數

▸ 函數說明：合併來自多個範圍和 / 或字串的文字。

▸ 函數語法：CONCAT(text1,[text2],...)

▸ 引數說明： · text1：這是必要的引數，是指要連結的文字項目，這個項目可以是字串或字串陣列的儲存格範圍。其他 text2 以後的引數則是指要連結的其他文字項目。文字項目最多可有 253 個文字引數。例如 =CONCAT("Time"," ","and"," ","tide"," ","wait"," "," ","for"," ","no"," ","man.") 會傳回

Time and tide wait for no man.

06

字串的相關函數

07

財務與會計函數

08

查閱與參照函數
資料驗證、資訊、

09

綜合商務應用範例

10

函數提示技巧與範例
實戰 ChatGPT 大師級

A

工作技巧
資料整理相關

應用例 ⑩ → 合併來自多個範圍和 / 或字串的文字

請利用 CONCAT 函數設計來示範不同參數類型的合併範例，這些參數類型如下面 7 種：

1. 全部參數為字串
2. 部份參數字串部份儲存格
3. 參數為橫列儲存格範圍
4. 參數為直行儲存格範圍
5. 參數為矩形儲存格範圍
6. 取參數範圍的聯集字串
7. 取參數範圍的交集字串

範例 檔案：concat.xlsx

	A	B	C	D	E	F	G	H
1	CONCAT不同使用範例	公式範例	執行結果			測試資料		
2	全部參數為字串	=CONCAT("12","一二","AB","ab")			1	一	A	a
3	部份參數字串部份儲存格	=CONCAT("1","二",G4,H5)			2	二	B	b
4	參數為橫列儲存格範圍	=CONCAT(E6:H6)			3	三	C	c
5	參數為直行儲存格範圍	=CONCAT(G2:G8)			4	四	D	d
6	參數為矩形儲存格範圍	=CONCAT(F4:H6)			5	五	E	e
7	取參數範圍的聯集字串	=CONCAT(E3:F6,F3:H6)			6	六	F	f
8	取參數範圍的交集字串	=CONCAT(E2:G4 G3:H5)			7	七	G	g

工作表1

操作說明

	A	B	C	D	E	F	G	H
1	CONCAT不同使用範例	公式範例	執行結果			測試資料		
2	全部參數為字串	=CONCAT("12","一二","AB","ab")	12一二ABab		1	一	A	a
3	部份參數字串部份儲存格	=CONCAT("1","二",G4,H5)			2	二	B	b
4	參數為橫列儲存格範圍	=CONCAT(E6:H6)			3	三	C	c
5	參數為直行儲存格範圍	=CONCAT(G2:G8)			4	四	D	d
6	參數為矩形儲存格範圍	=CONCAT(F4:H6)			5	五	E	e
7	取參數範圍的聯集字串	=CONCAT(E3:F6,F3:H6)			6	六	F	f
8	取參數範圍的交集字串	=CONCAT(E2:G4 G3:H5)			7	七	G	g

工作表1

於 C2 儲存格輸入公式 =CONCAT("12","一二","AB","ab")，這個公式的執行結果為「12一二ABab」。

	A	B	C	D	E	F	G	H
1	CONCAT不同使用範例	公式範例	執行結果			測試資料		
2	全部參數為字串	=CONCAT("12","一二","AB","ab")	12一二ABab		1	一	A	a
3	部份參數字串部份儲存格	=CONCAT("1","二",G4,H5)	=CONCAT("1","二",G4,H5)		2	二	B	b
4	參數為橫列儲存格範圍	=CONCAT(E6:H6)			3	三	C	c
5	參數為直行儲存格範圍	=CONCAT(G2:G8)			4	四	D	d
6	參數為矩形儲存格範圍	=CONCAT(F4:H6)			5	五	E	e
7	取參數範圍的聯集字串	=CONCAT(E3:F6,F3:H6)			6	六	F	f
8	取參數範圍的交集字串	=CONCAT(E2:G4 G3:H5)			7	七	G	g

工作表1

於 C3 儲存格輸入公式 =CONCAT("1","二",G4,H5)，這個公式的執行結果為「1二Cd」。

	A	B	C	D	E	F	G	H
1	CONCAT不同使用範例	公式範例	執行結果			測試資料		
2	全部參數為字串	=CONCAT("12","一二","AB","ab")	12一二ABab		1	一	A	a
3	部份參數字串部份儲存格	=CONCAT("1","二",G4,H5)	1二Cd		2	二	B	b
4	參數為橫列儲存格範圍	=CONCAT(E6:H6)	=CONCAT(E6:H6)		3	三	C	c
5	參數為直行儲存格範圍	=CONCAT(G2:G8)			4	四	D	d
6	參數為矩形儲存格範圍	=CONCAT(F4:H6)			5	五	E	e
7	取參數範圍的聯集字串	=CONCAT(E3:F6,F3:H6)			6	六	F	f
8	取參數範圍的交集字串	=CONCAT(E2:G4 H3:H5)			7	七	G	g

工作表1

於 C4 儲存格輸入公式 =CONCAT(E6:H6)，這個公式的執行結果為「5 五 Ee」。

	A	B	C	D	E	F	G	H
1	CONCAT不同使用範例	公式範例	執行結果			測試資料		
2	全部參數為字串	=CONCAT("12","一二","AB","ab")	12一二ABab		1	一	A	a
3	部份參數字串部份儲存格	=CONCAT("1","二",G4,H5)	1二Cd		2	二	B	b
4	參數為橫列儲存格範圍	=CONCAT(E6:H6)	5五Ee		3	三	C	c
5	參數為直行儲存格範圍	=CONCAT(G2:G8)	=CONCAT(G2:G8)		4	四	D	d
6	參數為矩形儲存格範圍	=CONCAT(F4:H6)			5	五	E	e
7	取參數範圍的聯集字串	=CONCAT(E3:F6,F3:H6)			6	六	F	f
8	取參數範圍的交集字串	=CONCAT(E2:G4 G3:H5)			7	七	G	g

工作表1

於 C5 儲存格輸入公式 =CONCAT(G2:G8)，這個公式的執行結果為「ABCDEFG」。

	A	B	C	D	E	F	G	H
1	CONCAT不同使用範例	公式範例	執行結果			測試資料		
2	全部參數為字串	=CONCAT("12","一二","AB","ab")	12一二ABab		1	一	A	a
3	部份參數字串部份儲存格	=CONCAT("1","二",G4,H5)	1二Cd		2	二	B	b
4	參數為橫列儲存格範圍	=CONCAT(E6:H6)	5五Ee		3	三	C	c
5	參數為直行儲存格範圍	=CONCAT(G2:G8)	ABCDEFG		4	四	D	d
6	參數為矩形儲存格範圍	=CONCAT(F4:H6)	=CONCAT(F4:H6)		5	五	E	e
7	取參數範圍的聯集字串	=CONCAT(E3:F6,F3:H6)			6	六	F	f
8	取參數範圍的交集字串	=CONCAT(E2:G4 G3:H5)			7	七	G	g

工作表1

於 C6 儲存格輸入公式 =CONCAT(F4:H6)，這個公式的執行結果為「三 Cc 四 Dd 五 Ee」。

	A	B	C	D	E	F	G	H
1	CONCAT不同使用範例	公式範例	執行結果			測試資料		
2	全部參數為字串	=CONCAT("12","一二","AB","ab")	12一二ABab		1	一	A	a
3	部份參數字串部份儲存格	=CONCAT("1","二",G4,H5)	1二Cd		2	二	B	b
4	參數為橫列儲存格範圍	=CONCAT(E6:H6)	5五Ee		3	三	C	c
5	參數為直行儲存格範圍	=CONCAT(G2:G8)	ABCDEFG		4	四	D	d
6	參數為矩形儲存格範圍	=CONCAT(F4:H6)	三Cc四Dd五Ee		5	五	E	e
7	取參數範圍的聯集字串	=CONCAT(E3:F6,F3:H6)	=CONCAT(E3:F6,F3:H6)		6	六	F	f
8	取參數範圍的交集字串	=CONCAT(E2:G4 G3:H5)			7	七	G	g

工作表1

於 C7 儲存格輸入公式 =CONCAT(E3:F6,F3:H6)，這個公式的執行結果為「2 二 3 三 4 四 5 五二 Bb 三 Cc 四 Dd 五 Ee」。

06
字串的相關函數

07
財務與會計函數

08
查閱與參照函數、資料驗證、資訊、

09
綜合商務應用範例

10
函數提示技巧與範例
實戰 ChatGPT 大師級

A
工作技巧
資料整理相關

	A	B	C	D	E	F	G	H
1	CONCAT不同使用範例	公式範例	執行結果				測試資料	
2	全部參數為字串	=CONCAT("12","一二","AB","ab")	12一二ABab		1	一	A	a
3	部份參數字串部份儲存格	=CONCAT("1","二",G4,H5)	1二Cd		2	二	B	b
4	參數為橫列儲存格範圍	=CONCAT(E6:H6)	5五Ee		3	三	C	c
5	參數為直行儲存格範圍	=CONCAT(G2:G8)	ABCDEFG		4	四	D	d
6	參數為矩形儲存格範圍	=CONCAT(F4:H6)	三Cc四Dd五Ee		5	五	E	e
7	取參數範圍的聯集字串	=CONCAT(E3:F6,F3:H6)	2二3三4四5五二Bb三Cc四Dd五Ee		6	六	F	f
8	取參數範圍的交集字串	=CONCAT(E2:G4 G3:H5)	=CONCAT(E2:G4 G3:H5)		7	七	G	g

工作表1 ⊕

於 C8 儲存格輸入公式 =CONCAT(E2:G4 G3:H5)，這個公式的執行結果為「BC」。

執行結果 檔案：concat_ok.xlsx

	A	B	C	D	E	F	G	H
1	CONCAT不同使用範例	公式範例	執行結果				測試資料	
2	全部參數為字串	=CONCAT("12","一二","AB","ab")	12一二ABab		1	一	A	a
3	部份參數字串部份儲存格	=CONCAT("1","二",G4,H5)	1二Cd		2	二	B	b
4	參數為橫列儲存格範圍	=CONCAT(E6:H6)	5五Ee		3	三	C	c
5	參數為直行儲存格範圍	=CONCAT(G2:G8)	ABCDEFG		4	四	D	d
6	參數為矩形儲存格範圍	=CONCAT(F4:H6)	三Cc四Dd五Ee		5	五	E	e
7	取參數範圍的聯集字串	=CONCAT(E3:F6,F3:H6)	2二3三4四5五二Bb三Cc四Dd五Ee		6	六	F	f
8	取參數範圍的交集字串	=CONCAT(E2:G4 G3:H5)	BC		7	七	G	g

工作表1 ⊕

TEXTJOIN
指定分隔符號合併文字

這是 Excel 2019 新增加的函數，這個函數可結合多個範圍和（或）字串的文字，而且還可以讓您將合併之每個文字值之間，指定分隔符號來分隔每個項目。例如 =TEXTJOIN(" ",TRUE,"Never","put","off","until","tomorrow","what","you","can","do","today.")

會傳回

Never put off until tomorrow what you can do today.

▷ TEXTJOIN 函數

▶ **函數說明：** 可結合多個範圍和（或）字串的文字。請注意，如果結果字串超過儲存格限制的 32767 個字元則會產生錯誤。

▶ **函數語法：** TEXTJOIN(分隔符號,忽略空白,文字項目1,[文字項目2],...)

▶ **引數說明：** • 分隔符號：這個參數不可省略，它是用來作為分隔符號的文字字串，這個文字字串可以是空白、或雙引號括起來的一個或多個字元，也可以是文字字串的參照，如果是提供數字，則會被視為文字。

　　　　　　　• 是否忽略空值：這個參數不可省略，連接時是否忽略掉結果為空的值或單元格，如果這個參數的值為 TRUE，則會忽略空白儲存格。反之則不會忽略空白。

　　　　　　　• 文字項目 1：要加入的文字項目。這個文字項目可以是一種單個字元或儲存格範圍。

06
字串的相關函數

07
財務與會計函數

08
查閱與參照函數、資訊、資料驗證、

09
綜合商務應用範例

10
函數提示技巧與範例 實戰 ChatGPT 大師級

A
工作技巧 資料整理相關

應用例 ⑪ ▸ TEXTJOIN 函數應用範例 1

請利用 TEXTJOIN 函數將指定的儲存格範圍內的字串合併成一個字串，並指定其分隔符號為「#」。

範例 檔案：textjoin1.xlsx

▲	A	B
1	美國	
2	日本	
3	澳大利亞	
4	義大利	
5	英國	
6	中國	
7	法國	
8	德國	
9		
10	TEXTJOIN公式	

操作說明

▲	A	B
1	美國	
2	日本	
3	澳大利亞	
4	義大利	
5	英國	
6	中國	
7	法國	
8	德國	
9		
10	TEXTJOIN公式	=TEXTJOIN("#",TRUE,A1:A8)

於 B10 儲存格輸入公式
=TEXTJOIN("#",TRUE,A1:A8)

執行結果 檔案：textjoin1_ok.xlsx

▲	A	B
1	美國	
2	日本	
3	澳大利亞	
4	義大利	
5	英國	
6	中國	
7	法國	
8	德國	
9		
10	TEXTJOIN公式	美國#日本#澳大利亞#義大利#英國#中國#法國#德國

這裡可以看出所有的字串已合併成一個單字字串，並以「#」字元為分隔符號

應用例 ⑫ TEXTJOIN 函數應用範例 2 --------------------------------○

請利用 TEXTJOIN 分別示範是否忽略空白的參數設為 TRUE 及 FALSE 兩者之間，再輸出結果的不同之處。

範例 檔案：textjoin2.xlsx

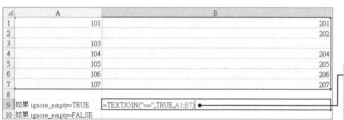

請分別在 B9 及 B10 以 TEXTJOIN 函數將儲存格範圍 A1:B7 的字串合併，在 B9 儲存格參數設定為忽略空白，B10 儲存格參數設定為不忽略空白

操作說明

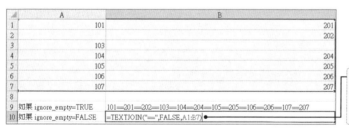

於 B9 儲存格輸入公式 =TEXTJOIN("==", TRUE,A1:B7)

於 B10 儲存格輸入公式 =TEXTJOIN("==", FALSE,A1:B7)

執行結果 檔案：textjoin2_ok.xlsx

這裡可以看出合併後的字串兩者之間的差別

07

財務與會計函數

EXCEL 在財會方面提供許多實用的函數，包括 FV() 函數：該函數可以根據週期性、固定支出，以及固定利率，傳回投資的未來總值。又例如 IPMT() 函數該函數可以協助計算某項投資於付款方式為定期、定額及固定利率時，某一期應付利息之金額。其他如 PMT()、RATE()、PV()、PPMT()、NPER() 等函數，都會在本章中詳細說明，並以實例為各位進行示範。

FV
根據固定支出以及固定利率傳回投資的未來總值

一般來說，銀行對房屋貸款的核定除了有固定額度外，同時也僅能貸到房價的八成左右，因此，剩餘的兩成即是自行準備的「頭期款」。

使用零存整付是累積頭期款的好方法，計算「零存整付」的本利和必須使用FV()函數，它能夠在固定金額、利率及期數下，計算出合約截止後可領回的本利和。首先來看看此函數相關的說明：

▶ **FV 函數**

- ▶ **函數說明**：會根據週期性、固定支出，以及固定利率，傳回投資的未來總值。
- ▶ **函數語法**：FV(rate,nper,pmt,pv,type)
- ▶ **引數說明**：
  - rate：各期的利率。
  - nper：總付款期數。
  - pmt：各期存款的固定金額。通常 pmt 包含本金及利息，如果忽略此引數，則必須要有 pv 引數。
  - pv：指現淨值或分期付款的目前總額。如果忽略此引數，則預設為「0」，並且需有 pmt 引數。
  - type：付款時間點設定。如果為「0」或忽略，表示每期末為繳款日；如果為「1」，則表示初期繳款。

應用例 ❶ 購屋準備—零存整付累積頭期款 --------------------------------------

「購屋」前要準備的工作相當多，且準備的時間也相當的長，從購屋地段、成屋或預售屋、坪數、房屋總價、銀行可貸款額度…等相關資訊的收集，一個也不可少！但最重要的是：「各位的頭期款準備好了嗎？」，因為房子的總價不可能百分之百由銀行貸款來繳付。

明豪自軍中退伍，目前也有一份穩定的工作，接下來已經著手規劃想要擁有人生的第一棟房子供自己及家人居住。目前暫時鎖定購置約 500 萬元的房屋，目前的房屋貸款利率約為年息 4%，除了每月固定存款外，他還作一些相關的小額投資。以本例而言，總價 500 萬元的房屋，頭期款約需準備 100 萬元以上。明豪打算每個月自薪水中提撥 1.5 萬元，來參加「復邦銀行」的「零存整付」存款儲蓄（年利率 2.1％），希望能在 4 年後存到購屋的頭期款 100 萬。現在試算看看，這樣子能否達到他所設定的目標？

範例 檔案：fv.xlsx

	A	B
1	明豪購屋計畫	
3	房屋總價	$ 5,000,000
4	頭期款	$ 1,000,000
5	銀行貸款	$ 4,000,000
7	零存整付存款計畫	
9	每月存入金額	
10	合約年限	
11	利率	
13	存款本利和	

執行結果 檔案：fv_ok.xlsx

	A	B
1	明豪購屋計畫	
3	房屋總價	$ 5,000,000
4	頭期款	$ 1,000,000
5	銀行貸款	$ 4,000,000
7	零存整付存款計畫	
9	每月存入金額	-$15,000
10	合約年限	4
11	利率	2.10%
13	存款本利和	$750,420.42

06
字串的相關函數

07
財務與會計函數

08
查閱與參照函數、資料驗證、資訊、

09
綜合商務應用範例

10
函數提示技巧與範例
實戰 ChatGPT 大師級

A
工作技巧相關
資料整理

操作說明

	A	B
1	明豪購屋計畫	
2		
3	房屋總價	$ 5,000,000
4	頭期款	$ 1,000,000
5	銀行貸款	$ 4,000,000
7	零存整付存款計畫	
9	每月存入金額	-$15,000
10	合約年限	4
11	利率	2.10%
13	存款本利和	=FV(B11/12,B10*12,B9)

❶ 儲存格中輸入零存整付的相關資訊

❷ 在 B13 儲存格輸入公式
=FV(B11/12,B10*12,B9)

	A	B
1	明豪購屋計畫	
2		
3	房屋總價	$ 5,000,000
4	頭期款	$ 1,000,000
5	銀行貸款	$ 4,000,000
7	零存整付存款計畫	
9	每月存入金額	-$15,000
10	合約年限	4
11	利率	2.10%
13	存款本利和	$750,420.42

← 本利和計算出來了

經過 FV()函數試算後發現，每月僅存入 15000 元似乎無法在四年後有超過 100 萬元的存款收入。因此，必須調整存款中的某一項「變數」，使其達到所設定的目標。

06
字串的相關函數

07
財務與會計函數

08
查閱與參照函數、
資料驗證、資訊

09
綜合商務應用範例

10
函數提示技巧與範例
實戰 ChatGPT 大師級

A
工作技巧
資料整理相關

Section
7-2

PMT
在利率皆固定下，計算每期必須償還的貸款金額

PMT()函數可以計算當貸款金額、還款期數及利率皆固定的條件下，每期必須償還的貸款金額。相關的說明如下：

> **PMT 函數**

- ▸ 函數說明：計算當貸款金額、還款期數及利率皆固定的條件下，每期必須償還的貸款金額。
- ▸ 函數語法：PMT(rate,nper,pv,fv,type)
- ▸ 引數說明：
  - · rate：各期的利率。
  - · nper：總付款期數。
  - · pv：貸款總金額，也就是為未來各期年金現值的總和。
  - · fv：為最後一次付款完成後，所能獲得的現金餘額（年金終值）。
  - · type：為「0」或「1」的邏輯值，用以判斷付款日為「期初」(1) 或「期末」(0)。

應用例 ❷ ▸ 計算每期償還的貸款金額 ------------------------------------○

如果想用貸款買車，貸款金額為 80 萬，請試算當還款期數及利率固的條件下，每期必須償還的貸款金額。

範例 檔案：pmt.xlsx

	A	B
1	貸款金額	800,000
2	年利率	3.6%
3	還款年數	10
4	每月金額	

01
......
公式與函數的基礎

02
......
數值運算的相關函數

03
......
邏輯與統計函數

04
......
常見取得資料的函數

05
......
日期與時間函數

執行結果 檔案：pmt_ok.xlsx

	A	B
1	貸款金額	800,000
2	年利率	3.6%
3	還款年數	10
4	每月金額	$5,548

[操作說明]

	A	B	C
1	貸款金額	800,000	
2	年利率	3.6%	
3	還款年數	10	
4	每月金額	=PMT(B2/12,B3*12,,-B1)	
5			

在 **B4** 儲存格輸入公式 =PMT(B2/12,B3*12,,-B1)，
其中支出的金額必須以負數表示

	A	B
1	貸款金額	800,000
2	年利率	3.6%
3	還款年數	10
4	每月金額	$5,548

此結果為每期必須償還的貸款金額

06
字串的相關函數

07
財務與會計函數

08
直閱與參照函數、資料驗證、資訊、

09
綜合商務應用範例

10
函數提示技巧與範例實戰 ChatGPT 大師級

A
工作技巧資料整理相關

Section
7-3 ## RATE
傳回年金的每期利率

這個函數適用已知每月要存入的金額及總期數，也知最後期末可以領回的金額，在這種前提下，如果要計算這類型儲蓄型保單利率是多少，就可以利用 RATE()函數。

> ## RATE 函數

▶ **函數說明**：傳回年金每期的利率。

▶ **函數語法**：RATE(nper,pmt,pv,fv,type,guess)

▶ **引數說明**： · nper：總付款期數。

· pmt：為各期所應給付（或取得）的固定金額。

· pv：為未來各期年金現值的總和。

· fv：為最後一次付款完成後，所能獲得的現金餘額（年金終值）

· type：為「0」或「1」的邏輯值，用以判斷付款日為期初 (1) 或期末 (0)。

· guess：對期利率的猜測數。如果省略此引數，則預設為 10%。

應用例 ③ → 儲蓄型保單利率試算 --○

在已知每月要存入的金額及總期數，而且也已知道期末可以領回的金額，請試算這類型儲蓄型保單的月利率是多少？

範例 檔案：rate.xlsx

	A	B
1	多少年	5
2	每月存入金額	2,000
3	月利率	
4	期末領回金額	$140,000

執行結果 檔案：rate_ok.xlsx

	A	B
1	多少年	5
2	每月存入金額	2,000
3	月利率	0.511%
4	期末領回金額	$140,000

操作說明

	A	B	C
1	多少年	5	
2	每月存入金額	2,000	
3	月利率	=RATE(B1*12,-B2,,B4)	
4	期末領回金額	$140,000	
5			

在 B3 儲存格輸入公式 =RATE(B1*12,-B2,, B4))，
其中支出的金額必須以負數表示

06
字串的相關函數

07
財務與會計函數

08
資料驗證、資訊、查閱與參照函數

09
綜合商務應用範例

10
實戰 ChatGPT 大師級函數提示技巧與範例

A
資料整理相關工作技巧

Section
7-4 **PV**
計算出某項投資的現值

金融或保險公司經常推出一系列的儲蓄投資專案，事先繳交一筆較大數額的存款後，可以逐年領回固定的金額，讓各位的生活更有保障。雖然這樣的投資具有儲蓄及保障的功能，如果不仔細比較實在難以判斷是否符合投資報酬率？或者划不划算？因此，本節中將試算此類型的金融商品，評估投資成本是否獲得最大利益，作為投資與否的參考。使用 PV()函數可以計算出某項投資的年金現值，而此年金現值則是未來各期年金現值的總和。

▷ PV 函數

- ▶ 函數說明：使用 PV()函數可以計算出某項投資的年金現值。
- ▶ 函數語法：PV(rate,nper,pmt,fv,type)
- ▶ 引數說明：
  - · rate：各期的利率。
  - · nper：總付款期數。
  - · pmt：各期應該給予（或取得）的固定金額。通常 pmt 包含本金及利息，如果忽略此引數，則必須要有 pv 引數。
  - · pv：為最後一次付款完成後，所能獲得的現金餘額（年金終值）。如果忽略此引數，則預設為「0」，並且需有 pmt 引數。
  - · type：為「0」或「1」的邏輯值，用以判斷付款日為期初 (1) 或期末 (0)。忽略此引數，則預設為「0」。

應用例 ❹ 試算投資成本

假設奕宏工作數年後存了一些錢，後續生涯規劃想要回到學校進修四年，因此準備參加「台欣」銀行的「進修基金儲蓄投資計畫」專案，來讓未來四年內即使毫無收入，也能夠安心唸書。此專案計畫需繳交 40 萬元，未來的 4 年內每年可領回 11 萬元作為基本的生活費用，預定年利率為 4%。現在來評估這種金融商品是否值得投資。

	A	B
1	奕宏的進修基金儲蓄投資計畫	
3	投資成本	
4	年利率	
5	期數	
6	每期得款	
8	投資現值	

執行結果 檔案：pv_ok.xlsx

	A	B
1	奕宏的進修基金儲蓄投資計畫	
3	投資成本	400,000
4	年利率	4%
5	期數	4
6	每期得款	110,000
8	投資現值	-$399,288.47

06 字串的相關函數

07 財務與會計函數

08 查閱與參照函數 資料驗證、資訊、

09 綜合商務應用範例

10 函數提示技巧與範例 實戰 ChatGPT 大師級

A 工作技巧 資料整理相關

操作說明

❶ 輸入各項已知資訊，如圖示

❷ 於 B8 儲存格輸入公式 =PV(B4,B5,B6) 公式

試算出投資現值

經由上面步驟的試算，可以發現此投資計畫的年金現值只有 399,288.47 元，還不及所投資的 40 萬元；也就是説，其實只要投資 399,288.47 元就可享有同樣的投資報酬率，不需花費到 40 萬元。因此判斷此投資方案並不可行。

雖然上述的投資專案看似不可行，但如果在 A8 儲存格公式中設定「type」引數，將它設定為「1」後，各位便會發現一個有趣的現象：「此投資專案變成可行了」。

操作說明

	A	B
1	奕宏的進修基金儲蓄投資計畫	
3	投資成本	400,000
4	年利率	4%
5	期數	4
6	每期得款	110,000
8	投資現值	=PV(B4,B5,B6,,1)

於 B8 儲存格輸入公式 =PV(B4,B5,B6,,1)

	A	B
1	奕宏的進修基金儲蓄投資計畫	
3	投資成本	400,000
4	年利率	4%
5	期數	4
6	每期得款	110,000
8	投資現值	-$415,260.01

此專案如果能將每期的給付方式由「期末給付」更改為「期初給付」，那就表示此投資專案是可獲利的。

了解其中的差異後，便可與金融商品公司協商或變更現行的作法，以便得到更多的獲利。

06

字串的相關函數

07

財務與會計函數

08

資料驗證、資訊、查閱與參照函數

09

綜合商務應用範例

10

函數提示技巧與範例實戰 ChatGPT 大師級

A

工作技巧資料整理相關

PPMT
傳回投資於某期付款中的本金金額

不論是個人信用貸款或房屋貸款，通常還款金額包括了「償還本金」及「支付利息」，如果要知道每一期的還款金額中有多少錢是用來「償還本金」，可以利用 PPMT 函數，以下為這個函數的功能說明。

▷ PPMT 函數

▸ **函數說明**：傳回每期付款金額及利率皆為固定之某項投資於某期付款中的本金金額。

▸ **函數語法**：PPMT(rate,per,nper,pv,fv,type)

▸ **引數說明**：
- rate：各期的利率。
- per：所求的特定期間，必須介於 1 與 nper（期數）之間。
- nper：總付款期數。
- pv：未來各期年金現值的總和。
- fv：最後一次付款完成後，所能獲得的現金餘額（年金終值）。如果省略 fv 引數，會自動假定為 0，也就是說，貸款的年金終值是 0。
- type：0 或 1 的數值，用以界定各期金額的給付時點。

應用例 ❺ 貸款第一個月的償還本金的試算 -------------------------------------○

如果有一筆貸款總金額為 300 萬元，請您以 PPMT 函數來試算第一個月的還款金額（含本金及利息）中，有多少金額是用來償還本金的。

範例 檔案：ppmt.xlsx

	A	B
1		
2	年利率	2.80%
3	貸款年數	10
4	貸款金額	$3,000,000
5		
6		
7	第一個月的償還本金	

執行結果 檔案：ppmt_ok.xlsx

▲	A	B
1		
2	年利率	2.80%
3	貸款年數	10
4	貸款金額	$3,000,000
5		
6		
7	第一個月的償還本金	-$21,692

請利用「年利率」、「貸款年數」及「貸款金額」計算出第一個月的還款金額中有多少錢是用來償還本金，在使用 PPMT 公式中記得要將「年利率」及「貸款年數」分別以月利率及月數來表示。

操作說明

▲	A	B	C
1			
2	年利率	2.80%	
3	貸款年數	10	
4	貸款金額	$3,000,000	
5			
6			
7	第一個月的償還本金	=PPMT(B2/12,1,B3*12,B4)	
8			

於 B7 儲存格輸入公式
=PPMT (B2/12,1,B3*12,B4)

▲	A	B
1		
2	年利率	2.80%
3	貸款年數	10
4	貸款金額	$3,000,000
5		
6		
7	第一個月的償還本金	-$21,692

從公式的計算結果中得知第一個月只還了本金 21692 元

06

字串的相關函數

07

財務與會計函數

08

查閱與參照函數
資料驗證、資訊、

09

綜合商務應用範例

10

函數提示技巧與範例
實戰 ChatGPT 大師級

A

工作技巧相關
資料整理相關

Section
7-6

IPMT
計算某項投資某一期應付利息

不論是個人信用貸款或房屋貸款，通常還款金額包括了「償還本金」及「支付利息」，如果要知道每一期的還款金額中有多少錢是用來「支付利息」，可以利用 IPMT 函數，以下為這個函數的功能說明。

▷ **IPMT 函數**

▶ **函數說明**：某項投資於付款方式為定期、定額及固定利率時，某一期應付利息之金額。

▶ **函數語法**：IPMT(rate,per,nper,pv,fv,type)

▶ **引數說明**：‧ rate：各期的利率。

‧ per：求算利息的期次，其值必須介於 1 到 Nper 之間。

‧ nper：總付款期數。

‧ pv：現值或一系列未來付款的目前總額。

‧ fv：最後一次付款完成後，所能獲得的現金餘額（年金終值）。如果省略 fv 引數，會自動假定為 0。

‧ type：0 或 1 的數值，用以界定各期金額的給付時點。如果省略 type，則假設其值為 0。

應用例 ⑥ 貸款第一個月的償還利息的試算 --------------------------------------○

如果有一筆貸款總金額為 300 萬元，請您以 IPMT 函數來試算第一個月的還款金額（含本金及利息）中，有多少金額是用來償還利息的。

範例 檔案：ipmt.xlsx

	A	B
1		
2	年利率	2.80%
3	貸款年數	10
4	貸款金額	$3,000,000
5		
6		
7	第一個月的償還本金	-$21,692
8	第一個月的償還利息	

執行結果 檔案：ipmt_ok.xlsx

	A	B
1		
2	年利率	2.80%
3	貸款年數	10
4	貸款金額	$3,000,000
5		
6		
7	第一個月的償還本金	-$21,692
8	第一個月的償還利息	-$7,000

請利用「年利率」、「貸款年數」及「貸款金額」計算出第一個月的還款金額中有多少錢是用來償還利息，在使用 IPMT 公式中記得要將「年利率」及「貸款年數」分別以月利率及月數來表示。

操作說明

	A	B	C
1			
2	年利率	2.80%	
3	貸款年數	10	
4	貸款金額	$3,000,000	
5			
6			
7	第一個月的償還本金	-$21,692	
8	第一個月的償還利息	= IPMT(B2/12, 1,B3*12,B4)	
9			

於 B8 儲存格輸入公式
=IPMT(B2 /12,1,B3*12,B4)

	A	B
1		
2	年利率	2.80%
3	貸款年數	10
4	貸款金額	$3,000,000
5		
6		
7	第一個月的償還本金	-$21,692
8	第一個月的償還利息	-$7,000

從公式的計算結果中得知第一個月還了利息 7000 元

06
字串的相關函數

07
財務與會計函數

08
查閱與參照函數、資料驗證、資訊、

09
綜合商務應用範例

10
函數提示技巧與範例
實戰 ChatGPT 大師級

A
工作技巧相關
資料整理相關

NPER
計算某項投資的總期數

這個函數可以協助各位計算每期付款金額及固定利率之某項投資（或儲蓄）的期數。

> **NPER 函數**

▸ 函數說明：計算每期付款金額及固定利率之某項投資的期數。

▸ 函數語法：NPER(rate,pmt,pv,fv,type)

▸ 引數說明： · rate：各期利率。

　　　　　　 · pmt：各期應付金額，用負數表示。

　　　　　　 · pv：未來各期年金現值的總和。

　　　　　　 · fv：完成最後一次付款後，所能獲得的現金餘額（年金終值）。

　　　　　　 · type：為「0」或「1」的邏輯值，用以判斷付款日為「期初」(1) 或「期末」(0)。

應用例 ❼ ▸ 達到儲蓄目標金額所需的期數 --o

如果目前沒有任何存款，如果希望透過每個月的小額投資，希望累積一筆創業基金 20 萬元，設定的目標是每個月月底要儲存 12,000 元，假設投資報酬率為每年 8%，請問需要投資多少期就可以累積到自己的創業基金。

範例 檔案：nper.xlsx

▲	A	B
1	創業基金目標額	$200,000
2	每個月投資金額	$8,000
3	目前已有的存款	$15,000
4	投資報酬率(年)	8%
5	所需的期數	
6		

← 請於 B5 儲存格輸入函數來求取所需的期數

執行結果 檔案：nper_ok.xlsx

	A	B
1	創業基金目標額	$200,000
2	每個月投資金額	$8,000
3	目前已有的存款	$15,000
4	投資報酬率(年)	8%
5	所需的期數	21

請利用目標額、每月投資金額、目前已有的存款及年報酬率，利用 NPER 函數來計算所需要的期數，請記得要將報酬率轉換成月報酬率

操作說明

	A	B
1	創業基金目標額	$200,000
2	每個月投資金額	$8,000
3	目前已有的存款	$15,000
4	投資報酬率(年)	8%
5		=NPER(B4/12,-B2,-B3,B1)

於 B5 儲存格輸入公式
=NPER(B4/12,-B2,-B3,B1)

	A	B
1	創業基金目標額	$200,000
2	每個月投資金額	$8,000
3	目前已有的存款	$15,000
4	投資報酬率(年)	8%
5	所需的期數	21

從公式的計算結果中得知必須要小額投資 21 期才可以達到創業基金的目標額 20 萬元

06
字串的相關函數

07
財務與會計函數

08
查閱與參照函數、
資料驗證、資訊、

09
綜合商務應用範例

10
函數提示技巧與範例
實戰 ChatGPT 大師級

A
工作技巧
資料整理相關

Section
7-8

NPV
透過通貨膨脹比例以及現金流傳回淨現值

有關保險商品的試算，可以使用 NPV()函數。該函數可以透過年度通貨膨脹比例（或稱年度折扣率），以及未來各期所支出及收入的金額，進行該方案的淨現值計算。

NPV 函數

▸ **函數說明：** 透過年度通貨膨脹比例（或稱年度折扣率），以及未來各期所支出及收入的金額，進行該方案的淨現值計算。

▸ **函數語法：** NPV(rate,value1,value2,...)

▸ **引數說明：** · rate：通貨膨脹比例或年度折扣率。

            · value1：未來各期的現金支出及收入，最多可以使用 29 筆記錄。

現在來計算此保險商品是否有獲利的空間，並跟隨下面的範例實作。

應用例 8 保險單淨值計算 --○

建立一個各年度的保費金額，並以 NPV() 函數計算該保險單淨值。

範例 檔案：npv.xlsx

	A	B
1	欣光投資型保險計畫	
3	年度折扣率	5%
4	保費年度	保費金額
5	第1年	
6	第2年	
7	第3年	
8	第4年	
9	第5年	
10	第6年	
11	第7年	
12	第8年	
13	第9年	
14	第10年	
15	第11年	
16	第12年	
17	第13年	
18	第14年	
19	第15年	
21	保險現淨值	

執行結果 檔案：npv_ok.xlsx

	A	B
3	年度折扣率	5%
4	保費年度	保費金額
5	第1年	-$30,000
6	第2年	-$30,000
7	第3年	-$30,000
8	第4年	-$30,000
9	第5年	-$30,000
10	第6年	$20,000
11	第7年	$20,000
12	第8年	$20,000
13	第9年	$20,000
14	第10年	$20,000
15	第11年	$23,000
16	第12年	$23,000
17	第13年	$23,000
18	第14年	$23,000
19	第15年	$23,000
21	保險現淨值	-$907

06
字串的相關函數

07
財務與會計函數

08
查閱與參照函數
資料驗證、資訊、

09
綜合商務應用範例

10
函數提示技巧與範例
實戰 ChatGPT 大師級

A
工作技巧相關
資料整理

操作說明

	A	B
2		
3	年度折扣率	5%
4	保費年度	保費金額
5	第1年	-$30,000
6	第2年	-$30,000
7	第3年	-$30,000
8	第4年	-$30,000
9	第5年	-$30,000
10	第6年	$20,000
11	第7年	$20,000
12	第8年	$20,000
13	第9年	$20,000
14	第10年	$20,000
15	第11年	$23,000
16	第12年	$23,000
17	第13年	$23,000
18	第14年	$23,000
19	第15年	$23,000
21	保險現淨值	

輸入年度保費時，由於前五年為支出（繳交）保費，所以採用負數輸入

	A	B
2		
3	年度折扣率	5%
4	保費年度	保費金額
5	第1年	-$30,000
6	第2年	-$30,000
7	第3年	-$30,000
8	第4年	-$30,000
9	第5年	-$30,000
10	第6年	$20,000
11	第7年	$20,000
12	第8年	$20,000
13	第9年	$20,000
14	第10年	$20,000
15	第11年	$23,000
16	第12年	$23,000
17	第13年	$23,000
18	第14年	$23,000
19	第15年	$23,000
21	保險現淨值	=NPV(B3,B5:B19)

於 B21 儲存格輸入公式 =NPV(B3,B5:B19)，第 1 個引數是年度折扣率，第 2 個引數是各年度保費繳交範圍

	A	B
2		
3	年度折扣率	5%
4	保費年度	保費金額
5	第1年	-$30,000
6	第2年	-$30,000
7	第3年	-$30,000
8	第4年	-$30,000
9	第5年	-$30,000
10	第6年	$20,000
11	第7年	$20,000
12	第8年	$20,000
13	第9年	$20,000
14	第10年	$20,000
15	第11年	$23,000
16	第12年	$23,000
17	第13年	$23,000
18	第14年	$23,000
19	第15年	$23,000
20		
21	保險現淨值	-$907

保險現淨值已試算出來

經過試算後，此份保單的現淨值為「-907 元」，如果單純以「理財」或「投資」的角度來看，此份保單並不是最佳的選擇。但是保險通常還會附帶有「醫療保障」，當生病或住院時可能還會獲得一些補貼或給付，因此也是值得考慮的方案。

06

字串的相關函數

07

財務與會計函數

08

查閱與參照函數、資訊、資料驗證

09

綜合商務應用範例

10

函數提示技巧與範例 實戰 ChatGPT 大師級

A

工作技巧 資料整理相關

Section 7-9	**XNPV** 傳回一系列現金流的淨現值

XNPV()函數可以傳回一系列現金流的淨現值,而且是基於不定期發生的現金流。

▷ XNPV 函數

- ▶ 函數說明:傳回現金流量表的淨現值,且該現金流量不須是定期性的。
- ▶ 函數語法:XNPV(rate,values,dates)
- ▶ 引數說明: · rate:現金流動折價率。

  · values:支出或收入資金的流動金額。

  · dates:支出或收入資金的流動日期,Microsoft Excel 以連續的序列值來儲存日期,以便用來執行計算。預設 1900 年 1 月 1 日是序列值 1,而 2021 年 4 月 5 日因為是 1900 年 1 月 1 日之後的第 44,291 天,所以其序列值是 44291。

應用例 ❾ 傳回現金流量表的淨現值 ··○

請開啟範例檔案,該檔案中已輸入各時間點的成本和收益之投資的淨現值,假設這個例子的現金流動折價率 9%,請以 XNPV()函數回傳這一系列現金流的淨現值。

範例 檔案:xnpv.xlsx

	A	B
1	傳回一系列現金流的淨現值	
2	-25000	2021/4/5
3	3850	2021/4/18
4	5860	2021/5/7
5	5800	2021/5/25
6	12000	2021/6/10
7	淨現值	

執行結果 檔案：xnpv_ok.xlsx

	A	B
1	傳回一系列現金流的淨現值	
2	-25000	2021/4/5
3	3850	2021/4/18
4	5860	2021/5/7
5	5800	2021/5/25
6	12000	2021/6/10
7	淨現值	2200.48

請利用函數於 B7 儲存格傳回現金流量表的淨現值

操作說明

	A	B	C
1	傳回一系列現金流的淨現值		
2	-25000	2021/4/5	
3	3850	2021/4/18	
4	5860	2021/5/7	
5	5800	2021/5/25	
6	12000	2021/6/10	
7	淨現值	=XNPV(0.09, A2:A6, B2:B6)	
8			

於 B7 儲存格輸入公式 =XNPV(0.09, A2:A6,B2:B6)，其中第一個引數 0.09 是現金流動折價率

	A	B
1	傳回一系列現金流的淨現值	
2	-25000	2021/4/5
3	3850	2021/4/18
4	5860	2021/5/7
5	5800	2021/5/25
6	12000	2021/6/10
7	淨現值	2200.48

經由 XNPV()函數計算而得的這一系列現金流的淨現值為 2200.48

06

字串的相關函數

07

財務與會計函數

08

查閱與參照函數

資料驗證、資訊、

09

綜合商務應用範例

10

函數提示技巧與範例

實戰 ChatGPT 大師級

A

工作技巧

資料整理相關

IRR
傳回某一期間之內部報酬率

這個函數所傳回的數值是用來衡量某一項投資方法的報酬績效,也可以用來評估儲蓄險的效益好壞,以作為該儲蓄險保單是否符合自己期待的報酬率。

IRR 函數

▶ **函數說明**:傳回某一期間以數字表示的現金流量之內部報酬率。

▶ **函數語法**:IRR(values,guess)

▶ **引數說明**:・values:一個陣列或儲存格的參照,而這些儲存格包含想計算其內部報酬率的數值。

・guess:猜測近於 IRR 結果的數值。

應用例 ⑩ ▶ 評估儲蓄險的效益

如果有一筆保單第一次要交 30 萬元整,第二年到第三年不用繳錢,而且可以年領 1 萬元,等到第 4 年年底可以領回原先投入的 30 萬元整,試以 IRR()函數來評估這筆儲蓄險保單值不值得購買?

範例 檔案:irr.xlsx

	A	B
1	儲蓄型保單評估方案	
2	第幾年	繳錢或領回
3	第1年繳錢	-300,000
4	第2年領回	10,000
5	第3年領回	10,000
6	第4年領回	300,000
7	投資報酬率	

請在 B7 儲存格計算這個保單的投資報酬率

執行結果 檔案：irr_ok.xlsx

	A	B
1	儲蓄型保單評估方案	
2	第幾年	繳錢或領回
3	第1年繳錢	-300,000
4	第2年領回	10,000
5	第3年領回	10,000
6	第4年領回	300,000
7	投資報酬率	2.25%

在利用 IRR 函數計算投資報酬率時，必須指定現金流的範圍，如果是繳錢屬現金流流出，必須以負數表示，如果是領回屬現金流流入，則以正數表示

[操作說明]

	A	B
1	儲蓄型保單評估方案	
2	第幾年	繳錢或領回
3	第1年繳錢	-300,000
4	第2年領回	10,000
5	第3年領回	10,000
6	第4年領回	300,000
7	投資報酬率	=IRR(B3:B6)

於 B5 儲存格輸入公式 =IRR(B3:B6)

	A	B
1	儲蓄型保單評估方案	
2	第幾年	繳錢或領回
3	第1年繳錢	-300,000
4	第2年領回	10,000
5	第3年領回	10,000
6	第4年領回	300,000
7	投資報酬率	2.25%

得到的結果值是 2.25%，比起現在的定存利率，似乎這張保單的效益還可以接受

06
字串的相關函數

07
財務與會計函數

08
查閱與參照函數
資料驗證、資訊、

09
綜合商務應用範例

10
函數提示技巧與範例
實戰 ChatGPT 大師級

A
工作技巧相關
資料整理相關

CUMPRINC
計算貸款期間任何階段償還的本金值

這個函數可以計算貸款期間內，任何時間階段所償還的本金值。它可以傳回一筆貸款在設定的時間區間內所支付的累計本金。

▷ **CUMPRINC 函數**

- ▶ 函數說明：該函數可以計算貸款期間內，任何時間階段所償還的本金值。
- ▶ 函數語法：CUMPRINC(rate,nper,pv,start_period,end_period,type)
- ▶ 引數說明：
  - · rate：各期的利率。
  - · nper：總付款期數。
  - · pv：貸款總金額，也就是為未來各期年金現值的總和。
  - · start_period：計算過程中的第一個付款期。付款期編號由 1 開始。
  - · end_period：計算過程中的最後一個付款期。
  - · type：為「0」或「1」的邏輯值，用以判斷付款日為期初 (1) 或期末 (0)。忽略此引數，則預設為「0」。

應用例 ⑪ 已償還的貸款本金 ------------------------------------◦

請利用 CUMPRINC()函數計算所提供工作表的已償還本金。

範例 檔案：comprinc.xlsx

	A	B	C
1	提前還款試算		
2	貸款金額	利率	償還期限
3	$4,000,000	5.00%	30
4			
5	已繳交貸款		
6	已繳交期數（月）		
7	已償還本金		

執行結果 檔案：comprinc_ok.xlsx

七年來已償還的貸款本金

操作說明

❸ 按下插入函數鈕

❶ 選取 B6 儲存格
輸入「84」期

❷ 選取 B7 儲存格

TIPS

貸款已繳交 7 年整，所以總共繳交 7*12 ＝ 84 期的貸款期數。

❶ 輸入「CUMPRINC」

❷ 按「開始」鈕

❶ 選取「CUMPRINC」函數

❷ 按下「確定」鈕

❶ 輸入相關引數的內容

❷ 輸入欲計算的起迄期數

06
字串的相關函數

07
財務與會計函數

08
查閱與參照函數
資料驗證、資訊、

09
綜合商務應用範例

10
函數提示技巧與範例
實戰 ChatGPT 大師級

A
工作技巧相關
資料整理

❶ 拖曳捲軸向下，在「Type」引數欄內填入「0」

❷ 按下「確定」鈕完成設定

雖然貸款繳交了 7 年，前後大概投入了超過 160 萬（每期約 2 萬，共 84 期），但實際償還的本金卻只有約 48 萬元左右，所以，貸款初期大部分所繳交的金額為「利息」，而非「本金」

06
字串的相關函數

07
財務與會計函數

08
查閱與參照函數、資料驗證、資訊、

09
綜合商務應用範例

10
函數提示技巧與範例
實戰 ChatGPT 大師級

A
工作技巧
資料整理相關

Section
7-12

FVSCHEDULE
經過一系列複利計算後的本利和

這個函數傳回一筆本金在經過一系列複利計算後的本利和。機動利率本利和的計算方式比較複雜，主要因為存款期間利率可能產生變化。因此介紹 FVSCHEDULE 函數協助計算採用機動利率定期存款的本利和。

▷ FVSCHEDULE 函數

▸ **函數說明**：傳回一筆本金在經過一系列複利計算後的本利和。

▸ **函數語法**：FVSCHEDULE(principal,schedule)

▸ **引數說明**： ・ principal 本金現值。

   ・ schedule 要用來套用的利率陣列。

應用例 ⑫ ▸ 機動利率定期存款的本利和 ------------------------------○

請利用 FVSCHEDULE()函數計算採用機動利率定期存款的本利和。

範例 檔案：fvschedule.xlsx

▲	A	B	C
1		定期儲蓄存款方案	
2			
3	存款金額	$	100,000
4			
5	機動利率本利和		
6	月份	年利率	月利率
7	1	2.50%	
8	2	2.35%	
9	3	2.35%	
10	4	2.50%	
11	5	2.50%	
12	6	2.35%	
13	7	2.20%	
14	8	2.35%	
15	9	2.35%	
16	10	2.35%	
17	11	2.50%	
18	12	2.50%	

01
....
公式與函數的基礎

02
....
數值運算的相關函數

03
....
邏輯與統計函數

04
....
常見取得資料的函數

05
....
日期與時間函數

執行結果　檔案：fvschedule_ok.xlsx

	A	B	C
1		定期儲蓄存款方案	
2			
3	存款金額	$	100,000
4			
5	機動利率本利和	102426.5731	
6	月份	年利率	月利率
7	1	2.50%	0.002083333
8	2	2.35%	0.001958333
9	3	2.35%	0.001958333
10	4	2.50%	0.002083333
11	5	2.50%	0.002083333
12	6	2.35%	0.001958333
13	7	2.20%	0.001833333
14	8	2.35%	0.001958333
15	9	2.35%	0.001958333
16	10	2.35%	0.001958333
17	11	2.50%	0.002083333
18	12	2.50%	0.002083333

計算出機動利率下 1 年後的本利和

操作說明

	A	B	C
1		定期儲蓄存款方案	
2			
3	存款金額	$	100,000
4			
5	機動利率本利和		
6	月份	年利率	月利率
7	1	2.50%	=B7/12
8	2	2.35%	
9	3	2.35%	
10	4	2.50%	
11	5	2.50%	
12	6	2.35%	
13	7	2.20%	
14	8	2.35%	
15	9	2.35%	
16	10	2.35%	
17	11	2.50%	
18	12	2.50%	

選取 C7 儲存格輸入公式 =B7/12

06 字串的相關函數

07 財務與會計函數

08 查閱與參照函數、資訊、資料驗證、

09 綜合商務應用範例

10 函數提示技巧與範例 實戰 ChatGPT 大師級

A 工作技巧 資料整理相關

將月利率複製公式至下方儲存格

❶ 選取 B5 儲存格

❷ 執行「公式/函數庫/財務/ FVSCHEDULE」指令

❶ 引數設定如圖示

❷ 按「確定」鈕就可以 計算出機動利率下 1 年後的本利和

NOTE

08

資料驗證、資訊、
查閱與參照函數

Excel 非常適合資料整理的前置工作，尤其它提供許多資料快速輸入的技巧，例如以 ASC 函數限定輸入半形字元，另外也可以透過尋找及取代快速找到所需的資料，並進行取代工作。當遇到空白列或資料重複時，都能結合公式或函數的判斷，協助各位快速刪除或修改，對於不需要看到的資料也可以透過資料篩選來過濾掉，讓資料整理的工作更加得心順手，本章中將介紹幾個與資料輸入、資料驗證及資料搜尋等實用的函數，這些函數在大數據的網際網路時代下，能幫助各位提升資料整理的技巧與效率。

Section
8-1

ASC
限定輸入半形字元

有時候在輸入工作表的電話號碼時，會不小心輸入成全形文字，或是從網路的開放資料下載的文字，在進行整理時，如果發現有些電話是以全形的方式的呈現，這種情況下，如果希望能將這些格式轉換成半形數字，就可以藉助 ASC()函數的功能。

ASC 函數

▸ **函數說明：** 若為雙位元組的字元集（DBCS），則將全形（雙位元組）的字元轉換為半形（單位元組）的字元。

▸ **函數語法：** ASC(text)

▸ **引數說明：** text：文字或包含要變更文字之儲存格的參照。如果文字中不包含任何全形字母，則不會變更。

應用例 ❶ ▸ 全形的電話轉換成半形 --○

請利用將 ASC()函數將範例檔案中的 A 欄輸入全形數字的電話號碼，在 B 欄中轉換成半形電話。

範例 檔案：asc.xlsx

	A	B
1	原始輸入電話	經整理後的正確電話
2	（０２）８７５４２５４２	
3	（０２）８７５４２５４３	
4	（０２）８７５４２５４４	
5	（０２）８７５４２５４５	
6	（０２）８７５４２５４６	
7	（０２）８７５４２５４７	
8	（０２）８７５４２５４８	
9	（０２）８７５４２５４９	
10	（０２）８７５４２５５０	
11	（０２）８７５４２５５１	
12	（０２）８７５４２５５２	
13	（０２）８７５４２５５３	

執行結果 檔案：asc_ok.xlsx

	A	B
1	原始輸入電話	經整理後的正確電話
2	（０２）８７５４２５４２	(02)87542542
3	（０２）８７５４２５４３	(02)87542543
4	（０２）８７５４２５４４	(02)87542544
5	（０２）８７５４２５４５	(02)87542545
6	（０２）８７５４２５４６	(02)87542546
7	（０２）８７５４２５４７	(02)87542547
8	（０２）８７５４２５４８	(02)87542548
9	（０２）８７５４２５４９	(02)87542549
10	（０２）８７５４２５５０	(02)87542550
11	（０２）８７５４２５５１	(02)87542551
12	（０２）８７５４２５５２	(02)87542552
13	（０２）８７５４２５５３	(02)87542553

B 欄會將 A 欄以全形字元所輸入的電話以 ASC 函數轉換成半形字元的電話號碼

操作說明

	A	B
1	原始輸入電話	經整理後的正確電話
2	（０２）８７５４２５４２	=ASC(A2)
3	（０２）８７５４２５４３	
4	（０２）８７５４２５４４	
5	（０２）８７５４２５４５	
6	（０２）８７５４２５４６	
7	（０２）８７５４２５４７	
8	（０２）８７５４２５４８	
9	（０２）８７５４２５４９	
10	（０２）８７５４２５５０	
11	（０２）８７５４２５５１	
12	（０２）８７５４２５５２	
13	（０２）８７５４２５５３	

於 B2 儲存格輸入公式 =ASC(A2)

	A	B
1	原始輸入電話	經整理後的正確電話
2	（０２）８７５４２５４２	(02)87542542
3	（０２）８７５４２５４３	(02)87542543
4	（０２）８７５４２５４４	(02)87542544
5	（０２）８７５４２５４５	(02)87542545
6	（０２）８７５４２５４６	(02)87542546
7	（０２）８７５４２５４７	(02)87542547
8	（０２）８７５４２５４８	(02)87542548
9	（０２）８７５４２５４９	(02)87542549
10	（０２）８７５４２５５０	(02)87542550
11	（０２）８７５４２５５１	(02)87542551
12	（０２）８７５４２５５２	(02)87542552
13	（０２）８７５４２５５３	(02)87542553

拖曳複製 B2 公式到 B13 儲存格，可以看出 B 欄已將 A 欄輸入全形數字的電話號碼，在 B 欄中已轉換成半形電話

06 字串的相關函數

07 財務與會計函數

08 查閱與參照函數、資訊、資料驗證

09 綜合商務應用範例

10 函數提示技巧與範例實戰 ChatGPT 大師級

A 工作技巧資料整理相關

Section 8-2

LEN
回傳文字字串中的字元數

LEN()函數是用來求取傳入引數的長度,這個函數在資料的驗證工作可以被應用在檢查密碼不可以少於多少位,也可以用來驗證要求輸入指定的位元,如果不符合設定的原則,則會提供警告視窗,來提醒使用者相關的輸入規則。

▶ LEN 函數

- ▸ 函數說明：會傳回文字字串中的字元數。
- ▸ 函數語法：LEN(text)
- ▸ 引數說明：tex：這是要求得其長度的文字,空白會當做字元計算,此引數不可以省略。

應用例 ②▸ 限定密碼不可少於 8 位

請利用 LEN()函數建立一個資料驗證,要求在工作表中 B 欄輸入密碼時,不可以少於 8 位元,否則會顯示出警告視窗。

範例 檔案：len.xlsx

	A	B
1	使用者名稱	密碼
2	txw5555	
3	kju5814	
4	cxh5550	
5	txw5558	
6	uyr5585	
7	kik6666	
8	uyt5478	

06 字串的相關函數

07 財務與會計函數

08
資料驗證、資訊、查閱與參照函數

09 綜合商務應用範例

10 實戰 ChatGPT 大師級 函數提示技巧與範例

A 資料整理相關 工作技巧

執行結果 檔案：len_ok.xlsx

	A	B
1	使用者名稱	密碼
2	txw5555	12345678
3	kju5814	11111111
4	cxh5550	36251488
5	txw5558	25412021
6	uyr5585	54854554
7	kik6666	25115211
8	uyt5478	98744552

操作說明

❷ 執行「資料驗證」指令

❶ 選取 B2:B8 儲存格範圍

❶ 切換到「設定」頁籤

❷ 選擇「自訂」

❸ 設定資料驗證準則的公式
=len(b2)>=8

❶ 切換到「錯誤提醒」頁籤

❷ 輸入訊息內容

❸ 按「確定」鈕

❶ 當所輸入的密碼少於 8 位元

❷ 會出現警告視窗告知「密碼至少要 8 個位元」的錯誤提醒訊息內容

06
字串的相關函數

07
財務與會計函數

08
資料驗證、資訊、查閱與參照函數

09
綜合商務應用範例

10
函數提示技巧與範例
實戰 ChatGPT 大師級

A
資料整理相關
工作技巧

Section 8-3 COUNTIF
計算某範圍內符合篩選條件的儲存格個數

我們可以利用 COUNTIF 函數來判斷在某種設定條件下，來避免輸入相同的單字。

▷ COUNTIF) 函數

- ▶ 函數說明：計算某範圍內符合篩選條件的儲存格個數。
- ▶ 函數語法：COUNTIF(range,criteria)
- ▶ 引數說明： · range：儲存格範圍。
  - · criteria：用以判斷是否要列入計算的篩選條件，可以是數字、表示式或文字。

應用例 ③ 不允許重複收集相同的單字

建立一個工作表來收集最重要的 50 個期中考要加強複習的常考單字，但必須結合 COUNTIF()函數來設定資料驗證，不允許使用者重複收集相同的單字。

執行結果 檔案：countif1_ok.xlsx

當輸入的單字有重複時，就會跳出提醒視窗告知這個單字已重複收集

操作說明

❷ 執行「資料驗證」指令

❶ 選取 A 欄儲存格範圍

❶ 切換到「設定」頁籤

❷ 選擇「自訂」

❸ 設定資料驗證準則的公式
=COUNTIF(A:A,A1)=1

❶ 切換到「錯誤提醒」頁籤

❷ 輸入訊息內容

❸ 按「確定」鈕

當輸入的單字有重複時，就會跳出提醒視窗告知這個單字已重複收集

應用例 ④ 由購買次數來判斷是否為老客戶

在工作表中建立一個公式，該公式可以由同一位客戶的購買次數大於等於 5 來判斷是否為老客戶，如果是，則在特定欄位標示該客戶的類型為「老客戶」，如果購買次數小於 5，則保留空白不作任何摘記。

範例 檔案：counif2.xlsx

	A	B	C
1	全福機車行		
2	客戶名稱	加機油時間	客戶類別
3	陳小福	109/1/2	
4	張小芳	109/2/3	
5	陳小福	109/3/4	
6	陳先備	109/4/6	
7	許伯如	109/5/9	
8	陳小福	109/6/12	
9	吳建文	109/7/16	
10	張小芳	109/8/20	
11	陳小福	109/9/28	
12	張小芳	109/10/12	
13	許伯如	109/11/16	
14	陳小福	109/12/9	
15	張小芳	110/2/1	
16	陳小福	110/3/8	
17	張小芳	110/4/12	

06 字串的相關函數

07 財務與會計函數

08 查閱與參照函數、資訊、資料驗證、

09 綜合商務應用範例

10 函數提示技巧與範例 實戰 ChatGPT 大師級

A 工作技巧 資料整理相關

執行結果 檔案：counif2_ok.xlsx

	A	B	C
1	全福機車行		
2	客戶名稱	加機油時間	客戶類別
3	陳小福	109/1/2	老客戶
4	張小芳	109/2/3	老客戶
5	陳小福	109/3/4	老客戶
6	陳先備	109/4/6	
7	許伯如	109/5/9	
8	陳小福	109/6/12	老客戶
9	吳建文	109/7/16	
10	張小芳	109/8/20	老客戶
11	陳小福	109/9/28	老客戶
12	張小芳	109/10/12	老客戶
13	許伯如	109/11/16	
14	陳小福	109/12/9	老客戶
15	張小芳	110/2/1	老客戶
16	陳小福	110/3/8	老客戶
17	張小芳	110/4/12	老客戶

操作說明

	A	B	C	D	E	F
1	全福機車行					
2	客戶名稱	加機油時間	客戶類別			
3	陳小福	109/1/2	=IF(COUNTIF($A$3:$A$17,A3)>=5,"老客戶","")			
4	張小芳	109/2/3				
5	陳小福	109/3/4				
6	陳先備	109/4/6				
7	許伯如	109/5/9				
8	陳小福	109/6/12				
9	吳建文	109/7/16				
10	張小芳	109/8/20				
11	陳小福	109/9/28				
12	張小芳	109/10/12				
13	許伯如	109/11/16				
14	陳小福	109/12/9				
15	張小芳	110/2/1				
16	陳小福	110/3/8				
17	張小芳	110/4/12				

於 C3 儲存格輸入公式 =IF(COUNTIF($A$3:$A$17,A3)>=5,"老客戶","")

	A	B	C
1	全福機車行		
2	客戶名稱	加機油時間	客戶類別
3	陳小福	109/1/2	老客戶
4	張小芳	109/2/3	老客戶
5	陳小福	109/3/4	老客戶
6	陳先備	109/4/6	
7	許伯如	109/5/9	
8	陳小福	109/6/12	老客戶
9	吳建文	109/7/16	
10	張小芳	109/8/20	老客戶
11	陳小福	109/9/28	老客戶
12	張小芳	109/10/12	老客戶
13	許伯如	109/11/16	
14	陳小福	109/12/9	老客戶
15	張小芳	110/2/1	老客戶
16	陳小福	110/3/8	老客戶
17	張小芳	110/4/12	老客戶

拖曳複製 C3 公式到 C17 存格，可以看出 C 欄已將 A 欄名稱超過 5 次名字的客戶標示為「老客戶」

06
字串的相關函數

07
財務與會計函數

08
資料驗證、資訊、查閱與參照函數

09
綜合商務應用範例

10
實戰 ChatGPT 大師級函數提示技巧與範例

A
資料整理相關工作技巧

IS 系列資訊函數
檢查指定的值

ISBLANK(value)、ISERR(value)、ISERROR(value)、ISLOGICAL(value)、
ISNA(value)、ISNONTEXT(value)、ISNUMBER(value)、ISREF(value)、
ISTEXT(value) 這些函數統稱為 IS 函數，每個函數都會檢查指定的值，
並根據結果傳回 TRUE 或 FALSE。例如，如果數值引數為數字的參照，
ISNUMBER 函數就會傳回邏輯值 TRUE；否則便傳回 FALSE。

各位從上面的各個函數中可以發現它包括一個 value 的必要引數，該引數就
是該函數所要檢查的值，這個 value 引數的資料型態可以是空白儲存格、錯
誤、邏輯值、文字、數字，或參照值。

函數	哪一種情況下會回傳 TRUE 值
ISBLANK	當傳入的 value 引數為空白儲存格。
ISERR	當傳入的 value 引數為 #N/A 之外的任何一種錯誤值。
ISERROR	當傳入的 value 引數為任何一種錯誤值，例如：#N/A、#VALUE!、#REF!、#DIV/0!、#NUM!、#NAME? 或 #NULL!。
ISLOGICAL	當傳入的 value 引數為邏輯值。
ISNA	當傳入的 value 引數為錯誤值 #N/A（無此值）。
ISNONTEXT	當傳入的 value 引數為任何非文字的項目。
ISNUMBER	當傳入的 value 引數為數字。
ISREF	當傳入的 value 引數為參照。
ISTEXT	當傳入的 value 引數為文字。

應用例 ❺ IS 系列函數綜合應用 --------------------------------○

建立一個各種不同 IS 系列函數實作練習工作表。

範例 檔案：is.xlsx

	A	B	C	D
1	各種不同IS函數的實作練習			
2	函數名稱	功能說明	測試對象	測試結果
3	ISBLANK	測試對象是否為空白		
4	ISERR	測試對象傳入的value引數是否為#N/A 之外的任何一種錯誤值		
5	ISERROR	測試對象傳入的value引數是否為任何一種錯誤值		
6	ISLOGICAL	測試對象是否為邏輯值		
7	ISNA	測試對象是否為為錯誤值 #N/A (無此值)		
8	ISNONTEXT	測試對象是否為任何非文字的項目		
9	ISNUMBER	測試對象是否為數字		
10	ISREF	測試對象是否為參照		
11	ISTEXT	測試對象是否為文字		

執行結果 檔案：is_ok.xlsx

	A	B	C	D
1	各種不同IS函數的實作練習			
2	函數名稱	功能說明	測試對象	測試結果
3	ISBLANK	測試對象是否為空白		TRUE
4	ISERR	測試對象傳入的value引數是否為#N/A 之外的任何一種錯誤值	#DIV/0!	TRUE
5	ISERROR	測試對象傳入的value引數是否為任何一種錯誤值	#DIV/0!	TRUE
6	ISLOGICAL	測試對象是否為邏輯值	TRUE	TRUE
7	ISNA	測試對象是否為為錯誤值 #N/A (無此值)	#NAME?	FALSE
8	ISNONTEXT	測試對象是否為任何非文字的項目	100	TRUE
9	ISNUMBER	測試對象是否為數字	happy	FALSE
10	ISREF	測試對象是否為參照	$C$10	TRUE
11	ISTEXT	測試對象是否為文字	"never give up"	TRUE

操作說明

要實作各種不同 IS 函數的執行方式及回傳結果，請根據下列表格的各儲存格的公式，分別輸入指定的資料內容，就可以得到我們所要的執行結果的檔案外觀：

儲存格名稱	輸入的內容
C3	空白儲存格，不輸入任何資料內容
C4	=6/0
C5	=6/0
C6	TRUE
C7	=7=B
C8	100

儲存格名稱	輸入的內容
C9	happy
C10	$C$10
C11	"never give up"

輸入完 C 欄的各種要測試的資料後，其執行結果外觀如下：

	A	B	C	D
1	各種不同IS函數的實作練習			
2	函數名稱	功能說明	測試對象	測試結果
3	ISBLANK	測試對象是否為空白		
4	ISERR	測試對象傳入的value引數是否為#N/A 之外的任何一種錯誤值	#DIV/0!	
5	ISERROR	測試對象傳入的value引數是否為任何一種錯誤值	#DIV/0!	
6	ISLOGICAL	測試對象是否為邏輯值	TRUE	
7	ISNA	測試對象是否為錯誤值 #N/A (無此值)	#NAME?	
8	ISNONTEXT	測試對象是否為任何非文字的項目	100	
9	ISNUMBER	測試對象是否為數字	happy	
10	ISREF	測試對象是否為參照	$C$10	
11	ISTEXT	測試對象是否為文字	"never give up"	

接著請根據下列表格的各儲存格的公式，分別輸入指定的公式：

儲存格名稱	輸入的內容
D3	=ISBLANK(C3)
D4	=ISERR(C4)
D5	=ISERROR(C5)
D6	=ISLOGICAL(C6)
D7	=ISNA(C7)
D8	=ISNONTEXT(C8)
D9	=ISNUMBER(C9)
D10	=ISREF(C10)
D11	=ISTEXT(C11)

06 字串的相關函數

07 財務與會計函數

08 查閱與參照函數 資料驗證、資訊、

09 綜合商務應用範例

10 函數提示技巧與範例 實戰 ChatGPT 大師級

A 工作技巧 資料整理相關

輸入完 D 欄的各種要測試的資料後，就可以得到各種不同 IS 函數的回傳結果外觀：

	A	B	C	D
1	各種不同IS函數的實作練習			
2	函數名稱	功能說明	測試對象	測試結果
3	ISBLANK	測試對象是否為空白		TRUE
4	ISERR	測試對象傳入的value引數是否為#N/A 之外的任何一種錯誤值	#DIV/0!	TRUE
5	ISERROR	測試對象傳入的value引數是否為任何一種錯誤值	#DIV/0!	TRUE
6	ISLOGICAL	測試對象是否為邏輯值	TRUE	TRUE
7	ISNA	測試對象是否為為錯誤值 #N/A (無此值)	#NAME?	FALSE
8	ISNONTEXT	測試對象是否為任何非文字的項目	100	TRUE
9	ISNUMBER	測試對象是否為數字	happy	FALSE
10	ISREF	測試對象是否為參照	$C$10	TRUE
11	ISTEXT	測試對象是否為文字	"never give up"	TRUE

06

字串的相關函數

07

財務與會計函數

08

查閱與參照函數、

資料驗證、資訊、

09

綜合商務應用範例

10

函數提示技巧與範例

實戰 ChatGPT 大師級

A

工作技巧相關

資料整理相關

ROW/COLUMN
傳回參照位址列號或欄號

這幾個函數可以傳回參照位址列號或欄號。

▷ **ROW 函數**

- ▸ 函數說明：傳回參照位址中的列號。
- ▸ 函數語法：ROW(reference)
- ▸ 引數說明：reference：欲知道列號的單一儲存格或儲存格範圍。

▷ **COLUMN 函數**

- ▸ 函數說明：傳回參照位址中的欄號。
- ▸ 函數語法：COLUMN(reference)
- ▸ 引數說明：reference：欲知道欄號的單一儲存格或儲存格範圍。

應用例 ⑥ ▸ ROW/COLUMN 函數綜合運用

請參考下圖的執行結果，分別寫各儲存格目前所在的列號與欄號。

執行結果 檔案：row_ok.xlsx

	A	B	C
1	目前位置第1列, 第1欄	目前位置第1列, 第2欄	目前位置第1列, 第3欄
2	目前位置第2列, 第1欄	目前位置第2列, 第2欄	目前位置第2列, 第3欄
3	目前位置第3列, 第1欄	目前位置第3列, 第2欄	目前位置第3列, 第3欄
4	目前位置第4列, 第1欄	目前位置第4列, 第2欄	目前位置第4列, 第3欄
5	目前位置第5列, 第1欄	目前位置第5列, 第2欄	目前位置第5列, 第3欄
6	目前位置第6列, 第1欄	目前位置第6列, 第2欄	目前位置第6列, 第3欄
7	目前位置第7列, 第1欄	目前位置第7列, 第2欄	目前位置第7列, 第3欄
8	目前位置第8列, 第1欄	目前位置第8列, 第2欄	目前位置第8列, 第3欄
9	目前位置第9列, 第1欄	目前位置第9列, 第2欄	目前位置第9列, 第3欄

利用 ROW 及 COLUMN 函數分別寫各儲存格目前所在的列號與欄號

操作說明

	A	B	C
1	=CONCATENATE("目前位置第",ROW(A1),"列, 第",COLUMN(A1),"欄")		
2			
3			
4			
5			
6			
7			
8			
9			

於 A1 儲存格輸入公式 =CONCATENATE("目前位置第",ROW(A1),"列,第",COLUMN(A1),"欄")

	A	B
1	目前位置第1列, 第1欄	
2	目前位置第2列, 第1欄	
3	目前位置第3列, 第1欄	
4	目前位置第4列, 第1欄	
5	目前位置第5列, 第1欄	
6	目前位置第6列, 第1欄	
7	目前位置第7列, 第1欄	
8	目前位置第8列, 第1欄	
9	目前位置第9列, 第1欄	
10		

拖曳複製 A1 公式到 A9 存格，可以看出 A1:A9 儲存格範圍已標示出所在儲存格位置的列號與欄號，接著按下「Ctrl+C」快速鍵準備將 A 欄公式複製到 B 欄

	A	B
1	目前位置第1列, 第1欄	目前位置第1列, 第2欄
2	目前位置第2列, 第1欄	目前位置第2列, 第2欄
3	目前位置第3列, 第1欄	目前位置第3列, 第2欄
4	目前位置第4列, 第1欄	目前位置第4列, 第2欄
5	目前位置第5列, 第1欄	目前位置第5列, 第2欄
6	目前位置第6列, 第1欄	目前位置第6列, 第2欄
7	目前位置第7列, 第1欄	目前位置第7列, 第2欄
8	目前位置第8列, 第1欄	目前位置第8列, 第2欄
9	目前位置第9列, 第1欄	目前位置第9列, 第2欄
10		

移動作用儲存格到 B1，並按下「Ctrl+V」快速鍵將 A 欄公式複製到 B 欄，可以看出 B1:B9 儲存格範圍已標示出所在儲存格位置的列號與欄號

	A	B	C	D
1	目前位置第1列, 第1欄	目前位置第1列, 第2欄	目前位置第1列, 第3欄	
2	目前位置第2列, 第1欄	目前位置第2列, 第2欄	目前位置第2列, 第3欄	
3	目前位置第3列, 第1欄	目前位置第3列, 第2欄	目前位置第3列, 第3欄	
4	目前位置第4列, 第1欄	目前位置第4列, 第2欄	目前位置第4列, 第3欄	
5	目前位置第5列, 第1欄	目前位置第5列, 第2欄	目前位置第5列, 第3欄	
6	目前位置第6列, 第1欄	目前位置第6列, 第2欄	目前位置第6列, 第3欄	
7	目前位置第7列, 第1欄	目前位置第7列, 第2欄	目前位置第7列, 第3欄	
8	目前位置第8列, 第1欄	目前位置第8列, 第2欄	目前位置第8列, 第3欄	
9	目前位置第9列, 第1欄	目前位置第9列, 第2欄	目前位置第9列, 第3欄	
10				

同樣作法，請將 B 欄公式複製到 C 欄，可以看出 C1:C9 儲存格範圍已標示出所在儲存格位置的列號與欄號

06 字串的相關函數

07 財務與會計函數

08 查閱與參照函數、資訊、資料驗證、資訊

09 綜合商務應用範例

10 函數提示技巧與範例 實戰 ChatGPT 大師級

A 工作技巧 資料整理相關

Section 8-6

ROWS、COLUMNS
傳回陣列或參照位址中列數或欄數

這幾個函數可以傳回參照位址列號或欄號，列數或欄數。

▷ ROWS 函數

- ▸ 函數說明：傳回陣列或參照位址中的列數。
- ▸ 函數語法：ROW(array)
- ▸ 引數說明：array：欲找出列數的陣列、陣列公式或儲存格範圍。

▷ COLUMNS 函數

- ▸ 函數說明：傳回陣列或參照位址中欄的欄數。
- ▸ 函數語法：ROWS(array)
- ▸ 引數說明：array：欲找出欄數的陣列、陣列公式或儲存格範圍。

應用例 ❼ ROWS/COLUMNS 函數綜合運用

請參考下圖的執行結果，分別寫各儲存格目前所在的列號與欄號。

範例 檔案：rows.xlsx

	A	B	C
1	列數與欄數		
2	multiple	adj.	多量的；複合的
3	negotiate	v.	商議；商訂
4	order form	n.	訂購單
5	outlet	n.	出口
6	outnumber	v.	數目勝過
7	output	n.	出產
8	overextend	v.	過份擴展
9	overheads	n.	日常開支費用
10	patron	n.	贊助人；顧客
11	payout	n.	支出；花費
12	price tag	n.	標價
13	production line	n.	生產線
14	productive	adj.	生產性的
15	productivity	n.	生產力
16	professional	adj.	職業的
17	profit	n.	利益；利潤
18	profitable	adj.	有利益的
19	prospectus	n.	創辦計劃書；旅遊指南
20	provision	n.	供應
21	publish	v.	出版

執行結果 檔案：rows_ok.xlsx

	A	B	C
1	列數與欄數	列數=20	欄數=3
2	multiple	adj.	多量的；複合的
3	negotiate	v.	商議；商訂
4	order form	n.	訂購單
5	outlet	n.	出口
6	outnumber	v.	數目勝過
7	output	n.	出產
8	overextend	v.	過份擴展
9	overheads	n.	日常開支費用
10	patron	n.	贊助人；顧客
11	payout	n.	支出；花費
12	price tag	n.	標價
13	production line	n.	生產線
14	productive	adj.	生產性的
15	productivity	n.	生產力
16	professional	adj.	職業的
17	profit	n.	利益；利潤
18	profitable	adj.	有利益的
19	prospectus	n.	創辦計劃書；旅遊指南
20	provision	n.	供應
21	publish	v.	出版

在此填入這個單字整理表格的欄數

在此填入這個單字整理表格的列數

06 字串的相關函數

07 財務與會計函數

08 查閱與參照函數

資料驗證、資訊、

09 綜合商務應用範例

10 函數提示技巧與範例

實戰 ChatGPT 大師級

A 工作技巧

資料整理相關

操作說明

	A	B	C
1	列數與欄數	=CONCATENATE("列數=",ROWS($A$2:$C$21))	
2	multiple	adj.	多量的；複合的
3	negotiate	v.	商議；商訂
4	order form	n.	訂購單
5	outlet	n.	出口
6	outnumber	v.	數目勝過
7	output	n.	出產
8	overextend	v.	過份擴展
9	overheads	n.	日常開支費用
10	patron	n.	贊助人；顧客
11	payout	n.	支出；花費
12	price tag	n.	標價
13	production line	n.	生產線
14	productive	adj.	生產性的
15	productivity	n.	生產力
16	professional	adj.	職業的
17	profit	n.	利益；利潤
18	profitable	adj.	有利益的
19	prospectus	n.	創辦計劃書；旅遊指南
20	provision	n.	供應
21	publish	v.	出版

於 B1 儲存格輸入公式 =CONCATENATE("列數=",ROWS($A$2:$C$21))，此處的資料表範圍請用絕對位址參照

於 C1 儲存格輸入公式 =CONCATENATE("欄數=",COLUMNS($A$2:$C$21))，此處的資料表範圍請用絕對位址參照

	A	B	C	D	E
1	列數與欄數	列數=20	=CONCATENATE("欄數=",COLUMNS($A$2:$C$21))		
2	multiple	adj.	多量的；複合的		
3	negotiate	v.	商議；商訂		
4	order form	n.	訂購單		
5	outlet	n.	出口		
6	outnumber	v.	數目勝過		
7	output	n.	出產		
8	overextend	v.	過份擴展		
9	overheads	n.	日常開支費用		
10	patron	n.	贊助人；顧客		
11	payout	n.	支出；花費		
12	price tag	n.	標價		
13	production line	n.	生產線		
14	productive	adj.	生產性的		
15	productivity	n.	生產力		
16	professional	adj.	職業的		
17	profit	n.	利益；利潤		
18	profitable	adj.	有利益的		
19	prospectus	n.	創辦計劃書；旅遊指南		
20	provision	n.	供應		
21	publish	v.	出版		

Section 8-7 TRANSPOSE
行列轉置

TRANSPOSE函數儲存格範圍直接行列轉置。

▷ TRANSPOSE 函數

- ▸ 函數說明：行列轉置。
- ▸ 函數語法：TRANSPOSE(array)
- ▸ 引數說明：array：要進行行列轉置的儲存格範圍。

應用例 ⑧ TRANSPOSE 函數綜合運用 ------------------------------------o

請參考下圖的執行結果，將原始的範例檔案利用 TRANSPOSE()函數進行轉置矩陣的運算。

範例 檔案：transpose.xlsx

	A	B
1	第1季	15000
2	第2季	21000
3	第3季	32560
4	第4季	18460

執行結果 檔案：transpose_ok.xlsx

	A	B	C	D
1	第1季	15000		
2	第2季	21000		
3	第3季	32560		
4	第4季	18460		
5				
6	第1季	第2季	第3季	第4季
7	15000	21000	32560	18460

請將 A1:B4 儲存格範圍進行行列轉置的工作

06 字串的相關函數

07 財務與會計函數

08 查閱與參照函數、資料驗證、資訊、

09 綜合商務應用範例

10 函數提示技巧與範例 實戰 ChatGPT 大師級

A 工作技巧 資料整理相關

操作說明

	A	B	C	D
1	第1季	15000		
2	第2季	21000		
3	第3季	32560		
4	第4季	18460		
5				
6				
7				

選取 A6:D7 的儲存格範圍，這個範圍是用來存放表格行列轉置後的內容

	A	B	C	D
1	第1季	15000		
2	第2季	21000		
3	第3季	32560		
4	第4季	18460		
5				
6	=TRANSPOSE(			
7				
8				

輸入「=TRANSPOSE(」

	A	B	C	D
1	第1季	15000		
2	第2季	21000		
3	第3季	32560		
4	第4季	18460		
5				
6	NSPOSE(A1:B4)			
7				
8				

選取 A1:B4 儲存格範圍後，再加上一個右括號，這個時候先不要馬上按下 ENTER 鍵，暫時維持目前的輸入狀態

	A	B	C	D	E
1	第1季	15000			
2	第2季	21000			
3	第3季	32560			
4	第4季	18460			
5					
6	第1季	第2季	第3季	第4季	
7	15000	21000	32560	18460	
8					

最後，按 CTRL+SHIFT+ENTER。這是因為 TRANSPOSE 函數只能用於陣列公式，而這麼做才能完成陣列公式。簡單來說，陣列公式就是會套用到多個儲存格的公式

Section 8-8

HYPERLINK
跳到另一個位置或開啟檔案

按一下包含 HYPERLINK 函數的儲存格時,它會建立一個超連結,並跳到目前活頁簿中的另一個位置,或是去開啟您指定在網路伺服器、內部網路或網際網路上所儲存的檔案。

▶ HYPERLINK 函數

▶ 函數說明: 在包含有 HYPERLINK 函數的儲存格建立一個超連結捷徑,它會直接跳到目前活頁簿中的另一個位置,或是去開啟您指定在網路伺服器、內部網路或網際網路上所儲存的檔案。

▶ 函數語法: HYPERLINK(link_location,[friendly_name])

▶ 引數說明: • link_location:這是不可省略的引數,這個引數可以設定跳到文件中的指定的位置,例如 Excel 工作表或活頁簿中的特定儲存格或指定範圍,而這份文件的所在路徑可以是儲存在硬碟上的檔案,或網際網路或內部網路上的統一資源定位器(URL)路徑。

• friendly_name:這個引數可有可無,這是在儲存格中顯示的捷徑文字或數值,這個超連結文字會加上底線以藍色顯示,如果在使用 HYPERLINK 函數時少了 friendly_name 引數,這種情況下儲存格預設會將 link_location 顯示為超連結文字。

應用例 ⑨▸網站超連結功能實作 ---------------------------------○

請在已開啟的範例檔案,分別建立兩個網頁超連結功能,一個連向 Google 首頁(https://www.google.com.tw/),另一個連向油漆式速記多國語言的入口網站(https://pmm.zct.com.tw/zct_add/)。

範例 檔案：hyperlink.xlsx

	A	B
1	我的最愛網頁	
2	資料搜尋網頁	
3	多國語言網頁	

執行結果 檔案：hyperlink_ok.xlsx

	A	B
1	我的最愛網頁	
2	資料搜尋網頁	Google入口網站
3	多國語言網頁	油漆式速記多國語言學習網站

於 B2 及 B3 儲存格建立連 Google 首頁及向油漆式速記多國語言的入口網站

【操作說明】

	A	B	C	D
1	我的最愛網頁			
2	資料搜尋網頁	=HYPERLINK("https://www.google.com","Google入口網站")		
3	多國語言網頁			

於 B2 儲存格輸入公式
=HYPERLINK("https://www.google.com", "Google 入口網站")

	A	B	C	D	E	F
1	我的最愛網頁					
2	資料搜尋網頁	Google入口網站				
3	多國語言網頁	=HYPERLINK("https://pmm.zct.com.tw/zct_add/","油漆式速記多國語言學習網站")				
4						

於 B3 儲存格輸入公式
=HYPERLINK"https://pmm.zct.com.tw/zct_add/","油漆式速記多國語言學習網站")

當點擊 B2 儲存格所設定的超連結，會開啟 Google 搜尋引擎的首頁

06 字串的相關函數

07 財務與會計函數

08 查閱與參照函數、資訊、資料驗證

09 綜合商務應用範例

10 函數提示技巧與範例 實戰 ChatGPT 大師級

A 工作技巧相關資料整理

當點擊 B3 儲存格所設定的超連結，會開啟油漆式速記多國語言的入口網站

06 字串的相關函數

07 財務與會計函數

08 查閱與參照函數、資訊、資料驗證

09 綜合商務應用範例

10 函數提示技巧與範例 實戰 ChatGPT 大師級

A 工作技巧 資料整理相關

Section 8-9

CELL
傳回儲存格的資訊

這幾個函數可以傳回參照位址列號或欄號，列數或欄數。

▷ CELL 函數

▶ **函數說明**：傳回參照位址範圍中左上角儲存格的格式設定、位址或內容等相關資訊。

▶ **函數語法**：CELL(info_type,reference)

▶ **引數說明**：
- info_type：用來指定要取得哪一種儲存格資訊的文字值，此文字值必須以雙引號的半形文字框住，請注意，必須是半形文字，當輸入全形文字或文字拼錯了，就會回傳「#VALUE!」的錯誤值，如果在指定 info_type 沒有輸入雙引號，則會回傳「#NAME?」的錯誤值。
- reference：所要的相關資訊之儲存格。如果忽略這個引數，則會傳回最後一個變更的儲存格。

下表整理出各種 info_type 所傳回的資訊。

info_type	所傳回的儲存格資訊
"address"	以絕對參照位址的文字形式傳回。 參照範圍左上角第一個儲存格的參照，例如："$A$1"。
"col"	參照中儲存格的欄號。
"color"	如果儲存格設定為會因負值而改變色彩的格式，則傳回 1；否則傳回 0。
"contents"	回傳參照範圍左上角儲存格的數值。
"filename"	以文字形式表示包含參照之檔案的檔名（包含完整路徑）。如果尚未存檔，則會傳回空白文字（""）。
"format"	會回傳指定的儲存格格式所對應的文字常數。
"parentheses"	如果儲存格格式設定為將正值或全部的值放在一組括弧中，則傳回值 1；否則傳回 0。

info_type	所傳回的儲存格資訊
"prefix"	回傳對應於儲存格「標籤首碼」的文字。如果該儲存格有靠左對齊的文字時，傳回單引號（'）；如果該儲存格中有靠右對齊的文字時，傳回雙引號（"）；如果該儲存格中有置中文字時，傳回插入符號（^）；如果該儲存格中含有填滿對齊的文字時，傳回反斜線（\）；如果該儲存格含有其他的資料，則傳回空白文字（""）。
"protect"	如果該儲存格並未鎖定，傳回值 0；如果儲存格已鎖定，則傳回 1。
"row"	參照中儲存格的欄號。
"type"	對應於儲存格中資料類型的文字。如果該儲存格是空白的，傳回 "b"（代表 blank），如果該儲存格含有文字常數，則傳回 "l"（代表 label）；如果該儲存格中含有其他類別的資料，則傳回 "v"（代表 value）。
"width"	儲存格的欄寬，四捨五入為整數。

下表摘要出幾個當 info_type="format" 時，不同儲存格所對應的 CELL 格式代碼：

如果 Excel 格式是	CELL 函數會傳回
通用格式	"G"
0	"F0"
#,##0	",0"
0.00	"F2"
#,##0.00	",2"
$#,##0_);($#,##0)	"C0"
$#,##0_);[Red]($#,##0)	"C0-"

想要了解更完整的相關細節，可以參考微軟公司提供的 Office 線上說明文件的「CELL 函數 – Office 支援」，請直接在 Google 輸入關鍵字「cell excel」，就可以快速找到這個函數的線上支援說明文件。

應用例 ⑩ CELL 函數綜合運用

請參考下圖的執行結果，將原始的範例檔案利用 CELL()函數進行各種不同資訊類型的實際演練。

範例 檔案：cell.xlsx

	A
1	CELL函數各種不同資訊類型查閱練習
2	address
3	col
4	-321.54
5	contents
6	filename
7	110/5/2
8	$ 562.45
9	置中字元
10	protect
11	row
12	98.103
13	width

06
字串的相關函數

07
財務與會計函數

08
查閱與參照函數、資訊、資料驗證、資訊

09
綜合商務應用範例

10
函數提示技巧與範例
實戰 ChatGPT 大師級

A
工作技巧相關
資料整理相關

執行結果 檔案：cell_ok.xlsx

	A	B	C	D	E	F
1	CELL函數各種不同資訊類型查閱練習					
2	address	$A$2				
3	col		1			
4	-321.54		1			
5	contents	contents				
6	filename	C:\Users\USER\Desktop\博碩_Excel函數\範例檔\ch08\[cell_ok.xlsx]Sheet1				
7	110/5/2	D1				
8	$	562.45	0			
9	置中字元	^				
10	protect		1			
11	row		11			
12	98.103	v				
13	width		34			

[操作說明]

要實作各種不同資訊類型的查閱工作，請根據下列表格的各儲存格的公式，分別輸入指定的公式，就可以得到我們所要的執行結果的檔案外觀：

儲存格名稱	輸入的公式
B2	=CELL("address",A2)
B3	=CELL("col",A3)
B4	=CELL("color",A4)
B5	=CELL("contents",A5)
B6	=CELL("filename",A6)
B7	=CELL("format",A7)
B8	=CELL("parentheses",A8)
B9	=CELL("prefix",A9)
B10	=CELL("protect",A10)
B11	=CELL("row",A11)
B12	=CELL("type",A12)
B13	=CELL("width",A13)

06

字串的相關函數

07

財務與會計函數

08

資料驗證、資訊、查閱與參照函數

09

綜合商務應用範例

10

實戰 ChatGPT 大師級函數提示技巧與範例

A

資料整理相關工作技巧

GET.CELL
取得儲存格（或範圍）的訊息

GET 就是取得的意思、CELL 是儲存格的意思。這個函數可以讓您根據傳入的類型參數來取得儲存格中的什麼訊息。也就是說，GET.CELL()函數是取得儲存格的格式，這個函數是一種巨集函數，各位不能直接在儲存格以公式的方式輸入這個函數，如果使用者企圖在儲存格輸入類似如下的 GET. CELL()函數，就會得到如下的錯誤畫面，=GET.CELL(63,Sheet1!A1:G10)。

首先我們先來看這個函數的功能說明及函數語法介紹：

▶ **GET.CELL 函數**

- ▶ **函數說明**：取得指定類型編號的儲存格（或範圍）的訊息。

- ▶ **函數語法**： =GET.CELL(類型編號,儲存格(或範圍))

- ▶ **引數說明**： ・ 類型編號：所謂類型編號就是想要得到的訊息的類型的數字編號，共有 66 個不同的數字編號，分別代碼不同的訊息內容。一共有 66 種代碼。

  ・ 儲存格（或範圍）：想要取得資訊的儲存格（或範圍）。

雖然這個函數無法直接在儲存格以公式輸入的方式來使用它，不過，我們卻可以利用「定義名稱」的方式將公式寫到「參照到」欄位來使用。

應用例 ⑪ 查看 Excel 不同的類型編號所取得的訊息 ----------------------------------◦

請利用 GET.CELL() 函數設計一個工作表，並利用「定義名稱」的方式將公式寫到「參照到」欄位來使用，可以讓您查看所有 Excel 所有能回傳的訊息類型及回傳內容。

範例 檔案：getcell.xlsx

	A	B	C	D	E	F
1		get.cell類型編號測試		類型編號	回傳結果	訊息內容說明
2				1		絕對地址
3				2		列號
4				3		欄號
5				4		類似 TYPE 函數
6				5		參照地址的內容
7				6		參照位址的公式
8				7		參照位址的格式
9				8		參照位址的格式
10				9		儲存格外框左方樣式
11				10		儲存格外框右方樣式
12				11		儲存格外框上方樣式
13				12		儲存格外框下方樣式
14				13		內部圖樣，數字顯示
15				14		如果儲存格被設定鎖定傳回 TRUE
16				15		如果公式處於隱藏狀態傳回 TRUE

工作表1

操作說明

任選一個儲存格，執行「公式 / 定義名稱」來「定義名稱」，將公式寫到「參照到」欄位來使用

❶ 輸入任意名稱，此處筆者輸入「類型編號測試」

❷ 輸入 GET.CELL() 公式

❸ 按下「確定」鈕

06

字串的相關函數

07

財務與會計函數

08

查閱與參照函數、

資料驗證、資訊、

09

綜合商務應用範例

10

函數提示技巧與範例

實戰 ChatGPT 大師級

A

工作技巧

資料整理相關

於 E2 儲存格輸入「=類型編號測試」的名稱來存取所參照的公式

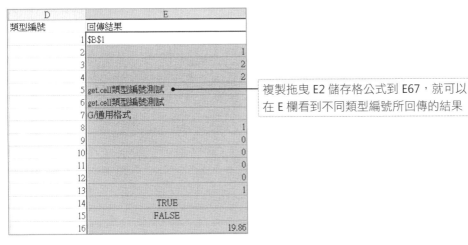

複製拖曳 E2 儲存格公式到 E67，就可以在 E 欄看到不同類型編號所回傳的結果

因為這個活頁簿有巨集，所以無法儲存成一般的活頁簿檔案，此處按下「否」鈕

❷ 輸入檔案名稱

❶ 變更存檔類型為巨集

❸ 按下「儲存」鈕

執行結果 ▶ 檔案：getcell_ok.xltm

	A	B	C	D	E	F
1		get.cell類型編號測試		類型編號	回傳結果		訊息內容說明
2					1 $B$1		絕對地址
3					2		1 列號
4					3		2 欄號
5					4		2 類似 TYPE 函數
6					5 get.cell類型編號測試		參照地址的內容
7					6 get.cell類型編號測試		參照位址的公式
8					7 G/通用格式		參照位址的格式
9					8		1 參照位址的格式
10					9		0 儲存格外框左方樣式
11					10		0 儲存格外框右方樣式
12					11		0 儲存格外框方上樣式
13					12		0 儲存格外框方下樣式
14					13		1 內部圖樣，數字顯示
15					14	TRUE	如果儲存格被設定鎖定傳回 TRUE
16					15	FALSE	如果公式處於隱藏狀態傳回 TRUE
17					16		19.86 儲存格寬度
18					17		15.75 儲存格高度
19					18 新細明體		字型名稱
20					19		11 傳回字號

工作表1 ⊕

從結果檔案可以看出不同類型編號所傳回的結果值

06
字串的相關函數

07
財務與會計函數

08
資料驗證、資訊、查閱與參照函數

09
綜合商務應用範例

10
函數提示技巧與範例實戰 ChatGPT 大師級

A
工作技巧相關資料整理

Section 8-11 | INFO
回傳作業環境的相關資訊

傳回目前作業環境的相關資訊。INFO 函數只有一個引數，這個引數是指定所要傳回何種資訊類型的文字。例如如果所傳入的引數為 "directory" 則會傳目前目錄或資料夾的路徑。

▷ INFO 函數

▶ **函數說明**：根據所傳入引數的不同回傳目前作業環境的相關資訊。

▶ **函數語法**：INFO(type_text)

▶ **引數說明**：type_text：是用來告知函數要傳回何種資訊類型的文字。

目前這個函數可以傳入的資訊類型的文字說明如下：

"directory"：目前目錄或資料夾的路徑。

"numfile"：開啟中活頁簿的使用中工作表數量。

"origin"：傳回視窗中最上方和最左方顯示儲存格的絕對儲存格參照（文字前會加上 $A:）。

"osversion"：目前作業系統的版本，顯示為文字。

"recalc"：目前重算模式；傳回「自動」或「手動」。

"release"：Microsoft Excel 版本。

"system"：作業環境的名稱，如果是 Macintosh 作業系統，回傳 "mac"，如果是 Windows 作業系統，回傳 "pcdos"。

應用例 12 不同資訊類型文字的回傳結果 ----------------------------------○

請利用 INFO() 函數設計一個工作表，這個工作表會列出各種不同 INFO() 函數
資訊類型文字，並請以 INFO() 函數傳入所列出的引數，並輸出這個函數的回傳
結果。

範例 檔案：info.xlsx

	A	B
1	實測INFO函數不同資訊類型文字的回傳結果	
2	資訊類型文字	實際回傳結果
3	directory	
4	numfile	
5	origin	
6	osversion	
7	recalc	
8	release	
9	system	

> 請於 B3:B9 輸入公式實測 INFO() 函數
> 不同資訊類型文字的回傳結果

操作說明

	A	B
1	實測INFO函數不同資訊類型文字的回傳結果	
2	資訊類型文字	實際回傳結果
3	directory	=INFO(A3)
4	numfile	
5	origin	
6	osversion	
7	recalc	
8	release	
9	system	

> 於 B3 儲存格輸入公式 =INFO(A3)，
> 接著按下「Enter」鍵

	A	B
1	實測INFO函數不同資訊類型文字的回傳結果	
2	資訊類型文字	實際回傳結果
3	directory	E:\博碩_Excel函數\範例檔\ch08\
4	numfile	
5	origin	
6	osversion	
7	recalc	
8	release	
9	system	

> 會於 B3 儲存格傳回目前目錄或資料
> 夾的路徑

	A	B	C
1	實測INFO函數不同資訊類型文字的回傳結果		
2	資訊類型文字	實際回傳結果	
3	directory	E:\博碩_Excel函數\範例檔\ch08\	
4	numfile	2	
5	origin	$A:$A$1	
6	osversion	Windows (32-bit) NT 10.00	
7	recalc	自動	
8	release	16.0	
9	system	pcdos	
10			

拖曳複製 B3 公式到 B9 儲存格

執行結果 檔案：info_ok.xlsx

	A	B
1	實測INFO函數不同資訊類型文字的回傳結果	
2	資訊類型文字	實際回傳結果
3	directory	E:\博碩_Excel函數\範例檔\ch08\
4	numfile	2
5	origin	$A:$A$1
6	osversion	Windows (32-bit) NT 10.00
7	recalc	自動
8	release	16.0
9	system	pcdos

輸出這個函數的回傳結果

Section 8-12 | **TYPE 傳回值的類型**

傳回值的資料類型。通常被應用在當所輸入的公式或函數必須視特殊儲存格中的值類型來決定處理方式時,這個情況下就可以使用 TYPE 函數來傳回值的類型。

▷ **TYPE 函數**

▸ 函數說明:傳回值的資料類型。

▸ 函數語法:TYPE(value)

▸ 引數說明:value:這是唯一的引數,而且不可忽略,這個引數這可以是 Microsoft Excel 的任何值,如數字、文字、邏輯值、錯誤值、陣列等。舉例來說,如果值是數字,TYPE 函數會傳回 1。

應用例 ⑬▸ 不同引數值的 TYPE 函數回傳結果 ----------------------------------○

請利用 TYPE()函數設計一個工作表,這個工作表會傳入各種不同 TYPE 引數值,並請以 TYPE()函數傳入所列出的引數,並輸出這個函數的回傳結果。

範例 〉檔案:type.xlsx

▲	A	B
1	實測TYPE函數傳入不同引數值的回傳結果	
2	引數值內容	實際回傳結果
3	=TYPE(5)	
4	=TYPE("'type函數測試")	
5	=TYPE(TRUE)	
6	=TYPE(6/0)	
7	=TYPE({"A","a","中","3"})	

請於 B3:B7 輸入公式實測 TYPE()函數不同 TYPE 引數值的回傳結果

06 字串的相關函數

07 財務與會計函數

08 資料驗證、資訊、查閱與參照函數

09 綜合商務應用範例

10 實戰 ChatGPT 大師級 函數提示技巧與範例

A 資料整理相關 工作技巧

操作說明

❶ 於 B3 儲存格輸入公式 =TYPE(5)

❷ 數字類型的值 TYPE 函數會回傳 1

❶ 於 B4 儲存格輸入公式 =TYPE("'type 函數測試")

❷ 字串類型的值 TYPE 函數會回傳 2

❶ 於 B5 儲存格輸入公式 =TYPE(TRUE)」

❷ 邏輯值類型的值 TYPE 函數會回傳 4

❶ 於 B6 儲存格輸入公式 =TYPE(6/0)」，其中 6/0 會產生錯誤值 #DIV/0!

❷ 錯誤值類型的值 TYPE 函數會回傳 16

❶ 於 B7 儲存格輸入公式
=TYPE({"A","a"," 中 ","3"})

❷ 陣列類型的值 TYPE 函數會回傳 64

執行結果 檔案：type_ok.xlsx

	A	B
1	實測TYPE函數傳入不同引數值的回傳結果	
2	引數值內容	實際回傳結果
3	=TYPE(5)	1
4	=TYPE("type函數測試")	2
5	=TYPE(TRUE)	4
6	=TYPE(6/0)	16
7	=TYPE({"A","a","中","3"})	64

完成各種實測 TYPE 函數傳入不同引數值的回傳結果

06
字串的相關函數

07
財務與會計函數

08
資料驗證、資訊、查閱與參照函數

09
綜合商務應用範例

10
函數提示技巧與範例實戰 ChatGPT 大師級

A
資料整理相關工作技巧

OFFSET
傳回指定條件的儲存格參照

傳回根據所指定列數及欄數之儲存格或儲存格範圍之參照。

> ### ▶ IFS 函數

▶ 函數說明：傳回根據所指定列數及欄數之儲存格或儲存格範圍之範圍的參照。

▶ 函數語法：OFFSET(reference,rows,cols,[height],[width])

▶ 引數說明：
- reference：計算位移的起始參照，必須參照一個儲存格或相鄰的儲存格範圍，否則會傳回 #VALUE! 的錯誤值。
- rows：從左上角儲存格往上或往下參照的列數。使用 2 做為 rows 引數，指出參照的左上角儲存格是 reference 下方的第二欄。正數表在起始參照下方，負數表示在起始參照上方。
- cols：從左上角儲存格向左或向右參照的欄數。使用 2 作為 cols 引數，指出參照的左上角儲存格是 reference 右方的第二欄。正數表示在起始參照右方，負數表在起始參照左方。
- [height]：要傳回參照的列數高度，不能為負數。
- [width]：要傳回參照的欄數寬度，不能為負數。

應用例 ⑭ ▶ 實測 OFFSET 不同引數值的回傳結果

請利用 OFFSET 函數設計一個實測不同引數值的回傳結果。

範例 檔案：offset.xlsx

	A	B	C
1		傳回A6 儲存格的值	
2		會將儲存格A6：C8範圍內的數字求取平均值	
3		會傳回錯誤值，因為在工作表找不到參照的範圍	
4			
5	資料	資料	資料
6	10		2	3
7	4		5	6
8	7		8	18

> 請於 A1:A3 練習實作 B1:B3 所說明的 OFFSET 函數回傳結果

操作說明

❶ 於 A1 儲存格輸入
公式 =OFFSET(D3,
3,-3,1,1))

❷ 根據 OFFSET 所傳
入引數，傳回儲存
格 A6 的值，即數
值 10

❶ 於 A2 儲存格輸入公式 =AVERAGE(OFFSET(D3:F6,3,-3, 3, 3))

❷ 根據 OFFSET 所傳
入引數，傳回儲存
格 A6:C8 範 圍 所
有數值的平均值 7

❶ 於 A3 儲存格輸入
公式 =OFFSET(D3,
-4, -5)

❷ 根據 OFFSET 所傳
入引數，會傳回錯
誤值 #REF!，因為
在工作表找不到參
照的範圍

執行結果　檔案：offset_ok.xlsx

完成實測不同引數值
的回傳結果

06

字串的相關函數

07

財務與會計函數

08
查閱與參照函數
資料驗證、資訊、

09

綜合商務應用範例

10

函數提示技巧與範例
實戰 ChatGPT 大師級

A

工作技巧相關
資料整理

SHEET/SHEETS
回傳工作表號碼和數目

SHEET 函數傳回參照工作表的工作表號碼。SHEET 包含所有顯示、隱藏工作表，也包含所有其他工作表類型（例如巨集或圖表）。至於 SHEETS 函數傳回參照中的工作表數目傳回參照中的工作表數目。

▷ SHEET 函數

- ▶ 函數說明：傳回參照工作表的工作表號碼。
- ▶ 函數語法：SHEET(value)
- ▶ 引數說明：value：如果省略 value，SHEET 會回傳該函中的工作表編號。

▷ SHEETS 函數

- ▶ 函數說明：傳回參照中的工作表數目傳回參照中的工作表數目。
- ▶ 函數語法：SHEETS(value)
- ▶ 引數說明：value：如果省略 value，傳回參照中的工作表數目傳回參照中的工作表數目。

應用例 ⑮ 實作 SHEET/SHEETS 兩者間的差別 ┄┄┄┄┄○

請利用 SHEET 與 SHEETS 函數實作比較傳入不同引數時會傳回哪些不同的結果。底下的範例檔已在工作表 2 定義一個 data 的範圍名稱，如下圖所示：

範例 檔案：sheet.xlsx

請於 B2:B5 輸入不同公式比較傳入不同引數時會傳回哪些不同的結果

操作說明

於 B2 儲存格輸入公式 =SHEET()，會傳回目前的工作表編號 2

於 B3 儲存格輸入公式 =SHEETS()，回傳此活頁簿總共有多少張工作表，共有 3 張工作表

於 B4 儲存格輸入公式 =SHEET(data)，會回傳已定義名稱 data 的工作表編號 2

於 B5 儲存格輸入公式 =SHEETS(data)，傳回 3D 參照中含已定義名稱 data 總共有多少張工作表

執行結果 檔案：sheet_ok.xlsx

	A	B	C	D
1	sheet函數與sheets函數比較	輸入公式結果值	功能說明	資料
2	sheet()	2	回傳目前工作表編號	1
3	sheets()	3	回傳此活頁簿總共有多少張工作表	2
4	sheet(data)	2	回傳已定義名稱data的工作表編號	3
5	sheets(data)	1	傳回 3D 參照中含已定義名稱data總共有多少張工作表	4

06 字串的相關函數

07 財務與會計函數

08 查閱與參照函數、資料驗證、資訊、

09 綜合商務應用範例

10 函數提示技巧與範例 實戰 ChatGPT 大師級

A 工作技巧 資料整理相關

Section
8-15
FORMULATEXT
將公式以文字回傳

將傳入引數的公式以字串方式回傳，例如如果您在 A1 儲存格輸入一個公式 =TODAY()，當您在 A2 儲存格輸入公式 =FORMULATEXT(A1)，則會回傳字串「 =TODAY() 」。也就是説 FORMULATEXT 函數會傳回公式列中所顯示的內容。在下列情況中，FORMULATEXT 會傳回 #N/A 錯誤值，例如：

- 引數的儲存格並不包含公式。
- 儲存格中的公式超過 8192 個字元。
- 公式因為工作表受到保護時，無法在工作表中顯示。
- 所參照的另一個活頁簿還沒有開啟。

▷ **FORMULATEXT 函數**

- ▸ 函數說明： 將傳入引數的公式以字串方式回傳。
- ▸ 函數語法： FORMULATEXT(reference)
- ▸ 引數說明： reference：儲存格或儲存格範圍的參照。這個引數也可以參照另一個工作表或活頁簿。另外，如果這個引數是參照整列、整欄、儲存格範圍或已定義名稱，則 FORMULATEXT 會傳回列、欄或範圍左上角的值。

應用例 ⑯ FORMULATEXT 函數不同引數的不同回傳結果 ----------------------○

請利用 FORMULATEXT 函數設計一張工作表，實測不同引數的不同回傳結果。

範例 檔案：formulatext.xlsx

	A	B	C
1	公式	描述	結果
2		15 C2儲存格會出現A2儲存的公式, 並以文字方式呈現	
3	沒有公式	所參照引數的儲存格並沒有公式會回傳回N/A	

請於 C2:C3 以 FORMULATEXT 函數輸入公式來實測不同引數的不同回傳結果

操作說明

	A	B	C	D
1	公式	描述	結果	
2	15	C2儲存格會出現A2儲存的公式, 並以文字方式呈現	=FORMULATEXT(A2)	
3	沒有公式	所參照引數的儲存格並沒有公式會回傳回N/A		
4				

於 C2 儲存格輸入公式 =FORMULATEXT(A2) 公式

	A	B	C	D
1	公式	描述	結果	
2	15	C2儲存格會出現A2儲存的公式, 並以文字方式呈現	=SUM(1,2,3,4,5)	
3	沒有公式	所參照引數的儲存格並沒有公式會回傳回N/A		
4				

按下 ENTER 鍵後, 以文字字串傳回 A1 儲存格的公式

	A	B	C	D
1	公式	描述	結果	
2	15	C2儲存格會出現A2儲存的公式, 並以文字方式呈現	=SUM(1,2,3,4,5)	
3	沒有公式	所參照引數的儲存格並沒有公式會回傳回N/A	=FORMULATEXT(A3)	
4				

於 C3 儲存格輸入公式 =FORMULATEXT(A3)

執行結果 檔案：formulatext_ok.xlsx

	A	B	C
1	公式	描述	結果
2	15	C2儲存格會出現A2儲存的公式, 並以文字方式呈現	=SUM(1,2,3,4,5)
3	沒有公式	所參照引數的儲存格並沒有公式會回傳回N/A	#N/A

所參照引數的儲存格並沒有公式會回傳回 N/A

START

06

字串的相關函數

07

財務與會計函數

08

查閱與參照函數、
資料驗證、資訊、
資料驗證

09

綜合商務應用範例

10

函數提示技巧與範例
實戰 ChatGPT 大師級

A

工作技巧
資料整理相關

Section
8-16

ADDRESS 函數
取得儲存格的位址

請利用 ADDRESS 函數設計一張工作表，實測不同引數的不同回傳結果。

▷ ADDRESS 函數

▶ **函數說明**：根據各種不同指定的列和欄號碼的方式，取得工作表中儲存格的
位址。

▶ **函數語法**：ADDRESS(列號,欄號,[參照類型值],[欄名列號表示法],[工作表名
稱])

▶ **引數說明**：· 列號：儲存格參照中之列號。

· 欄號：儲存格參照中之欄號。

· 參照類型值：要傳回之參照類型的數值，非必要性引數。

· 欄名列號表示法：選擇性。指定 a1 或 R1C1 欄名列號表示法
的邏輯值。如果引數為 TRUE 或被省略，ADDRESS 函數會傳
回 a1 樣式參照；若為 FALSE，則傳回 R1C1 樣式參照，非必
要必要性引數。

· 工作表名稱：外部參考之工作表的名稱，非必要必要性引數。

其中：

參照類型值為 1 或省略，代表絕對參照。
參照類型值為 2，代表絕對列；相對欄。
參照類型值為 3，代表絕對欄；相對列。
參照類型值為 4，代表相對參照。

應用例 ⑰ ▶ ADDRESS 函數不同引數的回傳結果

請利用 ADDRESS 函數設計一張工作表，實測不同引數的不同回傳結果。

範例 檔案：address.xlsx

	A	B
1	公式	回傳結果的功能說明
2		回傳絕對參照
3		回傳絕對欄；相對列
4		欄名列號表示法，絕對欄；相對列
5		另一個活頁簿和工作表的絕對參照
6		另一個工作表的相對參照

操作說明

	A	B
1	公式	回傳結果的功能說明
2		回傳絕對參照
3		回傳絕對欄；相對列
4		欄名列號表示法，絕對欄；相對列
5		另一個活頁簿和工作表的絕對參照
6		另一個工作表的相對參照

請於 A2:A6 以 ADDRESS 函數輸入公式來實測不同引數的不同回傳結果

A2　fx　=ADDRESS(4,5)

	A	B
1	公式	回傳結果的功能說明
2	$E$4	回傳絕對參照
3		回傳絕對欄；相對列
4		欄名列號表示法，絕對欄；相對列
5		另一個活頁簿和工作表的絕對參照
6		另一個工作表的相對參照
7		

❶ 於 A2 儲存格輸入公式 =ADDRESS(4, 5)

❷ 回傳絕對參照

A3　fx　=ADDRESS(4,5,3)

	A	B
1	公式	回傳結果的功能說明
2	$E$4	回傳絕對參照
3	$E4	回傳絕對欄；相對列
4		欄名列號表示法，絕對欄；相對列
5		另一個活頁簿和工作表的絕對參照
6		另一個工作表的相對參照
7		

❶ 於 A3 儲存格輸入公式 =ADDRESS(4, 5,3)

❷ 回傳絕對欄；相對列

❶ 於 A4 儲存格輸入
公式 =ADDRESS(4,
5,2,FALSE)

❷ 欄名列號表示法，
絕對欄；相對列

❶ 於 A5 儲存格輸入
公式 =ADDRESS
(4,5,1,TRUE,"[活頁
簿1] 工作表1")

❷ 另一個活頁簿和工
作表的絕對參照

❶ 於 A6 儲存格輸入
公式 =ADDRESS
(4,5,4,FALSE,"EXCEL
工作表")

❷ 另一個工作表的相
對參照

06 字串的相關函數

07 財務與會計函數

08 查閱與參照函數、資訊、資料驗證、資料

09 綜合商務應用範例

10 函數提示技巧與範例 實戰 ChatGPT 大師級

A 工作技巧相關 資料整理

Section
8-17

CHOOSE 函數
從引數值清單中傳回值

這個函數會根據第一個引數 index_num 的值，再從第二個引數起的引數值清單中傳回對應的值，目前的引數清單最多支援到 254 個。舉例來說，如果 value1 到 value10 分別代表英文單字 one 到 ten，則 CHOOSE 便會根據範圍在 1 到 10 之間 index_num 的值，傳回其中一個所對應的英文單字。例如如果第一個引數 index_num 的值等於 3，則會傳回「three」這個英文單字。這個範例的 CHOOSE()函數的語法如下：
=CHOOSE(3,"one","two","three","four","five","six","seven","eight","nine","ten")

▷ CHOOSE 函數

▶ 函數說明：根據第一個引數 index_num 的值，再從引數值清單中傳回值。

▶ 函數語法：CHOOSE(index_num,value1,[value2],...)

▶ 引數說明： ・ index_num：這個不可忽略的引數，是一個 1-254 的整數值，用來告知系統要回傳引數清單中對應的索引值的內容。這個引數除了直接以整數值給定外，也可以是包含 1 到 254 之間某個數字的公式或儲存格參照。另外如果 index_num 小於 1 或大於清單中最後一個值的數值，則會傳回 #VALUE! 錯誤值。

・ value1, value2, ...：可根據第一個引數 index_num 的值從中選取要執行的值或動作，引數可以是數字、文字、公式或函數、儲存格參照、已定義之名稱。

06 字串的相關函數

07 財務與會計函數

08 查閱與參照函數、資訊、資料驗證、資料

09 綜合商務應用範例

10 函數提示技巧與範例 實戰 ChatGPT 大師級

A 工作技巧 資料整理相關

應用例 ⑱ ▶ 從類別編號自動填入書籍的類別名稱 ----------------------------○

請設計一個工作表，這個工作表包括書籍的序號、書籍名稱、類別編號，再利用 CHOOSE 函數從每一本書的類別編號去判斷，自動於 D 欄填入該書籍的類別名稱。

範例 檔案：choose.xlsx

	A	B	C	D
1	序號	書名	類別代號	類別名稱
2	1	C語言入門	1	
3	2	Java語言入門	1	
4	3	Photoshop影像處理工作術	2	
5	4	Excel VBA 職場高效應用實例	3	
6	5	圖說演算法：使用C++	4	
7	6	圖說演算法：使用C語言	4	
8	7	圖說演算法：使用C#	4	
9	8	圖說演算法：使用Python	4	
10	9	Python程式設計實務-從入門到精通step by step	1	
11	10	Word+Excel+PowerPoint超效率500招速成技	3	

> 請於利用 CHOOSE 函數自動於 D 欄填入該書籍的類別名稱

操作說明

> 於 D2 儲存格輸入公式 =CHOOSE(C2,"程式設計","影像多媒體","OFFICE 應用","資料結構與演算法")

D2　　▼ (×　fx =CHOOSE(C2,"程式設計","影像多媒體","OFFICE應用","資料結構與演算法")

	A	B	C	D	E	F	G	H
1	序號	書名	類別代號	類別名稱				
2	1	C語言入門	1	程式設計				
3	2	Java語言入門	1					
4	3	Photoshop影像處理工作術	2					
5	4	Excel VBA 職場高效應用實例	3					
6	5	圖說演算法：使用C++	4					
7	6	圖說演算法：使用C語言	4					
8	7	圖說演算法：使用C#	4					
9	8	圖說演算法：使用Python	4					
10	9	Python程式設計實務-從入門到精通step by step	1					
11	10	Word+Excel+PowerPoint超效率500招速成技	3					

	A	B	C	D	E
1	序號	書名	類別代號	類別名稱	
2	1	C語言入門	1	程式設計	
3	2	Java語言入門	1	程式設計	
4	3	Photoshop影像處理工作術	2	影像多媒體	
5	4	Excel VBA 職場高效應用實例	3	OFFICE應用	
6	5	圖說演算法：使用C++	4	資料結構與演算法	
7	6	圖說演算法：使用C語言	4	資料結構與演算法	
8	7	圖說演算法：使用C#	4	資料結構與演算法	
9	8	圖說演算法：使用Python	4	資料結構與演算法	
10	9	Python程式設計實務-從入門到精通step by step	1	程式設計	
11	10	Word+Excel+PowerPoint超效率500招速成技	3	OFFICE應用	
12					

> 拖曳複製 D2 公式到 D11 儲存格，可以看出 D 欄已從類別編號自動填入書籍的類別名稱

執行結果 檔案：choose_ok.xlsx

	A	B	C	D
1	序號	書名	類別代號	類別名稱
2	1	C語言入門		1 程式設計
3	2	Java語言入門		1 程式設計
4	3	Photoshop影像處理工作術		2 影像多媒體
5	4	Excel VBA 職場高效應用實例		3 OFFICE應用
6	5	圖說演算法：使用C++		4 資料結構與演算法
7	6	圖說演算法：使用C語言		4 資料結構與演算法
8	7	圖說演算法：使用C#		4 資料結構與演算法
9	8	圖說演算法：使用Python		4 資料結構與演算法
10	9	Python程式設計實務-從入門到精通step by step		1 程式設計
11	10	Word+Excel+PowerPoint超效率500招速成技		3 OFFICE應用

09

綜合商務應用範例

函數在 Excel 中是一項應用性相當高的功能，本單元將以商務範例為導向，以主題式的方式，綜合應用前面所介紹的各種實用的函數。本章會介紹的商務實例包括：在職訓練成績計算、排名與查詢、編製現金流量表，希望藉助這些實用的範例，幫助各位熟悉這些實用函數的功能及函數引數的設定方式，就可以幫助各位輕鬆感受到 Excel 如何幫助解決生活中大小事。

Section
9-1

在職訓練成績計算、排名與查詢
SUM、AVERAGE、RANK.EQ、VLOOKUP、COUNTIF 綜合應用

範例說明：有些企業會定期舉行在職訓練，在訓練過程中通常會有測驗，藉此了解職員受訓的各種表現，因此不妨製作一個在職訓練成績計算表，來統計每個受訓員工的成績，藉以獎勵或處分職員。製作在職訓練成績計算表過程中，將講解如何計算各項成績平均及總分計算，如何顯示出合格人數、名次排名，及查詢個人成績資料，讓管理者充分利用在職訓練成績計算表來做獎勵或處分的依據。本章範例成果如下：

	A	B	C	D	E	F	G	H	I	J
1	員工編號	員工姓名	電腦應用	英文對話	銷售策略	業務推廣	經營理念	總分	總平均	名次
2	910001	王楨珍	98	95	86	80	88	447	89.4	2
3	910002	郭佳琳	80	90	82	83	82	417	83.4	8
4	910003	葉千瑜	86	91	86	80	93	436	87.2	4
5	910004	郭佳華	89	93	89	87	96	454	90.8	1
6	910005	彭天慈	90	78	90	78	90	426	85.2	6
7	910006	曾雅琪	87	83	88	77	80	415	83	9
8	910007	王貞琇	80	70	90	93	96	429	85.8	5
9	910008	陳光輝	90	78	92	85	95	440	88	3
10	910009	林子杰	78	80	95	80	92	425	85	7
11	910010	李宗勳	60	58	83	40	70	311	62.2	12
12	910011	蔡昌洲	77	88	81	76	89	411	82.2	10
13	910012	何福謀	72	89	84	90	67	402	80.4	11

員工成績計算表　員工成績查詢

	A	B	C	D	E
1	請輸入員工編號：		910006		
3	查詢結果如下：				
4		員工姓名	曾雅琪	總分	415
5		電腦應用	87	平均	83
6		英文對話	83	名次	9
7		銷售策略	88		
8		業務推廣	77		
9		經營理念	80		
11	合格人數		12		
12	不合格人數		0		

員工成績查詢

06
字串的相關函數

07
財務與會計函數

08
查閱與參照函數
資料驗證、資訊、

09
綜合商務應用範例

10
函數提示技巧與範例
實戰 ChatGPT 大師級

A
工作技巧相關
資料整理相關

9-1-1 以填滿方式輸入員工編號

規模大的公司中,可能會有同名同姓的人,所以需要以獨一無二的員工編號來協助判定員工。除了以拖曳填滿控點的方式來輸入員工編號外,還可以使用其他的方法快速完成。請開啟範例檔「在職訓練 -01.xlsx」。

應用例 ❶ 運用填滿方式來填入員工編號

❶ 在 A1 儲存格中輸入「910001」

❸ 由「常用」標籤按下「填滿」鈕中的「數列」指令

❷ 選取 A2 至 A13 儲存格

❶ 選擇「欄」、「等差級數」

❷ 設定間距值為「1」,終止值為「910012」

❸ 按此鈕確定

	A	B	C	D	E	F	G
1	員工編號	員工姓名	電腦應用	英文對話	銷售策略	業務推廣	經營理念
2	910001	王楨珍	98	95	86	80	88
3	910002	郭佳琳	80	90	82	83	82
4	910003	葉千瑜	86	91	86	80	93
5	910004	郭佳華	89	93	89	87	96
6	910005	彭天慈	90	78	90	78	90
7	910006	曾雅琪	87	83	88	77	80
8	910007	王貞琇	80	70	90	93	96
9	910008	陳光輝	90	78	92	85	95
10	910009	林子杰	78	80	95	80	92
11	910010	李宗勳	60	58	83	40	70
12	910011	蔡昌洲	77	88	81	76	89
13	910012	何福謀	72	89	84	90	67

工作表1

已經依照間距設定，自動填滿員工編號了！

9-1-2 計算總成績

輸入員工編號後，緊接著就是計算員工各項科目總成績，用來了解誰是綜合成績最佳的員工。

應用例 ② 以自動加總計算總成績

❷ 點選「自動加總」鈕旁的下拉鈕，並執行「加總」指令

❶ 選 H2 儲存格

Excel 自動偵測出計算範圍，確定為正確計算範圍後，按下「Enter」鍵

❶ 選 H2 儲存格，並將滑鼠指標移至 H2 儲存格右下角

❷ 當指標變為 ＋ 圖示時，按住滑鼠左鍵往下拖曳至 H13 儲存格

在任一儲存格按一下滑鼠左鍵，每位員工的總分已經計算出來了！

06 字串的相關函數

07 財務與會計函數

08 查閱與參照函數、資料驗證、資訊、

09 綜合商務應用範例

10 函數提示技巧與範例 實戰 ChatGPT 大師級

A 工作技巧 資料整理相關

9-1-3 員工成績平均分數

計算出員工的總成績之後，接下來就來看看如何計算成績的平均分數。

應用例 ③ 計算成績平均

❷ 點選「自動加總」鈕旁的下拉鈕，並執行「平均值」指令

❶ 選取 I2 儲存格

將 AVERAGE 函數中的資料範圍 (C2:H2) 改為 (C2:G2)，並按下「Enter」鍵

	E	F	G	H	I	J	K	L	
1	銷售策略	業務推廣	經營理念	總分	總平均	名次			
2	86	80	88	447	89.4				
3	82	83	82	417	83.4				
4	86	80	93	436	87.2				
5	89	87	96	454	90.8				
6	90	78	90	426	85.2				
7	88	77	80	415	83				
8	90	93	96	429	85.8	◉ 複製儲存格(C)			
9	92	85	95	440	88	○ 僅以格式填滿(F)			
10	95	80	92	425	85	○ 填滿但不填入格式(O)			
11	83	40	70	311	62.2	○ 快速填入(F)			
12	81	76	89	411	82.2				
13	84	90	67	402	80.4				

❷ 按填滿控點智慧標籤鈕並點選「填滿但不填入格式」的選項

❶ 拖曳 I2 儲存格右下角的填滿控點至 I13 儲存格

06
字串的相關函數

07
財務與會計函數

08
查閱與參照函數
資料驗證、資訊、

09
綜合商務應用範例

10
函數提示技巧與範例
實戰 ChatGPT 大師級

A
工作技巧相關
資料整理

	B	C	D	E	F	G	H	I
1	員工姓名	電腦應用	英文對話	銷售策略	業務推廣	經營理念	總分	總平均
2	王楨珍	98	95	86	80	88	447	89.4
3	郭佳琳	80	90	82	83	82	417	83.4
4	葉千瑜	86	91	86	80	93	436	87.2
5	郭佳華	89	93	89	87	96	454	90.8
6	彭天慈	90	78	90	78	90	426	85.2
7	曾雅琪	87	83	88	77	80	415	83
8	王貞琇	80	70	90	93	96	429	85.8
9	陳光輝	90	78	92	85	95	440	88
10	林子杰	78	80	95	80	92	425	85
11	李宗勳	60	58	83	40	70	311	62.2
12	蔡昌洲	77	88	81	76	89	411	82.2
13	何福謀	72	89	84	90	67	402	80.4

總平均的格式以原來
設定模式呈現

只要善用填滿控點智慧標籤，所拖曳的儲存格就可以不同的方式呈現。

9-1-4 排列員工名次

知道了總成績與平均分數之後，接下來將了解員工名次的排列順序。在排列員工成績的順序時，可以運用 RANK.EQ() 函數來進行成績名次的排序。

應用例 ④ 排列員工成績名次

❷ 由「公式」標籤下
按「插入函數」鈕

❶ 選取 J2 儲存格

下拉此選單並選擇「統計」
選項

❷ 選此 RANK.EQ()函數

❶ 下拉捲軸至此

❸ 按此鈕確定

06
字串的相關函數

07
財務與會計函數

08
查閱與參照函數
資料驗證、資訊、

09
綜合商務應用範例

10
函數提示技巧與範例
實戰 ChatGPT 大師級

A
工作技巧
資料整理相關

此為員工「王楨珍」
的總分

❶ 輸入「H2」

❷ 按此鈕

❷ 按此鈕

❶ 以滑鼠選取參照
位址範圍「H2：
H13」

❶ 在此輸入數值「0」

❷ 按此鈕

第一位員工的排名

將公式中的「H2:H13」更改為「$H$2:$H$13」，使變成絕對參照地址

❷ 正確的排列出名次了！

❶ 拖曳 J2 儲存格右下角的填滿控點至 J13 儲存格

很簡單吧！不費吹灰之力就已經把在職訓練成績計算表的名次給排列出來了！

9-1-5 查詢員工成績

當建立好所有員工成績統計表後，為了方便查詢不同員工的成績，需要建立一個成績查詢表，讓使用者只要輸入員工編號後就可直接查詢到此員工的成績資料。

而在此查詢表中，需要運用到 VLOOKUP()函數。因此在建立查詢表前，先來認識 VLOOKUP()函數，請開啟範例檔「在職訓練 -02.xlsx」，將查詢表格製作完成。

應用例 ⑤ ▸ 建立員工成績查詢表

❷ 由「公式」標籤下
按「插入函數」鈕

❶ 選取「C4」儲存格

下拉此鈕並選擇「檢視與參
照」類別

06
字串的相關函數

07
財務與會計函數

08
查閱與參照函數、資料驗證、資訊、

09
綜合商務應用範例

10
函數提示技巧與範例
實戰 ChatGPT 大師級

A
工作技巧
資料整理相關

06 字串的相關函數

07 財務與會計函數

08 查閱與參照函數、資料驗證、資訊、

09 綜合商務應用範例

10 函數提示技巧與範例 實戰ChatGPT大師級

A 工作技巧 資料整理相關

❶ 輸入「2」，此為員工姓名欄位名稱

❷ 輸入「0」，表示要找到完全符合的資料

❸ 按此鈕確定

在 C1 儲存格中，輸入員工編號「910001」並按下「Enter」鍵

因為參照位址 C1 還未輸入，故此產生錯誤訊息

在 C4 出現輸入編號的員工姓名了！

接下來只要對照項目名稱，依序將 VLOOKUP()函數中的「Col_index_num」引數值依照參照欄位位置改為 3、4、5…等即可。例如電腦應用在第 3 欄，就改為 VLOOKUP（C1, 員工成績計算表 !A1:J13,3,0）即可。

此為 E6 儲存格的公式

See，這樣就可輕易查出每位員工的成績了！

9-1-6 計算合格與不合格人數

為了提供成績查詢更多的資料，接下來將在員工成績查詢工作表中加入合格與不合格的人數，讓查詢者了解與其他人的差距。在計算合格與不合格人數中，必須運用到 COUNTIF()函數。請開啟範例檔「在職訓練 -03.xlsx」。

應用例 6 ▸ 顯示合格與不合格人數

❸ 點選此工具鈕

❷ 選取 B11 儲存格

❶ 切換至此工作表

06
字串的相關函數

07
財務與會計函數

08
查閱與參照函數、資料驗證、資訊、

09
綜合商務應用範例

10
函數提示技巧與範例
實戰 ChatGPT 大師級

A
工作技巧
資料整理相關

❶ 輸入「COUNTIF」

❷ 按此鈕開始搜尋

❶ 搜尋到 COUNTIF() 函數

❷ 按此鈕

按此折疊鈕

❷ 選取 I2 至 I13 儲存格

❸ 按此折疊鈕

❶ 切換至此員工成績 計算工作表

❶ 在此輸入「">=60"」

❷ 按此鈕

至於不合格人數的作法與上述步驟雷同，只要在步驟 6 將引數 Criteria 欄位中的值改為「"<60"」，即可。其成果如下圖：

如果使用者想看設定結果可直接開啟範例檔「在職訓練 -04.xlsx」來觀看。

06
字串的相關函數

07
財務與會計函數

08
查閱與參照函數、資料驗證、資訊、

09
綜合商務應用範例

10
函數提示技巧與範例實戰 ChatGPT 大師級

A
工作技巧相關資料整理

Section 9-2 現金流量表
NOW、TEXT、MATCH、INDEX 綜合應用

範例說明:「現金流量表」在財務會計中,是僅次於「資產負債表」及「損益表」的第三大財務報表,畢竟公司資金調度不像個人比較靈活與方便,動輒上萬元的費用支出,甚至規模大的公司上百萬的現金流動都是輕鬆平常的事。透過現金流量表可以顯示出公司在某一段期間中現金流動的情形,並可以預測未來對資金的需求,讓財務人員及公司負責人及早的規劃調度資金。本章的重點是學習如何設計簡單而又一目了然的現金流量表。

伊斯酋科技股份有限公司
現金資金分析表

110年一月至110年十二月

	一月	二月	三月	四月	五月	六月	七月	八月	九月	十月	十一月	十二月	合計
營業活動之現金資產													
本期損益	450,000	230,000	3,000	250,000	60,000	75,600	23,500	765,000	45,000	64,500	360,000	25,000	2,351,600
加: 呆帳、折舊、攤銷	150,000	150,000	150,000	150,000	150,000	150,000	150,000	150,000	150,000	150,000	150,000	150,000	1,800,000
出售資產屬固定資產之損失	0	0	0	0	0	0	50,000	0	0	0	0	0	60,000
流動資產減少數	356,800	376,000	47,200	299,000	330,000	400,000	376,000	384,500	267,490	429,000	256,000	331,000	3,852,990
流動負債增加數	675,000	345,000	160,000	375,000	90,000	113,400	35,025	114,750	67,050	96,750	54,000	3,750	2,130,625
減: 權益法之投資收入	15,670	15,670	15,670	15,670	15,670	15,670	15,670	15,670	15,670	15,670	15,670	15,670	188,040
出售資產屬固定資產之利益	0	0	0	80,000	0	0	0	0	150,000	0	0	0	230,000
流動資產增加數	64,224	67,680	84,960	53,820	59,400	72,000	67,680	59,210	48,148	77,220	46,080	59,580	770,002
流動負債減少數	135,000	169,000	190,000	175,000	118,000	212,680	217,050	229,500	213,500	319,350	108,000	7,500	2,094,580
營業活動之淨現金流入(出)	1,426,906	848,650	70,470	749,510	436,930	438,650	334,125	1,099,870	102,222	328,010	650,250	427,000	6,912,593
投資活動之現金資產													
加: 出售資產屬投資債債	100,000	60,000	45,000	35,000	60,000	45,000	35,000	60,000	35,000	0	20,000	60,000	600,000
出售資產屬固定資產債	400,000	0	0	680,000	0	0	160,000	0	0	0	0	0	1,240,000
減: 購入資產屬投資債債	50,000	0	50,000	50,000	50,000	50,000	50,000	50,000	50,000	50,000	50,000	50,000	600,000
購入資產屬固定資產債	600,000	0	0	0	0	0	0	0	0	0	0	0	600,000
投資活動之淨現金流入(出)	(150,000)	10,000	(5,000)	665,000	10,000	(5,000)	145,000	10,000	(5,000)	(15,000)	(30,000)	10,000	640,000
理財活動之現金資產													
加: 償還增加	556,000	0	500,000	250,000	0	0	0	300,000	0	0	0	0	1,606,000
現金增資發行所投債債													
減: 償還借款(本金)	120,000	0	0	0	670,000	0	0	500,000	0	150,000	166,000	0	1,606,000
發放現金股利	0	0	3,000,000	0	0	2,500,000	0	0	0	0	0	0	5,500,000
積溢特別股贖贖稅及溢資	0	0	0	0	0	0	0	0	60,000	0	0	500,000	560,000
理財活動之淨現金流入(出)	436,000	0	(2,500,000)	250,000	(670,000)	0	(2,500,000)	(200,000)	(60,000)	(150,000)	(166,000)	(500,000)	(6,060,000)
加: 期初現金餘額	123,000	1,835,906	2,694,556	260,026	1,924,536	1,701,466	2,135,116	114,241	1,024,111	1,061,333	1,224,343	1,678,593	123,000
期末現金餘額	1,835,906	2,694,556	260,026	1,924,536	1,701,466	2,135,116	114,241	1,024,111	1,061,333	1,224,343	1,678,593	1,615,593	1,615,593

現金流量圖　現金流量表

現金流量表的表單樣式，大致如下圖所示：請讀者開啟範例檔「現金流量表 -01. xlsx」來對照。

9-2-1 使用名稱管理員

名稱管理員主要是管理已經定義的範圍名稱，在名稱管理員中可以新增、編輯、刪除範圍名稱。首先整理要在此範例中會使用到的「範圍名稱」，列表如下：

名稱	範圍
營業活動現金流量	$C17:$O17
投資活動現金流量	$C24:$O24
理財活動現金流量	$C32:$O32
期初現金餘額	$C34:$O34

請讀者開啟範例檔「現金流量表 -01.xlsx」，一起使用名稱管理員建立「範圍名稱」。

06 字串的相關函數

07 財務與會計函數

08 查閱與參照函數、資料驗證、資訊、

09 綜合商務應用範例

10 函數提示技巧與範例 實戰 ChatGPT 大師級

A 工作技巧 資料整理相關

應用例 **7** 使用名稱管理員

由「公式」標籤下按
「名稱管理員」鈕

按此鈕新增範圍名稱

❶ 輸入名稱

❷ 輸入範圍

❸ 按此鈕

按此鈕繼續輸入其他定義範圍名稱

顯示已定義的範圍名稱

依照 2、3 步驟，依序將表列範圍名稱定義完成，如下圖所示。

按此鈕關閉名稱管理員

9-2-2 使用「範圍名稱」運算

「C35=C17+C24+C32+C34」，這樣的運算式無法讓使用者立即了解運算式所代表的涵義，如果直接利用「範圍名稱」列運算式，這樣就可以看明白了。

06 字串的相關函數

07 財務與會計函數

08 查閱與參照函數、資訊、資料驗證、

09 綜合商務應用範例

10 函數提示技巧與範例 實戰 ChatGPT 大師級

A 工作技巧相關 資料整理相關

現金流量表各期的期末現金餘額為：

營業活動現金流動＋投資活動現金流動＋理財活動現金流動＋
期初現金餘額＝期末現金餘額

將 C35:O35 儲存格各公式內容改成上述運算式，不但簡易清楚，如果參照欄位有所變動時，只需修改「範圍名稱」中的參照欄位即可，是不是很方便？請開啟範例檔「現金流量表 -02.xlsx」練習。

應用例 ⑧ ▶ 使用「範圍名稱」運算

❷ 由「公式」標籤按下「用於公式」鈕，再下拉選擇「投資活動現金流量」指令

❶ 選擇 C35 儲存格，清除內容後輸入「＝」

重複「公式」標籤按下「用於公式」鈕，更改運算式如圖示

06 字串的相關函數

07 財務與會計函數

08 查閱與參照函數、資訊、資料驗證、資料

09 綜合商務應用範例

10 函數提示技巧與範例實戰 ChatGPT 大師級

A 工作技巧資料整理相關

C35 　　fx =投資活動現金流量+理財活動現金流量+期初現金餘額+營業活動現金流量

	A	B	C	D	E	F	G
31		贖回特別股庫藏股及減資	0	0	0	0	0
32	理財活動之淨現金流入（出）		436,000	0	(2,500,000)	250,000	(670,000)
33							
34	加：期初現金餘額		123,000	1,835,906	2,694,556	260,026	1,924,536
35	期末現金餘額		1,835,906	2,694,556	260,026	1,924,536	1,701,466
36							

拖曳複製儲存格 D35:O35

	A	B	C	D	E	F
26	**理財活動之現金流量**					
27	加：借款增加		556,000	0	500,000	250,000
28		現金增資發行新股售價	0	0	0	0
29	減：償還借款（本金）		120,000	0	0	0
30		發放現金股利	0	0	3,000,000	0
31		贖回特別股庫藏股及減資	0	0	0	0
32	理財活動之淨現金流入（出）		436,000	0	(2,500,000)	250,000
33						
34	加：期初現金餘額		123,000	1,835,906	2,694,556	260,026
35	期末現金餘額		1,835,906	2,694,556	260,026	1,924,536
36						

仔細比對！運算結果和原先的相同，這真是太神奇了

TIPS

合計中的「期初現金餘額」，是指開始月份的金額，而不是前一個月份的期初金額。

9-2-3 設定表首日期

依照慣例財務報表的表首，都一定有報表內容相關的日期，可以利用 Excel 預設的函數功能，實際應用到現金流量表中。現在開始應用在現金流量表的表首日期上，請延續上一個範例檔，跟著下面的步驟執行。

應用例 9 ▶ 設定表首日期

❷ 由「公式」標籤按下「定義名稱」鈕

❶ 選取 C5 儲存格

❶ 定義範圍名稱為「開始月份」

❷ 按此鈕確定

TIPS

「開始月份」有可能不是當年度的一月，因此先預設 C5 儲存格為「開始月份」，可以隨著動態月份變動自動更新。

❷ 按「插入函數」鈕

❶ 選 A4 儲存格

❸ 選此函數

❹ 按此鈕

❷ 按下拉式函數鈕，選擇 NOW() 函數

❶ 插入點移至此

在此按滑鼠左鍵回到 TEXT() 函數

06 字串的相關函數

07 財務與會計函數

08 查閱與參照函數　資料驗證、資訊

09 綜合商務應用範例

10 函數提示技巧與範例　實戰 ChatGPT 大師級

A 工作技巧　資料整理相關

> **TIPS**
>
> 當各位要輸入多層函數時，輸入完裡層的函數，如果直接按確定鈕，則會出現公式錯誤的對話方塊。只需將插入點移至上一層函數名稱中，則可繼續輸入未完成的函數引數。

❶ 輸入「"E 年"」

❷ 按此鈕

儲存格格式變化了

繼續輸入公式，即可完成

為了要讓表首日期有年、月的顯示，並結合後面將介紹的「動態月份」，於步驟 7 的設定值加上「&」（也就是「連接號」）及 IF() 函數，這樣才可以完整表現表首的起迄日期。

2-4 自動顯示異常資料

現金流量表除了告知報表使用者現金使用*的 來*龍去脈，最主要還是要提醒報表使用者，「現金餘額」是否足以應付未來幾個*月 營*運的需求。

當營運現金低於某一個水平的時候，表示有*異常 的警*訊，因此，利用「設定格式化條件」，當餘額高於 150 萬或低於 50 萬時，就*讓儲*存格變成紅底黑字加上黃色的框線。請讀者開啟範例檔「現金流量表 -03.xlsx」

應用例 ⑩ 自動顯示異常資料 --○

❶ 選 C35 儲存格

❷ 執行此指令

按此鈕

06 字串的相關函數

07 財務與會計函數

08 查閱與參照函數、資訊 資料驗證、資訊

09 綜合商務應用範例

10 函數提示技巧與範例 實戰 ChatGPT 大師級

A 工作技巧 資料整理相關

❶ 兩個設定的條件顯示於此

❷ 按此鈕完成設定

出現符合條件的格式

拖曳複製 C35 儲存格填滿控點 O35

完成了！出現紅底白字黑框的儲存格就要注意期末現金餘額

06 字串的相關函數

07 財務與會計函數

08 查閱與參照函數、資料驗證、資訊、

09 綜合商務應用範例

10 函數提示技巧與範例 實戰 ChatGPT 大師級

A 工作技巧相關 資料整理

9-2-5 動態月份表單製作

請讀者開啟範例檔「現金流量表 -04.xlsx」

應用例 ⑪▸ 動態月份表單製作

❷ 按「插入函數」鈕，執行 MATCH() 函數

❸ 輸入各引數

❶ 選 C66 儲存格

❹ 按此鈕完成設定

❷ 按「插入函數」鈕，執行 IF()函數

❸ 輸入各引數

❶ 選 D66 儲存格

❹ 按此鈕完成設定

拖曳 D66 儲存格填滿控點至 N66

❶ 選 D5 儲存格並按下「插入函數」鈕,選擇 INDEX()函數

❷ 選此項

❸ 按此鈕

❶ 輸入引數如圖示

❷ 按此鈕完成設定

這一列就是動態月份的設定

拖曳 D5 儲存格填滿控點至 N5

大功告成!如果修改「開始月份」為「三月」時,所有月份都會自動修正。表首日期也會更新

06 字串的相關函數

07 財務與會計函數

08 查閱與參照函數 資料驗證、資訊、

09 綜合商務應用範例

10 函數提示技巧與範例 實戰 ChatGPT 大師級

A 工作技巧 資料整理相關

NOTE

10

實戰 ChatGPT 大師級
函數提示技巧與範例

今年度最火紅的話題絕對離不開 ChatGPT，目前網路、社群上對於 ChatGPT 的
討論已經沸沸揚揚。ChatGPT 是由 OpenAI 所開發的一款基於生成式 AI 的免
費聊天機器人，擁有強大的自然語言生成能力，可以根據上下文進行對話，並
進行多種應用程式，包括客戶服務、銷售、產品行銷等，短短 2 個月全球用戶
超過 1 億，超過抖音的用戶量。ChatGPT 是由 OpenAI 公司開發的最新版本，
該技術是建立在深度學習（Deep Learning）和自然語言處理技術（Natural
Language Processing, NLP）的基礎上。

由於 ChatGPT 基於開放式網路的大量資料進行訓練，使其能夠產生高度精確、自然流暢的對話回應，與人進行互動。如下圖所示：

ChatGPT 能以一般人的對話方式與使用者互動，例如提供建議、寫作輔助、寫文章、寫信、寫論文、劇本小說…等，而且所回答的內容有模有樣，除了可以給予各種問題的建議，也可以幫忙寫作業或程式碼，例如下列二圖的回答內容：

ChatGPT 之所以強大，是它背後難以計數的資料庫，任何食衣住行育樂的各種生活問題或學科都可以問 ChatGPT，而 ChatGPT 也會以類似人類會寫出來的文字，給予相當到位的回答，與 ChatGPT 互動是一種雙向學習的過程，在用戶獲得想要資訊內容文本的過程中，ChatGPT 也不斷在吸收與學習，ChatGPT 用途非常廣泛多元，根據國外報導，很多亞馬遜上店家和品牌紛紛轉向 ChatGPT，還可以幫助店家或品牌再進行網路行銷時為他們的產品生成吸引人的標題，和尋找宣傳方法，進而與廣大的目標受眾產生共鳴，從而提高客戶參與度和轉換率。

06 字串的相關函數

07 財務與會計函數

08 查閱與參照函數

資料驗證、資訊、

09 綜合商務應用範例

10 函數提示技巧與範例

實戰 ChatGPT 大師級

A 工作技巧

資料整理相關

Section 10-1　人工智慧的基礎

人工智慧（Artificial Intelligence, AI）的概念最早是由美國科學家 John McCarthy 於 1955 年提出，簡單地說，人工智慧就是由電腦所模擬或執行，具有類似人類智慧或思考的行為，例如推理、規畫、問題解決及學習等能力。微軟亞洲研究院曾經指出：「未來的電腦必須能夠看、聽、學，並能使用自然語言與人類進行交流。」

10-1-1　人工智慧的應用

AI 與電腦間地完美結合為現代產業帶來創新革命，應用領域不僅展現在機器人、物聯網（IOT）、自駕車、智慧服務等，甚至與數位行銷產業息息相關，根據美國最新研究機構的報告，2025 年人工智慧將會在行銷和銷售自動化方面，取得更人性化的表現，有 50% 的消費者強烈希望在日常生活中使用 AI 和語音技術，其他還包括蘋果手機的 Siri、Line 聊天機器人、垃圾信件自動分類、指紋辨識、自動翻譯、機場出入境的人臉辨識、機器人、智能醫生、健康監控、自動控制等，都是屬於 AI 與日常生活的經典案例。例如「聊天機器人」（chatbot）漸漸成為廣泛運用的新科技，利用聊天機器人不僅能夠節省人力資源，還能依照消費者的需要來客製化服務，極有可能會是改變未來銷售及客服模式的利器。

TaxiGo 利用聊天機器人提供
計程車秒回服務

10.7-2 人工智慧在自然語言的應用

電腦科學家通常將人類的語言稱為自然語言 NL（Natural Language），比如說中文、英文、日文、韓文、泰文等。自然語言最初都只有口傳形式，要等到文字的發明之後，才開始出現書寫形式。任何一種語言都具有博大精深及與隨時間變化而演進的特性，這也使得自然語言處理（Natural Language Processing, NLP）範圍非常廣泛，所謂 NLP 就是讓電腦擁有理解人類語言的能力，也就是一種藉由大量的文本資料搭配音訊資料，並透過複雜的數學「聲學模型」（Acoustic model）及演算法來讓機器去認知、理解、分類並運用人類日常語言的技術。

本質上，語音辨識與自然語言處理（NLP）的關係是密不可分的，不過機器要理解語言，是比語音辨識要困難許多，在自然語言處理（NLP）領域中，首先要經過「斷詞」和「理解詞」的處理，辨識出來的結果還是要依據語意、文字聚類、文本摘要、關鍵詞分析、敏感用語、文法及大量標註的語料庫，透過深度學習來解析單詞或短句在段落中的使用方式與透過大量文本（語料庫）的分析進行語言學習，才能正確的辨別與解碼（Decode），探索出詞彙之間的語意距離，進而了解其意與建立語言處理模型，最後才能有人機對話的可能，這樣的運作機制也讓 NLP 更貼近人類的學習模式。隨著深度學習的進步，NLP 技術的應用領域已更為廣泛，機器能夠 24 小時不間斷工作且錯誤率極低的特性，企業對 NLP 的採用率更有顯著增長，包括電商、行銷、網路購物、訂閱經濟、電話客服、金融、智慧家電、醫療、旅遊、網路廣告、客服等不同行業。

06 字串的相關函數

07 財務與會計函數

08 查閱與參照函數、資料驗證、資訊、

09 綜合商務應用範例

10 函數提示技巧與範例 實戰 ChatGPT 大師級

A 工作技巧 資料整理相關

Section 10-2 認識聊天機器人

人工智慧行銷從本世紀以來，一直都是店家或品牌尋求擴大影響力和與客戶互動的強大工具，過去企業為了與消費者互動，需聘請專人全天候在電話或通訊平台前待命，不僅耗費了人力成本，也無法妥善地處理龐大的客戶量與資訊。聊天機器人（Chatbot）則是目前許多店家客服的創意新玩法，背後的核心技術即是以自然語言處理（Natural Language Processing, NLP）中的一種模型（Generative Pre-Trained Transformer, GPT）為主，利用電腦模擬與使用者互動對話，算是由對話或文字進行交談的電腦程式，並讓用戶體驗像與真人一樣的對話。聊天機器人能夠全天候地提供即時服務，與自設不同的流程來達到想要的目的，協助企業輕鬆獲取第一手消費者偏好資訊，有助於公司精準行銷、強化顧客體驗與個人化的服務。這對許多粉絲專頁的經營者或是想增加客戶名單的行銷人員來說，聊天機器人就相當適用。

AI 電話客服也是自然語言的應用之一
圖片來源：https://www.digiwin.com/tw/blog/5/index/2578.html

06 字串的相關函數

07 財務與會計函數

08 查閱與參照函數、資料驗證、資訊、

09 綜合商務應用範例

10 函數提示技巧與範例 實戰 ChatGPT 大師級

A 工作技巧相關 資料整理相關

TIPS

GPT 是「生成型預訓練變換模型（Generative Pre-trained Transformer）」的縮寫，是一種語言模型，可以執行非常複雜的任務，會根據輸入的問題自動生成答案，並具有編寫和除錯電腦程式的能力，如回覆問題、生成文章和程式碼，或者翻譯文章內容等。

10-2-1 聊天機器人的種類

例如以往店家或品牌進行行銷推廣時，必須大費周章取得用戶的電子郵件，不但耗費成本，而且郵件的開信率低，由於聊天機器人的應用方式多元、效果容易展現，可以直觀且方便的透過互動貼標來收集消費者第一方資料，直接幫你獲取客戶的資料，例如：姓名、性別、年齡…等臉書所允許的公開資料，驅動更具效力的消費者回饋。

臉書的聊天機器人就是一種自然語言的典型應用

聊天機器人共有兩種主要類型：一種是以工作目的為導向，這類聊天機器人是一種專注於執行一項功能的單一用途程式。例如 LINE 的自動訊息回覆，就是一種簡單型聊天機器人。

另外一種聊天機器人則是一種資料驅動的模式，能具備預測性的回答能力，這類聊天機器人，就如同 Apple 的 Siri 就是屬於這一種類型的聊天機器人。

例如在臉書粉絲專頁或 LINE 常見有包含留言自動回覆、聊天或私訊互動等各種類型的機器人，其實這一類具備自然語言對話功能的聊天機器人也可以利用 NLP 分析方式進行打造，也就是說，聊天機器人是一種自動的問答系統，它會模仿人的語言習慣，也可以和你「正常聊天」，就像人與人的聊天互動，而 NLP 方式來讓聊天機器人可以根據訪客輸入的留言或私訊，以自動回覆的方式與訪客進行對話，也會成為企業豐富消費者體驗的強大工具。

06
字串的相關函數

07
財務與會計函數

08
查閱與參照函數、資料驗證、資訊、

09
綜合商務應用範例

10
實戰 ChatGPT 大師級 函數提示技巧與範例

A
工作技巧相關 資料整理相關

ChatGPT 初體驗

從技術的角度來看，ChatGPT 是根據從網路上獲取的大量文字樣本進行機器人工智慧的訓練，不管你有什麼疑難雜症，你都可以詢問它。當你不斷以問答的方式和 ChatGPT 進行互動對話，聊天機器人就會根據你的問題進行相對應的回答，並提升這個 AI 的邏輯與智慧。

登入 ChatGPT 網站註冊的過程中雖然是全英文介面，但是註冊過後在與 ChatGPT 聊天機器人互動發問問題時，可以直接使用中文的方式來輸入，而且回答的內容的專業性也不失水平，甚至不亞於人類的回答內容。

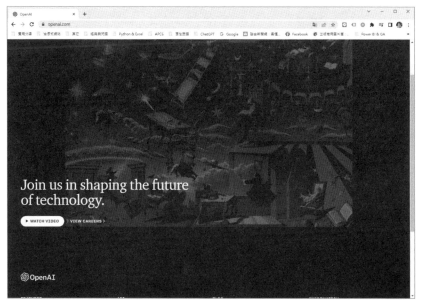

OpenAI 官網 https://openai.com/

目前 ChatGPT 可以辨識中文、英文、日文、西班牙…等多國語言，透過人性化的回應方式來回答各種問題。這些問題甚至含括了各種專業技術領域或學科的問題，可以說是樣樣精通的百科全書，不過 ChatGPT 的資料來源並非 100% 正確，在使用 ChatGPT 時所獲得的回答可能會有偏誤，為了得到的答案更準確，當使用 ChatGPT 回答問題時，應避免使用模糊的詞語或縮寫。「問對問題」不僅能夠幫助用戶獲得更好的回答，ChatGPT 也會藉此不斷精進優化，切記！清晰具體的提問才是與 ChatGPT 的最佳互動。如果需要進深入知道更多的內容，除了盡量提供夠多的訊息，就是提供足夠的細節和上下文。

目前 ChatGPT 可以辨識中文、英文、日文、西班牙…等多國語言

10-3-1 註冊免費 ChatGPT 帳號

首先我們就先來示範如何註冊免費的 ChatGPT 帳號，請先登入 ChatGPT 官網，它的網址為 https://chat.openai.com/，登入官網後，若沒有帳號的使用者，可以直接點選畫面中的「Sign up」按鈕註冊一個免費的 ChatGPT 帳號：

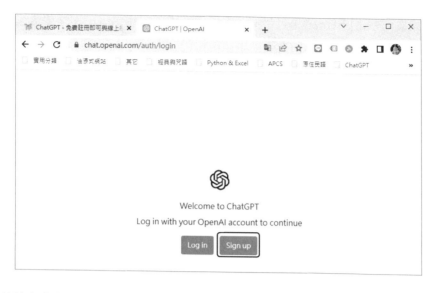

接著請各位輸入 Email 帳號，或是如果各位已有 Google 帳號或是 Microsoft 帳號，你也可以透過 Google 帳號或是 Microsoft 帳號進行註冊登入。此處我們直接示範以輸入 Email 帳號的方式來建立帳號，請在下圖視窗中間的文字輸入方塊中輸入要註冊的電子郵件，輸入完畢後，請接著按下「Continue」鈕。

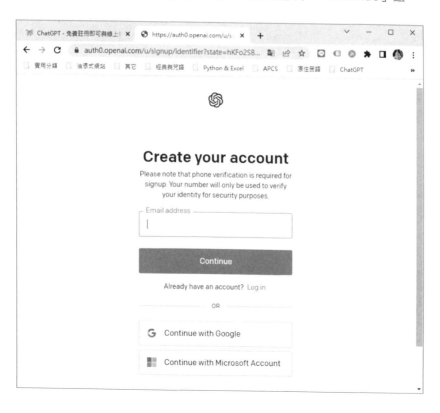

06
字串的相關函數

07
財務與會計函數

08
查閱與參照函數、資料驗證、資訊、

09
綜合商務應用範例

10
函數提示技巧與範例
實戰 ChatGPT 大師級

A
工作技巧
資料整理相關

接著如果你是透過 Email 進行註冊，系統會要求使用用輸入一組至少 8 個字元的密碼作為這個帳號的註冊密碼。

上圖輸入完畢後，接著再按下「Continue」鈕，會出現類似下圖的「Verify your email」的視窗。

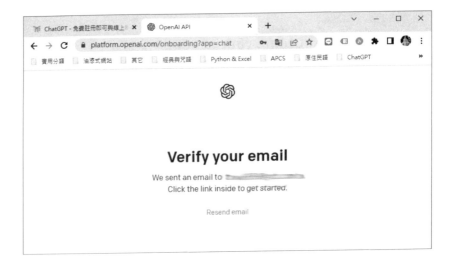

接著各位請打開自己的收發郵件的程式，可以收到如下圖的「Verify your email address」的電子郵件。請各位直接按下「Verify email address」鈕：

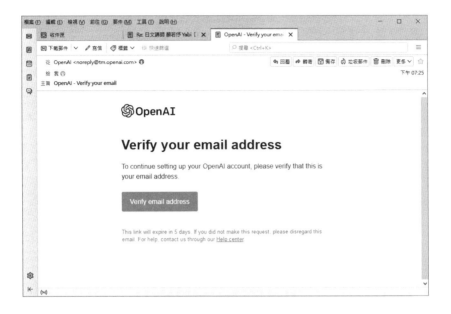

接著會直接進入到下一步輸入姓名的畫面，請注意，這裡要特別補充說明的是，如果你是透過 Google 帳號或 Microsoft 帳號快速註冊登入，那麼就會直接進入到下一步輸入姓名的畫面：

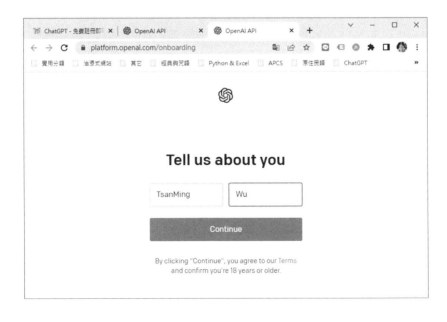

06
字串的相關函數

07
財務與會計函數

08
查閱與參照函數、資料驗證、資訊、

09
綜合商務應用範例

10
實戰 ChatGPT 大師級 函數提示技巧與範例

A
資料整理相關 工作技巧

輸入完姓名後,再請接著按下「Continue」鈕,這裡會要求各位輸入個人的電話號碼進行身分驗證,這是一個非常重要的步驟,如果沒有透過電話號碼來通過身分驗證,就沒有辦法使用 ChatGPT。請注意,下圖輸入行動電話時,請直接輸入行動電話後面的數字,例如你的電話是「0931222888」,只要直接輸入「931222888」,輸入完畢後,記得按下「Send Code」鈕。

大概過幾秒後,各位就可以收到官方系統發送到指定號碼的簡訊,該簡訊會顯示 6 碼的數字。

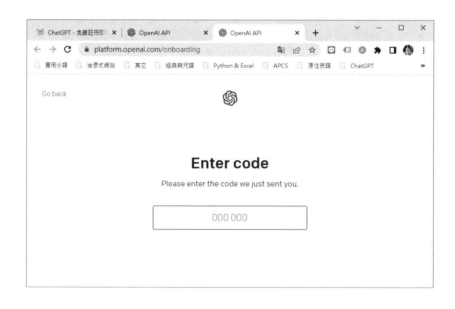

各位只要於上圖中輸入手機所收到的 6 碼驗證碼後，就可以正式啟用 ChatGPT。登入 ChatGPT 之後，會看到下圖畫面，在畫面中可以找到許多和 ChatGPT 進行對話的真實例子，也可以了解使用 ChatGPT 有哪些限制。

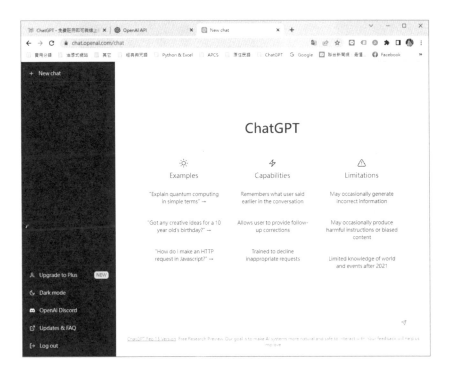

10-3-2 更換新的機器人

你可以藉由這種問答的方式，持續地去和 ChatGPT 對話。如果你想要結束這個機器人，可以點選左側的「New Chat」，他就會重新回到起始畫面，並新開一個新的訓練模型，這個時候輸入同一個題目，可能得到的結果會不一樣。

06
字串的相關函數

07
財務與會計函數

08
查閱與參照函數
資料驗證、資訊、

09
綜合商務應用範例

10
實戰 ChatGPT 大師級
函數提示技巧與範例

A
資料整理相關
工作技巧

例如下圖中我們還是輸入「請用 Python 寫九九乘法表的程式」，按下「Enter」
鍵正式向 ChatGPT 機器人詢問，就可以得到不同的回答結果：

如果各位要取得這支程式碼，還可以按下回答視窗右上角的「Copy code」鈕，就可以將 ChatGPT 所幫忙撰寫的程式，複製貼上到 Python 的 IDLE 的程式碼編輯器，底下為這一支新的程式在 Python 的執行結果。

```
Python 3.11.0 (main, Oct 24 2022, 18:26:48) [MSC v.1933 64 bit (AMD64)] on win32
Type "help", "copyright", "credits" or "license()" for more information.
============ RESTART: C:/Users/User/Desktop/博碩_CGPT/範例檔/99table-1.py ============
1 × 1 = 1      1 × 2 = 2      1 × 3 = 3      1 × 4 = 4      1 × 5 = 5      1 × 6 = 6      1 × 7 = 7      1 × 8 = 8      1 × 9 = 9
2 × 1 = 2      2 × 2 = 4      2 × 3 = 6      2 × 4 = 8      2 × 5 = 10     2 × 6 = 12     2 × 7 = 14     2 × 8 = 16     2 × 9 = 18
3 × 1 = 3      3 × 2 = 6      3 × 3 = 9      3 × 4 = 12     3 × 5 = 15     3 × 6 = 18     3 × 7 = 21     3 × 8 = 24     3 × 9 = 27
4 × 1 = 4      4 × 2 = 8      4 × 3 = 12     4 × 4 = 16     4 × 5 = 20     4 × 6 = 24     4 × 7 = 28     4 × 8 = 32     4 × 9 = 36
5 × 1 = 5      5 × 2 = 10     5 × 3 = 15     5 × 4 = 20     5 × 5 = 25     5 × 6 = 30     5 × 7 = 35     5 × 8 = 40     5 × 9 = 45
6 × 1 = 6      6 × 2 = 12     6 × 3 = 18     6 × 4 = 24     6 × 5 = 30     6 × 6 = 36     6 × 7 = 42     6 × 8 = 48     6 × 9 = 54
7 × 1 = 7      7 × 2 = 14     7 × 3 = 21     7 × 4 = 28     7 × 5 = 35     7 × 6 = 42     7 × 7 = 49     7 × 8 = 56     7 × 9 = 63
8 × 1 = 8      8 × 2 = 16     8 × 3 = 24     8 × 4 = 32     8 × 5 = 40     8 × 6 = 48     8 × 7 = 56     8 × 8 = 64     8 × 9 = 72
9 × 1 = 9      9 × 2 = 18     9 × 3 = 27     9 × 4 = 36     9 × 5 = 45     9 × 6 = 54     9 × 7 = 63     9 × 8 = 72     9 × 9 = 81
```

其實，各位還可以透過同一個機器人不斷的向他提問同一個問題，他會是基於你前面所提供的問題與回答，換成另外一種角度與方式來回應你原本的問題，就可以得到不同的回答結果，例如下圖又是另外一種九九乘法表的輸出外觀：

06 字串的相關函數

07 財務與會計函數

08 查閱與參照函數、資料驗證、資訊、

09 綜合商務應用範例

10 函數提示技巧與範例 實戰 ChatGPT 大師級

A 工作技巧 資料整理相關

10-3-3 登出 ChatGPT

當要登出 ChatGPT，只要按下畫面中的「Log out」鈕。

登出後就會看到如下的畫面，允許各位再按下「Log in」鈕再次登入 ChatGPT。

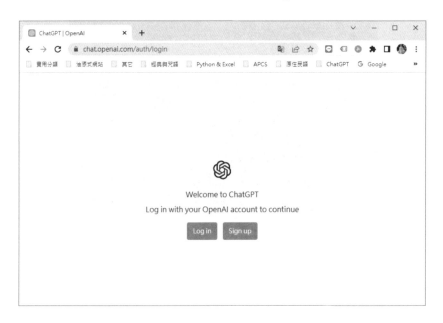

06 字串的相關函數

07 財務與會計函數

08 查閱與參照函數、資料驗證、資訊、

09 綜合商務應用範例

10 實戰 ChatGPT 大師級 函數提示技巧與範例

A 工作技巧 資料整理相關

ChatGPT 的正確訣竅與私房技巧

我們將談談 ChatGPT 正確使用訣竅及一些 ChatGPT 的重要特性，這將有助於各位可以更加利用 ChatGPT 得心應手。當使用 ChatGPT 進行對話前，必須事先想好明確的主題和問題，這才可以幫助 ChatGPT 可以更加精準理解你要問的重點，才能提供一個更準確的答案。尤其所輸入的問題，必須簡單、清晰、明確，避免使用難以理解或模糊的語言，才不會發生 ChatGPT 的回答內容，不是自己所期望的。例如底下的提示詞「張淑芬是誰」，因為問題不夠精準，因為回答的內容就有可能和自己預期的有所不同。

 張淑芬是誰

 很抱歉，我無法找到任何關於「張淑芬」的明確參考，請提供更多上下文或相關信息以便我更好地回答您的問題。

因為 ChatGPT 的設計目的是要理解和生成自然語言，因此與 ChatGPT 對話儘量使用自然的、流暢的語言，尤其是避免使用過於正式或技術性的語言。另外需要注意到，不要問與主題無關的問題，這樣有可能導致回答內容，和自己想要問的題目，有點不太相關。

 請以狗的角色寫一支萬年曆的電腦程式

 很抱歉，狗沒有寫程式的能力，而且狗也不具備理解萬年曆所需的概念和計算能力。不過，如果有人想以狗的角色寫一支萬年曆的電腦程式，可以先對萬年曆的計算方式和輸入格式進行研究，然後使用 Python 等程式語言進行開發。在編程過程中，可以運用編程技巧和數學知識，如日期計算、循環結構、條件語句等，以實現萬年曆的功能。雖然狗沒有這種能力，但這正是人類利用自己的智慧和技能，通過編程來創造更多價值和便利的方式。

在提問 ChatGPT 之前，請確保您的問題是明確的並且可以被 ChatGPT 理解。您可以透過以下幾點來確保您的問題是明確的：

使用簡潔的語言

使用簡潔的語言可以使您的問題更容易理解。請嘗試使用簡單的詞彙和簡短的句子來表達您的問題。例如，如果提問「我想學遊戲設計，那我需要哪些基礎背景知識」，您可以簡化成提問「學習遊戲設計需要的基礎知識」。

避免含糊不清的問題

請確保您的問題不含糊不清或模棱兩可。這將使 ChatGPT 更難理解您的問題，因此，回答可能不夠準確。例如，如果您想問「哪一家餐廳最好」，請更具體地描述您需要什麼類型的餐廳、在哪個地區等。

確認問題是否完整

確保您的問題完整且包含所有必要的資訊。如果問題不完整，ChatGPT 可能會無法提供有用的回答。例如，如果您想問「那裡好不好玩？」，請確定您已經提供了所在城市或地區的資訊。

清楚表達您的意圖

例如如果您想問「那裡好玩嗎」，請明確表達您是指哪一個地方？否則 ChatGPT 就無法回答特定地方好不好玩的建議。有一點要強調的是在與 ChatGPT 進行對話時，還是要保持基本的禮貌和尊重，不要使用攻擊性的語言或不當言詞，保持禮貌和尊重的提問方式，將有助於建立一個良好的對話環境。

10-4-1 能紀錄對話內容

因為與 ChatGPT 進行對話時，它會紀錄對話內容，因此如果你希望 ChatGPT 可以回答更準確的內容，就必須儘量提供足夠的上下文訊息，例如問題的背景描述、角色細節及專業領域等。背景是對話中的環境和條件，如時間、地點、文化背景等。在對話中，背景扮演重要角色，幫助模型生成更準確、自然的內容。

10-4-2 專業問題可事先安排人物設定腳本

要輸入的問題，也可以事先設定人物的背景專業，也就是說：有事先說明人物背景設定與沒有事先說明人物背景，其回答的結果，有時會完全不一樣的重

06
字串的相關函數

07
財務與會計函數

08
查閱與參照函數
資料驗證、資訊、

09
綜合商務應用範例

10
實戰 ChatGPT 大師級
函數提示技巧與範例

A
資料整理相關
工作技巧相關

點。例如我們問 ChatGPT 如何改善便祕的診斷方向，如果沒有事先設定人物背景的專業，其回答內容可能較為一般通俗性的回答。但是如果事先設定角色為中醫師，其回答內容就可能完全不同的重點。

💬 提示詞

請以中醫的角度提供如何改善便祕。

💬 ChatGPT 回答畫面

> TX　請以中醫的角度提供如何改善便祕。
>
> 🅖　根據中醫的觀點，以下是一些改善便秘的建議：
>
> 1. 飲食調整：
>   - 增加飲水量：多喝水可以促進腸道的水分吸收，有助於軟化糞便。
>   - 高纖維飲食：攝取豐富的蔬菜、水果、全穀類食物，增加食物中的纖維含量，有助於腸道蠕動和排便順暢。
>   - 避免飲食寒涼：過多攝取生冷、寒涼的食物可能會妨礙腸道的消化功能，建議避免生冷食物和飲料，選擇溫熱的食物。
>   - 規律進食：保持正常的進食時間和習慣，避免暴飲暴食和不規律的飲食。
> 2. 適度運動：
>   - 適量的有氧運動，如散步、慢跑、瑜珈等，可以刺激腸道蠕動，促進腸道的排便功能。
>   - 腹式呼吸和腹部按摩也有助於刺激腸道蠕動，可在空腹時進行。
> 3. 中藥調理：
>   - 可考慮使用一些中藥方劑，如大補元氣湯、四物湯等，根據個人體質和症狀，由中醫師評估後進行適當的調理。
>   - 部分常用的中藥材，如芒硝、大黃、枳實等，具有通便的作用，但需在醫師指導下使用，以避免不良反應或依賴性。
> 4. 減壓和舒緩情緒：
>   - 長期壓力和情緒不良可能會導致腸道功能失調，建議學習壓力管理技巧，如適度運動、冥想、放鬆療法等，以維持腸道健康。
>
> 請注意，以上僅為一般性的建議，每個人的身體狀況和體質不同，最好在專業中醫師的指導下進行詳細的診斷和治療方案。

10-4-3 目前只回答 2021 年前

這是因為 ChatGPT 是使用 2021 年前所收集到的網路資料進行訓練，如果各位試著提問 ChatGPT 2022 年之後的新知，就有可能出現無法回答的情況。這種情況下就可以安裝擴充功能（或稱外掛程式），來要求查詢網路上較新的資訊。

例如安裝透過 WebChatGPT 這個 Chrome 瀏覽器的外掛，就可以幫助 ChatGPT 從 Google 搜索到即時資料內容，然後根據搜尋結果整理出最後的回答結果。

10-4-4 善用英文及 Google 翻譯工具

ChatGPT 在接收到英文問題時，其回答速度及答案的完整度及正確性較好，所以如果想要以較快的方式取得較正確或內容豐富的解答，就可以考慮先以英文的方式進行提問，如果自身的英文閱讀能力夠好，就可以直接吸收英文的回答內容。就算英文程度不算好，想要充份理解 ChatGPT 的英文回答內容，只要善用 Google 翻譯工具，也可以將英文內容翻譯成中文來幫助理解，而且 Google 翻譯品質還有一定的水平。

10-4-5 自行提供範本給 ChatGPT 參考

我們也可以自行提供範本給 ChatGPT 參考，它就會依你所指示的範本去回答內容，例如以下的詢問範例：

😎 提示詞

請以虛擬人物的資料模擬以下的撰寫風格，設計出一份可以讓我修改內容的履歷表。

姓名：[你的姓名]

聯繫方式：
電話：[電話號碼]
電子郵件：[電子郵件地址]

最高教育背景：
[教育機構名稱]，[學位]，[專業]，[畢業時間]
近期兩個工作經驗：

[公司名稱]
職位：[職位名稱]
工作時間：[起始日期] - [結束日期]

---

06 字串的相關函數

07 財務與會計函數

08 查閱與參照函數、資料驗證、資訊、

09 綜合商務應用範例

10 實戰 ChatGPT 大師級 函數提示技巧與範例

A 資料整理相關 工作技巧

[公司名稱]

職位：[職位名稱]

工作時間：[起始日期] - [結束日期]

語言專長：

程式設計專長：

其他：

 ChatGPT 回答畫面

姓名: 小明

聯繫方式:
電話: 0912-345-678
電子郵件: example@email.com

最高教育背景:
台灣大學，工學學士，電機工程，2020年畢業

近期兩個工作經驗:

ABC科技有限公司
職位: 軟體工程師
工作時間: 2021年1月 - 2022年6月

XYZ企業股份有限公司
職位: 資深軟體開發工程師
工作時間: 2022年9月 - 2023年5月

語言專長：
中文（母語）
英文（流利）

程式設計專長：
Java
Python
C++

其他:
在ABC科技有限公司期間，負責開發和維護企業級軟體應用程式。在XYZ企業股份有限公司
期間，參與大型專案的系統設計和開發，並帶領團隊完成項目。

10-4-6 限制回答內容的字數

我們可以使用字數限制來控制 ChatGPT 生成回答的長度。以下是一個例子，我們要求 ChatGPT 生成關於「品德的重要性」的簡短對話，共有 10 句回答，每句回答不超過 15 個字，總字數限制在 150 字以內。

 提示詞

> 請以華語幫我寫一篇 100 字以內關於「品德的重要性」的兩個人的簡短對話，在對話結束後，出一個和這個對話內容有關的問題，這個問題有 (A)(B)(C)(D) 四個選項，最後請給我這個問題的答案。

 ChatGPT 回答畫面

TX　請以華語幫我寫一篇100字以內關於「品德的重要性」的兩個人的簡短對話，在對話結束後，出一個和這個對話內容有關的問題，這個問題有(A)(B)(C)(D)四個選項，最後請給我這個問題的答案。

A: 哥哥，你認為品德對我們的生活有多重要？
B: 哥哥認為品德非常重要，它塑造我們的價值觀，影響我們的行為。
A: 是的，品德可以讓我們懂得正確的道德，並在遇到困難時做出正確的選擇。
B: 正確，品德還可以建立信任和尊重，促進良好的人際關係。
A: 那你覺得品德的培養應該從何處著手呢？
B: 哥哥認為家庭教育是培養品德的起點，父母應該以身作則，傳授道德價值觀。
A: 好的，謝謝你的意見，我會好好思考的。

問題：品德的培養應該從何處著手？
(A) 學校教育
(B) 社會環境
(C) 家庭教育
(D) 個人努力

答案：(C) 家庭教育。家庭是孩子品德培養的首要環境，父母的示範和教育對於塑造孩子的品德價值觀至關重要。

06
字串的相關函數

07
財務與會計函數

08
查閱與參照函數、資訊、資料驗證、

09
綜合商務應用範例

10
實戰 ChatGPT 大師級函數提示技巧與範例

A
工作技巧資料整理相關

10-4-7 利用標籤指導對話的重要性

在與 ChatGPT 的對話中使用標籤是引導模型回答特定主題或執行特定任務的關鍵。標籤作為指示的角色，幫助模型更好地理解用戶的意圖並提供相關回答，這對話的內容和方向至關重要。作為一個生成式模型，ChatGPT 在回答問題時具有自由度，但有時可能生成與主題不相關或不合適的回答。透過使用標籤，可以確保模型生成的回答符合預期，具有相應的內容和一致性。以下示範了如何使用標籤來指導對話的例子：

😃 提示詞

> 請告訴我關於 NBA 的輝煌事件？
> # 林書豪

😃 ChatGPT 回答畫面

> TX　請告訴我關於NBA的輝煌事件？
> #林書豪
>
> 🤖　NBA的輝煌事件之一是林書豪在2012年的「林來瘋」現象。當時，林書豪以紐約尼克隊的後衛身份嶄露頭角，連續幾場比賽中表現出眾，帶領球隊取得連勝。他的表現引起了全球的關注，成為了當時的籃球熱門話題。這個事件不僅在台灣引起轟動，也讓亞洲球員在NBA中獲得更多關注和機會。林書豪的成功故事鼓舞了許多年輕球迷和運動員，成為了籃球界的一個里程碑。

使用標籤「# 林書豪」可以讓模型知道用戶詢問與林書豪相關的問題。這樣模型能夠提供相關回答，確保內容與林書豪相關，並提供用戶相關的建議和資訊。

10-4-8 接續未完成的答案

當回答內容不完整時，這種情況下就可以按下方的「Continue generating」鈕或輸入「請繼續」提示語來接續未完成的回答內容。如下圖所示：

TX　請以有醫美專業的醫師角度提供如何瘦身的建議。

作為一位具有醫美專業知識的醫師，我樂意為您提供瘦身的建議。以下是一些基本的指導原則，但請記住，每個人的身體狀況和需求都不同，因此建議在進行任何健身或瘦身計畫之前，最好先諮詢您的醫生。

1. 營養均衡的飲食：確保您的飲食包含足夠的蛋白質、蔬果、全穀類和健康脂肪。減少高糖和高脂肪食物的攝入，選擇低熱量和營養豐富的食物。定期進食小而頻繁的餐點，以維持血糖穩定。
2. 控制卡路里攝入量：了解您的身體所需的日常卡路里攝入量，並在此基礎上制定合理的減重目標。減少每日攝入的卡路里量，創造負能量平衡，以促進體重減輕。
3. 適度運動：結合有氧運動和力量訓練，以增加代謝率和燃燒脂肪。有氧運動如慢跑、游泳或有氧舞蹈可以提高心肺功能和燃燒卡路里。力量訓練則有助於增加肌肉質量，提高基礎代謝率。
4. 持之以恆：瘦身是一個長期的過程，需要堅定的決心和耐心。設定合理的目標，逐漸改變生活方式，並保持一個穩定的健康習慣。
5. 尋求專業協助：如果您對瘦身計劃感到困惑或需要個別化的指導，建議尋求專業醫生或營養師的幫助。他們可以根據您的個人需求和醫學背景，提供更具針對性的建議和計劃。

最重要的是，瘦身不僅僅是外觀上的改變，更重要的是促進整體健康。請記住，每個人的身體都是獨特的，

↻ Regenerate response　　▷▷ Continue generating

10-4-9 限制語言

提示應該使用簡單、清晰的語言，避免使用模糊或含糊不清的詞語或短語。

 提示詞

以下回答內容請以繁體中文台灣用語回答。

ChatGPT 回答畫面

> 非常抱歉,我之前的回答使用了簡體中文詞彙。以下是以繁體中文台灣用語重新回答的內容:
>
> 正確提示ChatGPT是提高提示效果的關鍵,下面我們將進一步探討如何注意重點並提供相關的技巧和策略。
>
> 1. 提供明確的上下文資訊:在提示中,清楚且具體地提供必要的上下文資訊,讓ChatGPT能夠理解問題的背景和前提。這有助於模型更準確地生成回答。舉個例子,如果你在對話中提到特定的事件或先前的對話內容,請確保在提示中提及這些關鍵細節,以使模型更好地理解問題。
> 2. 指定期望的回答格式和風格:根據你的需求,明確指定回答的格式和風格,以使ChatGPT生成符合要求的內容。例如,如果你希望模型以清單形式回答,可以在提示中提及「請按照以下清單格式回答」;如果你希望回答具有一定的正式性,可以要求模型使用正式的措辭或專業術語。
> 3. 適應模型的強預測能力:ChatGPT通常會傾向於生成高頻詞彙和常見的答案。為了避免這種情況,可以採取一些策略來引導模型生成更多多樣化和創新的回答。例如,你可以在提示中要求模型提供不那麼傳統的解決方案,或者引導模型進行更深入的思考和推理。
> 4. 處理困惑和不確定性:在提示ChatGPT時,模型可能會遇到一些困惑或不確定的情況。這可能會導致模型生成不完整或不準確的回答。在這種情況下,你可以透過提供更多的相關資訊、明確指示模型採取特定的行動,或者在回答中要求模型提供更多的解釋來解決這些問題。
> 5. 迭代和回饋:提升提示效果的關鍵是不斷迭代和改進。根據ChatGPT生成的回答,評估其準確性和適用性。如果回答不符合預期,你可以進行修正,調整提示的內容或方式,並提供明確的回饋。透過持續與模型互動和調整,你可以改善提示的品質和效果。
>
> 這些技巧和策略將有助於你正確提示ChatGPT並獲得更滿意的結果。請記住,不同的情境和需求可能需要不同的提示方法,因此根據具體情況進行靈活調整和優化。

10-4-10 熟悉重要指令

ChatGPT 指令相當多元,您可以要求 ChatGPT 編寫程式,也可以要求 ChatGPT 幫忙寫 README 文件,或是要求 ChatGPT 幫忙編寫履歷與自傳或是協助外國語言的學習。如果想充份了解更多有關 ChatGPT 常見指令大全,建議各位可以連上「ExplainThis」這個網站,在下列網址的網頁中,提供諸如程式開發、英語學習、寫報告…等許多類別指令,可以幫助各位更能充分發揮 ChatGPT 的強大功能。

https://www.explainthis.io/zh-hant/chatgpt

06 字串的相關函數

07 財務與會計函數

08 查閱與參照函數、資料驗證、資訊、

09 綜合商務應用範例

10 函數提示技巧與範例 實戰 ChatGPT 大師級

A 工作技巧 資料整理相關

10-4-11 充份利用其它網站的 ChatGPT 相關資源

除了上面介紹的「ChatGPT 指令大全」網站的實用資源外，由於 ChatGPT 功能強大，而且應用層面廣，現在有越來越多的網站提供 ChatGPT 的不同方面的資源，包括：ChatGPT 指令、學習、功能、研究論文、技術文章、示範應用等相關資源，本節推薦幾個 ChatGPT 相關資源的網站，介紹如下：

▶ OpenAI 官方網站 - 提供 ChatGPT 的相關技術文章、示範應用、新聞發布等等：
https://openai.com/

▶ GitHub - GitHub 是一個網上的程式碼儲存庫（Code Repository）它的主要宗旨在協助開發人員與團隊進行協作開發。GitHub 使用 Git 作為其基礎技術，它使得開發人員可以更好地掌握代碼版本控制，更容易地協作開發。OpenAI 官方的開放原始程式碼和相關資源：
https://github.com/openai

▶ arXiv.org - 提供 ChatGPT 相關的學術研究論文和技術報告：
https://arxiv.org/

▶ Google Scholar - 提供 ChatGPT 相關的學術研究論文和技術報告的搜尋引擎：
https://scholar.google.com/

▶ Towards Data Science - 提供有關 ChatGPT 的技術文章和教學文件：
https://towardsdatascience.com/

▶ 數位時代 - 提供有關 ChatGPT 的技術文章和示範應用：
https://www.bnext.com.tw/

06 字串的相關函數

07 財務與會計函數

08 查閱與參照函數、資料驗證、資訊、

09 綜合商務應用範例

10 函數提示技巧與範例 實戰 ChatGPT 大師級

A 工作技巧 資料整理相關

Section 10-5 | # ChatGPT 能給予 Excel 函數的用戶什麼協助

Excel 是一個功能強大且廣泛使用的電子試算表軟體，它提供了各種函數和工具，用於資料分析、計算和處理。然而，對於 Excel 的新用戶來說，熟悉和使用這些函數可能會帶來一些挑戰。幸運的是，擁有 ChatGPT 這樣的人工智慧幫手，可以為 Excel 函數的用戶提供有用的協助和支持。

10-5-1 查詢 Excel 函數語法

在本小節中，我們將探討 ChatGPT 能如何幫助用戶更好地使用 Excel 函數。首先，我們將介紹一些常用的查詢函數語法，讓用戶能夠準確地使用這些函數。接著請各位參考底下的範例說明：

 提示詞

請問 Excel 的函數有哪些類別。

ChatGPT 回答畫面

> TX　請問Excel的函數有哪些類別
>
> Excel的函數可以分為多個類別，以下是一些常見的Excel函數類別：
>
> 1. 數學和三角函數：包括加、減、乘、除等基本數學運算，以及三角函數（如sin、cos、tan）等。
> 2. 文本函數：用於處理和操作文字，包括連接文字、提取文字、查找替換等（如 CONCATENATE、LEFT、RIGHT、FIND）。
> 3. 日期和時間函數：用於處理和計算日期和時間，包括日期加減、計算日期差、格式化日期等（如DATE、TODAY、DATEDIF）。
> 4. 條件函數：用於根據特定條件執行操作，如IF、SUMIF、COUNTIF等。
> 5. 查找和引用函數：用於在範圍中查找特定值或位置，如VLOOKUP、HLOOKUP、INDEX、MATCH等。
> 6. 統計函數：用於計算數據的統計特徵，如平均值、標準差、變異數等（如AVERAGE、STDEV、VAR）。
> 7. 財務函數：用於執行財務相關的計算，如利息、現值、未來值等（如PV、FV、RATE）。
> 8. 邏輯函數：用於執行邏輯判斷和操作，如AND、OR、NOT等。
> 9. 數組函數：用於處理和操作數組數據，如SUMPRODUCT、TRANSPOSE等。
> 10. 資料庫函數：用於在Excel資料庫中進行查找和操作數據，如DSUM、DCOUNT等。
>
> 這只是其中一些常見的函數類別，Excel還有許多其他的函數供您使用。

提示詞

Excel DCOUNT 函數語法是什麼？

 ChatGPT 回答畫面

> **TX** Excel DCOUNT函數語法是什麼？

> 在Excel中，`DCOUNT` 函數用於從資料庫範圍中計算滿足指定條件的記錄數量。`DCOUNT` 函數的語法如下：

```scss
DCOUNT(database, field, criteria)
```

> * `database`：資料庫範圍的引用，包含您要進行計數的資料。
> * `field`：要計數的欄位的引用，表示要對哪個欄位進行計數。
> * `criteria`：範圍或條件，用於指定計數的條件。

> 需要注意的是，`DCOUNT` 函數要求資料庫範圍具有列標題，並且每列只包含單一個資料庫記錄。

> 下面是一個例子，假設有一個資料庫範圍 `A1:C10`，其中包含姓名、性別和年齡等欄位。我們想計算年齡大於等於 30 歲的記錄數量，則 `DCOUNT` 函數的使用方式如下：

```less
=DCOUNT(A1:C10, "年齡", ">=" & 30)
```

> 在這個例子中，`A1:C10` 是資料庫範圍，`"年齡"` 是要計數的欄位，`">=" & 30` 是條件，表示年齡大於等於 30 歲。`DCOUNT` 函數將返回符合該條件的記錄數量。

> 請注意，條件可以是文字、數值、日期等，並使用比較運算符（如 `=`, `<>`, `<`, `>`, `<=`, `>=`）進行比較。

06 字串的相關函數

07 財務與會計函數

08 查閱與參照函數 資料驗證、資訊、

09 綜合商務應用範例

10 函數提示技巧與範例 實戰 ChatGPT 大師級

A 工作技巧 資料整理相關

10-5-2 給定任務直接提供 Excel 函數的建議

在使用 Excel 時，您可能會遇到各種任務和挑戰，需要相應的函數來解決。接下來，我們將談論 ChatGPT 如何根據用戶提供的任務或需求，直接提供相關函數的建議，使用戶能夠更迅速地找到解決方案。

 提示詞

我如何能在 Excel 計算全班數學科目的平均及排名

 ChatGPT 回答畫面

TX　我如何能在Excel計算全班數學科目的平均及排名

我如何能在Excel計算全班數學科目的平均及排名

要在Excel中計算全班數學科目的平均值和排名，您可以按照以下步驟進行操作：

1. 在Excel中，將學生姓名放在第一列（通常是A列）的單元格中。
2. 將數學成績放在相應學生的列中。假設數學成績從B2開始，則數學成績的範圍為B2到Bn（n 表示最後一位學生的行號）。
3. 使用 `AVERAGE` 函數計算數學成績的平均值。在平均值所在的單元格中，輸入以下公式：

```scss
=AVERAGE(B2:Bn)
```

將B2替換為數學成績的起始單元格，Bn替換為數學成績的結束單元格。
4. 使用 `RANK` 函數計算學生的數學成績排名。在排名所在的單元格中，輸入以下公式：

```swift
=RANK(B2,$B$2:$B$n,0)
```

將B2替換為當前學生的數學成績單元格，$B$2:Bn替換為數學成績的範圍，並且 `0` 表示按降序排名（從高到低）。
5. 將公式拖動或複製到所有學生的排名單元格中，以獲得所有學生的數學成績排名。

完成上述步驟後，您將在平均值單元格中看到全班數學成績的平均值，並且在排名單元格中看到每個學生的數學成績排名。

10-5-3 查詢 Excel 函數特殊色彩的代碼

在 Excel 中，使用特定的色彩可以幫助我們更好地視覺化資料，讓報表更加易讀且具有吸引力。但是有時候，我們可能需要使用一些特殊的色彩，例如公司的品牌色或特定的配色方案。在這種情況下，我們可能需要查詢這些特殊色彩的代碼。們還將研究 Excel 函數中特殊色彩的代碼，並解釋如何使用 ChatGPT 查詢這些色彩的 RGB 代碼和十六進位代碼。例如：

😎 提示詞

> 我如何從哪一個 Excel 函數來設定特殊色彩對應的 RGB 代碼和十六進位代碼是什麼？

😎 ChatGPT 回答畫面

TX 我如何從哪一個Excel函數來設定特殊色彩對應的RGB代碼和十六進位代碼是什麼？

🤖 在Excel中，您可以使用 `CELL` 函數來設定特殊色彩對應的RGB代碼和十六進位代碼。以下是相關的函數和語法：

1. `CELL` 函數：`CELL(info_type, reference)`
   * `info_type`：指定要擷取的資訊類型。對於色彩相關資訊，您可以使用以下值：
     * `"color"`：回傳儲存格的色彩索引。
     * `"colorindex"`：回傳儲存格的色彩索引。
   * `reference`：要擷取資訊的儲存格參照。
2. `GET.CELL` 函數：`GET.CELL(info_type, reference)`
   * `info_type`：指定要擷取的資訊類型。對於色彩相關資訊，您可以使用以下值：
     * `63`：回傳儲存格的RGB代碼。
     * `64`：回傳儲存格的十六進位色彩代碼。
   * `reference`：要擷取資訊的儲存格參照。

請注意，`CELL` 函數和 `GET.CELL` 函數的 `info_type` 參數值可能因Excel的版本和地區而有所不同。

以下是一個示例，假設您想要獲取A1儲存格的RGB代碼和十六進位色彩代碼：

1. 使用 `CELL` 函數：
   * RGB代碼：在B1儲存格中輸入以下公式：`=CELL("color", A1)`
   * 十六進位代碼：在C1儲存格中輸入以下公式：`=CELL("colorindex", A1)`
2. 使用 `GET.CELL` 函數：
   * RGB代碼：在B1儲存格中輸入以下公式：`=GET.CELL(63, A1)`
   * 十六進位代碼：在C1儲存格中輸入以下公式：`=GET.CELL(64, A1)`

輸入這些公式後，您將在B1和C1儲存格中看到相應的RGB代碼和十六進位代碼。請注意，當您更改A1儲存格的背景色彩時，B1和C1儲存格中的值也將隨之更新。

06 字串的相關函數

07 財務與會計函數

08 查閱與參照函數、資料驗證、資訊、

09 綜合商務應用範例

10 函數提示技巧與範例 實戰 ChatGPT 大師級

A 工作技巧相關 資料整理

10-5-4 取得 Excel 函數網路學習資源

最後，我們將提供網路學習資源或素材取得管道的查詢，這些資源可以讓用戶深入學習和掌握 Excel 函數的更多應用技巧。

 提示詞

能否提供有關 Excel 函數入門或應用的學習資源

 ChatGPT 回答畫面

> TX　能否提供有關Excel函數入門或應用的學習資源
>
> 當然！以下是一些學習Excel函數的資源，包括入門教程、網上課程和官方文件：
>
> 1. Microsoft Office Support：官方的Microsoft Office支援網站提供了Excel函數的詳細文件、教學和示例。您可以在此處找到Excel函數的完整列表、語法、使用示例和解釋：**Excel** 函數
> 2. YouTube：在YouTube上有許多Excel函數的教學影片，提供了視覺化和實際操作的學習體驗。您可以搜索關鍵字如 "Excel函數教學"，然後篩選出您想要的相關影片。
> 3. Coursera：Coursera是一個網上學習平台，提供了許多Excel相關的課程，包括函數的應用和進階技巧。您可以搜索 "Excel" 或 "Excel函數"，找到適合您的課程。
> 4. Udemy：Udemy是另一個知名的線上學習平台，提供了許多Excel相關的課程。您可以搜索 "Excel" 或 "Excel函數"，找到適合您的課程。
> 5. Exceljet：Exceljet是一個專注於Excel學習的網站，提供了豐富的Excel函數教學和指南。他們的**Excel**函數指南是一個很好的資源，包含了大量的函數示例和用法解釋。
> 6. Excel Easy：Excel Easy是一個針對Excel初學者的學習網站，提供了基礎和進階的Excel教學。他們的**Excel函數教學**將函數按照類別進行了詳細的介紹和解釋。
>
> 以上資源將幫助您開始學習和應用Excel函數。請根據您的需求和程度選擇合適的資源，逐步提高您在Excel中的函數應用能力。

10-5-5 尋求練習 Excel 特定函數的合適資料集

要熟練掌握 Excel 各種函數技能，練習是必不可少的。然而，要找到適合練習的資料集可能並不容易，特別是對於初學者來說。ChatGPT 將為您提供相關的資源和建議，幫助您找到適合的資料集。透過本小節的學習，您將學會如何尋找和選擇最適合的練習資料集，進而提高您的活用 Excel 函數的技能。

提示詞

我想練習 Excel VLOOKUP 函數的使用，可否實際提供一個具備多種資料欄位的資料集範本，方便我在 Excel 練習 VLOOKUP 函數的功能

ChatGPT 回答畫面

當然，我可以提供一個具有多種資料欄位的範本資料集供您在Excel中練習VLOOKUP函數的使用。以下是一個示例資料集的範本：

學生編號	學生姓名	年齡	班級	科目	成績
001	Alice	18	A	數學	90
001	Alice	18	A	英文	85
002	Bob	17	A	數學	92
002	Bob	17	A	英文	88
003	Cathy	18	B	數學	87
003	Cathy	18	B	英文	95
004	David	17	B	數學	85
004	David	17	B	英文	90

這個範本資料集包含了學生編號、學生姓名、年齡、班級、科目和成績等多個資料欄位。您可以使用VLOOKUP函數來查找特定學生編號對應的學生姓名、年齡、班級、科目和成績等資訊。

例如，假設您想查找學生編號為"002"的學生姓名，可以使用以下的VLOOKUP函數：

```php
=VLOOKUP("002", A2:F9, 2, FALSE)
```

這個公式會在資料集中查找學生編號為"002"的資料行，並返回對應的學生姓名。您可以根據需要修改公式中的參數，例如查找不同的資料欄位或根據其他條件進行查找。

請注意，這只是一個示例資料集，您可以根據自己的需求和興趣來創建或擴充資料集，並使用VLOOKUP函數進行各種查找和資料分析的練習。

06
字串的相關函數

07
財務與會計函數

08
查閱與參照函數、資料驗證、資訊、

09
綜合商務應用範例

10
函數提示技巧與範例
實戰 ChatGPT 大師級

A
工作技巧
資料整理相關

Section 10-6 利用 ChatGPT 輕鬆學習函數提示技巧

在 Excel 中，函數是一種強大的工具，可幫助我們進行資料處理和分析。然而，對於初學者來說，了解和使用各種函數可能是一個挑戰。這就是為什麼 ChatGPT 能成為您的好幫手，為您提供查詢函數的技巧和使用範例。

本節將引導您進一步了解不同類別的 Excel 函數，並提供相應的提示技巧。我們將進一步探討「財務」、「日期及時間」、「數學及三角函數」、「統計」、「查閱及參照」、「文字」、「資料庫」和「資訊」類別的函數。此外，還將介紹一些其他函數類別。

透過本節的介紹，您將能夠全面了解不同函數類別的提示技巧和使用範例，並更加自信地應用這些函數解決您的問題。

另外與 ChatGPT 溝通時，請注意以下重點：

首先，確保您的問題簡潔明瞭。使用清晰的語言和簡單的結構表達問題，避免使用模糊或含糊不清的詞語。

其次，詳細描述您的問題。提供具體的訊息，包括要處理的欄位名稱和位置，以便 ChatGPT 能夠準確理解您的需求。

當您得到答案時，提供反饋意見。如果 ChatGPT 的回答與您的預期不符，明確指出哪些部分不準確，這樣 ChatGPT 才能進一步改進並提供更準確的答案。

最後，請始終驗證回答的內容是否正確。ChatGPT 基於提供的訊息生成回答，但它並不能保證絕對的準確性。在使用回答的內容之前，請自行核實資料並驗證結果是否符合您的期望。

透過遵循這些指引，您將能夠更有效地與 ChatGPT 溝通，並獲得準確的答案以解決您的問題。

06
字串的相關函數

07
財務與會計函數

08
資料驗證、資訊、查閱與參照函數

09
綜合商務應用範例

10
函數提示技巧與範例
實戰 ChatGPT 大師級

A
工作技巧相關
資料整理

10-6-1 「財務」類別的提示技巧與使用範例

在財務領域，Excel 的函數提供了許多有用的工具，用於處理財務資料和進行相關計算。本節將以財務函數類別示範相應的提示技巧和使用範例，讓您能夠輕鬆應對財務資料分析的挑戰。

 提示詞

請以實例示範 Excel 函數中財務類別中的 ISOWEEKNUM 函數的用法。

 ChatGPT 回答畫面

當使用ISOWEEKNUM函數時，它可以根據ISO週數制度返回給定日期所在的年份中的週數。ISO週數制度將每年的第一個星期視為包含該年的第四個星期四的一個週。

以下是ISOWEEKNUM函數的語法：

```scss
ISOWEEKNUM(date)
```

其中，`date`是要計算週數的日期。

讓我們舉個例子來展示ISOWEEKNUM函數的使用。

假設在單元格A1中有日期值"2023/01/01"，我們希望使用ISOWEEKNUM函數來計算該日期所在的週數。

在單元格B1中，輸入以下公式：

```scss
=ISOWEEKNUM(A1)
```

按下Enter鍵後，該公式將計算出日期"2023/01/01"所在的週數。

如果日期"2023/01/01"是星期一，則ISOWEEKNUM函數將返回值1，表示它是該年的第1週。如果日期在其他星期，則返回的數值將對應到相應的週數。

您可以將此公式擴展到其他日期，以計算它們所在的週數。

請注意，ISOWEEKNUM函數在不同的Excel版本中可能會有所不同，請確保您的Excel版本支持該函數並正確地輸入函數的語法。

10-6-2 「日期及時間」類別的提示技巧與使用範例

日期和時間在 Excel 中的處理是常見的任務，並且有專門的函數來處理這些資料類型。本節將以日期及時間函數類別示範相應的提示技巧和使用範例，讓您能夠更好地操作和分析日期和時間資料。

 提示詞

請以實例示範 Excel 函數中日期及時間類別中的 ISOWEEKNUM 函數的用法。

 ChatGPT 回答畫面

> TX　請以實例示範Excel函數中日期及時間類別中的ISOWEEKNUM函數的用法。
>
> 當使用ISOWEEKNUM函數時，它可以根據ISO週數制度返回給定日期所在的年份中的週數。ISO週數制度將每年的第一個星期視為包含該年的第四個星期四的一個週。
>
> 讓我們舉個例子來展示ISOWEEKNUM函數的使用。
>
> 假設在單元格A1中有日期值"2023/01/01"，我們希望使用ISOWEEKNUM函數來計算該日期所在的週數。
>
> 在單元格B1中，輸入以下公式：
>
> ```scss
> =ISOWEEKNUM(A1)
> ```
>
> 按下Enter鍵後，該公式將計算出日期"2023/01/01"所在的週數。
>
> 如果日期"2023/01/01"是星期一，則ISOWEEKNUM函數將返回值1，表示它是該年的第1週。如果日期在其他星期，則返回的數值將對應到相應的週數。
>
> 您可以將此公式擴展到其他日期，以計算它們所在的週數。
>
> 請注意，ISOWEEKNUM函數在不同的Excel版本中可能會有所不同，請確保您的Excel版本支持該函數並正確地輸入函數的語法。

06 字串的相關函數

07 財務與會計函數

08 查閱與參照函數、資料驗證、資訊、

09 綜合商務應用範例

10 函數提示技巧與範例 實戰 ChatGPT 大師級

A 工作技巧相關 資料整理相關

10-6-3 「數學及三角函數」類別的提示技巧與使用範例

數學和三角函數是 Excel 中常用的函數類別，可用於執行各種計算和數學操作。本節將以「數學及三角函數」類別示範相應的提示技巧和使用範例，讓您能夠應用這些函數來解決問題。

😄 提示詞

請以實例示範 Excel 函數中數學及三角函數類別中的 MMULT 函數的用法。

😺 ChatGPT 回答畫面

我們希望使用MMULT函數對這兩個矩陣進行矩陣乘法運算。

在Excel的單元格範圍A1:B2中，輸入矩陣1的數值；在單元格範圍D1:E2中，輸入矩陣2的數值。

在單元格G1中，輸入以下公式：

```less
=MMULT(A1:B2, D1:E2)
```

按下Enter鍵後，該公式將計算出矩陣乘法的結果。

在單元格G1:H2中，將顯示以下結果：

```
19    22
43    50
```

這表示矩陣1乘以矩陣2的結果為一個2x2的矩陣。

請注意，矩陣的大小和排列必須符合矩陣乘法的要求，即第一個矩陣的列數必須等於第二個矩陣的行數。否則，MMULT函數將返回錯誤。

請確保在使用MMULT函數時，正確地輸入矩陣的數值並使用正確的公式語法。

10-6-4 「統計」類別的提示技巧與使用範例

統計函數在 Excel 中扮演著重要的角色，它們能夠幫助我們分析資料集、計算平均值、標準差、最大值、最小值等統計量。本節將以「統計」類別示範相應的提示技巧和使用範例，讓您能夠輕鬆進行資料分析和統計計算。

 提示詞

請以實例示範 Excel 函數中統計類別中的 NORM.S.DIST 函數的用法。

06 字串的相關函數

07 財務與會計函數

08 查閱與參照函數
資料驗證、資訊、

09 綜合商務應用範例

10 函數提示技巧與範例
實戰 ChatGPT 大師級

A 工作技巧相關
資料整理相關

 ChatGPT 回答畫面

> NORM.S.DIST函數是Excel中統計類別的一個函數，用於計算標準正態分佈的累積分佈函數值。
>
> 以下是NORM.S.DIST函數的語法：

```scss
NORM.S.DIST(x, cumulative)
```

> 其中，`x`是要計算其累積分佈函數值的值，`cumulative`是一個邏輯值，用於指定是否計算累積分佈函數值。如果`cumulative`為TRUE（或省略），則計算標準正態分佈的累積分佈函數值；如果`cumulative`為FALSE，則計算標準正態分佈的概率密度函數值。
>
> 讓我們舉個例子來展示NORM.S.DIST函數的使用。
>
> 假設我們想計算標準正態分佈中值為0的點的累積分佈函數值。
>
> 在Excel的單元格A1中，輸入數值0。然後，在單元格B1中，輸入以下公式：

```graphql
=NORM.S.DIST(A1, TRUE)
```

> 按下Enter鍵後，該公式將計算出標準正態分佈中值為0的點的累積分佈函數值。

在單元格B1中，將顯示結果：

```
0.5
```

這表示標準正態分佈中值為0的點的累積分佈函數值為0.5。

您可以根據需要修改公式中的`x`值，以計算不同點的累積分佈函數值。

請注意，NORM.S.DIST函數用於計算標準正態分佈，如果需要計算其他正態分佈，則需要使用NORM.DIST函數並提供平均值和標準差的參數。

請確保在使用NORM.S.DIST函數時，正確地輸入參數並使用正確的公式語法。

10-6-5「查閱及參照」類別的提示技巧與使用範例

查閱及參照函數在 Excel 中可以幫助我們在資料集中快速查找和檢索訊息。本節將介紹這些函數的使用方法，本節將以「查閱及參照」類別示範相應的提示技巧和使用範例，讓您能夠利用它們查詢資料、建立關聯和進行引用，提高您的資料處理效率。

 提示詞

請以實例示範 Excel 函數中查閱及參照類別中的 XMATCH 函數的用法。

ChatGPT 回答畫面

當您使用Excel中的XMATCH函數時，可以使用它來查找某個值在範圍中的位置，並返回相應的索引值。下面是一個例子，展示了如何使用XMATCH函數。

假設您有一個包含學生姓名的範圍（A2:A6），並且您想要查找特定學生的索引值。您還有一個包含相應學生成績的範圍（B2:B6），您希望在找到學生後返回對應的成績。

請參考下面的步驟：

1. 在Excel工作表中的單元格C1輸入要查詢的學生姓名，例如"Alice"。
2. 在D1單元格中使用以下公式來使用XMATCH函數：

```scss
=XMATCH(C1, A2:A6, 0)
```

此公式將在範圍A2:A6中查找單元格C1中的值（即"Alice"），並返回該值在範圍中的索引值。

1. 在E1單元格中使用以下公式來檢索對應的學生成績：

```scss
=INDEX(B2:B6, D1)
```

這個公式使用INDEX函數，根據先前查找的索引值（D1）從範圍B2:B6中返回對應的學生成績。

完成這些步驟後，E1單元格將顯示"Alice"對應的學生成績。

您可以按照相同的模式使用XMATCH函數來查找和參照其他範圍中的值。請確保調整公式中的範圍引用以適應您的實際數據位置。

希望這個示例對於展示XMATCH函數的用法有所幫助！

06 字串的相關函數

07 財務與會計函數

08 查閱與參照函數、資料驗證、資訊、

09 綜合商務應用範例

10 函數提示技巧與範例 實戰 ChatGPT 大師級

A 工作技巧 資料整理相關

10-6-6「文字」類別的提示技巧與使用範例

Excel 中的文字函數可用於處理文字資料，如拆分文字、合併文字、提取子字串等。本節將以「文字」類別示範相應的提示技巧和使用範例，讓您能夠應用這些函數來處理和操作文字資料。

 提示詞

請以實例示範 Excel 函數中文字類別中的 TEXTJOIN 函數的用法。

 ChatGPT 回答畫面

當您使用Excel中的TEXTJOIN函數時，您可以將多個文本字符串連接在一起，並使用指定的分隔符分隔它們。下面是一個示例，展示了如何使用TEXTJOIN函數。

假設您有一個包含一組水果的列表，並且您希望將這些水果名稱連接在一起，並使用逗號作為分隔符。

請參考下面的步驟：

1. 在Excel工作表中的A1到A5單元格中分別輸入以下水果名稱：蘋果、香蕉、橙子、梨和草莓。
2. 在B1單元格中使用以下公式來使用TEXTJOIN函數：

```php
=TEXTJOIN(", ", TRUE, A1:A5)
```

此公式將連接範圍A1到A5中的所有水果名稱，並使用逗號和空格作為分隔符。第二個參數（TRUE）表示忽略空白單元格。

1. 按下Enter鍵，B1單元格將顯示連接後的結果："蘋果, 香蕉, 橙子, 梨, 草莓"。

完成這些步驟後，您將看到水果名稱已經使用逗號和空格連接在一起。

您可以按照相同的模式使用TEXTJOIN函數來連接和分隔其他文本字符串。根據需要調整分隔符和範圍引用。

希望這個示例對於展示TEXTJOIN函數的用法有所幫助！

10-6-7「資料庫」類別的提示技巧與使用範例

資料庫函數在 Excel 中提供了便捷的方式來處理和管理大量的資料。本節將以「資料庫」類別示範相應的提示技巧和使用範例，讓您能夠應用這些函數來查詢和過濾資料。

提示詞

請以實例示範 Excel 函數中資料庫類別中的 DPRODUCT 函數的用法。

 ChatGPT 回答畫面

當您使用Excel中的DPRODUCT函數時，您可以使用它來計算符合特定條件的資料庫中數值欄位的乘積。下面是一個示例，展示了如何使用DPRODUCT函數。

假設您有一個包含產品銷售資料的資料庫。該資料庫包含三個欄位：產品名稱、單價和銷售數量。您希望根據特定條件計算符合該條件的產品銷售總額。

請參考下面的步驟：

1. 創建一個新的Excel工作表，並在A1到C6單元格中輸入以下資料：

1. 在D1單元格中輸入以下條件：

此條件表示您要計算單價大於10的產品銷售總額。

1. 在E1單元格中使用以下公式來使用DPRODUCT函數：

此公式將在資料庫範圍A1:C6中，根據條件範圍D1:D2（包含條件標題和條件值）計算銷售數量欄位的乘積。

1. 按下Enter鍵，E1單元格將顯示計算後的結果。

完成這些步驟後，您將看到基於條件計算的產品銷售總額。

您可以按照相同的模式使用DPRODUCT函數來計算符合其他條件的資料庫中數值欄位的乘積。根據需要調整資料庫範圍、欄位名稱和條件範圍。

希望這個示例對於展示DPRODUCT函數的用法有所幫助！

06
字串的相關函數

07
財務與會計函數

08
查閱與參照函數
資料驗證、資訊、

09
綜合商務應用範例

10
函數提示技巧與範例
實戰 ChatGPT 大師級

A
工作技巧相關
資料整理相關

10-6-8「資訊」類別的提示技巧與使用範例

資訊函數在 Excel 中提供了有關資料和儲存格內容的有用訊息，例如判斷儲存格是否為空、計算儲存格的類型等。本節將以「資訊」函數類別示範相應的提示技巧和使用範例，讓您能夠利用這些函數獲取關於資料的相關訊息。

 提示詞

請以實例示範 Excel 函數中資訊類別中的 IFERROR 函數的用法。

 ChatGPT 回答畫面

當您使用Excel中的IFERROR函數時，您可以使用它來處理錯誤值，並返回您指定的替代值。下面是一個示例，展示了如何使用IFERROR函數。

假設您有一個包含數字的範圍，其中有一些數值可能會引發錯誤，例如除以零錯誤。您希望在計算時處理這些錯誤，並返回自定義的替代值。

請參考下面的步驟：

1. 在Excel工作表中的A1到A4單元格中分別輸入以下數字：5、0、8和3。
2. 在B1單元格中使用以下公式來使用IFERROR函數：

```scss
=IFERROR(1/A1, "除以零錯誤")
```

此公式將計算A1單元格的倒數（1/A1），並使用IFERROR函數捕獲除以零錯誤。如果計算成功，它將返回倒數的結果；如果發生錯誤，則返回指定的替代值："除以零錯誤"。

1. 複製B1單元格的公式到B2到B4範圍中，以應用相同的邏輯。

完成這些步驟後，B1到B4範圍中將顯示處理錯誤後的結果。對於數字5和3，它們的倒數值將顯示；對於數字0，將顯示自定義的替代值："除以零錯誤"。

您可以按照相同的模式使用IFERROR函數來處理和替換其他可能引發錯誤的計算結果。根據需要調整錯誤處理的邏輯和替代值。

希望這個示例對於展示IFERROR函數的用法有所幫助！如果您有其他問題，請隨時提出。

10-6-9 其它函數類別的提示技巧與使用範例

若各位還有興趣了解函數包括哪些類別，又各類別包括哪些常用函數，可以在 Excel 工作表中執行「公式」頁籤下的「插入函數」鈕，就可以在下圖視窗中查詢 Excel 有哪些類別及各類別包括哪些函數，只要想了解任何一種函數用法及實例，都可以藉助本節中所介紹的提示方式，來取得 ChatGPT 的線上協助及實例指引。

06
字串的相關函數

07
財務與會計函數

08
查閱與參照函數、
資料驗證、資訊、

09
綜合商務應用範例

10
實戰 ChatGPT 大師級
函數提示技巧與範例

A
工作技巧相關
資料整理

實戰 ChatGPT 的函數提示的應用案例

在前面的學習中,我們已經了解了如何使用 ChatGPT 查詢不同類別的 Excel 函數。現在,進入實戰環節,我們將探索一些實際應用案例,示範如何運用這些函數來解決真實的問題。這些案例將幫助您更好地理解函數的應用場景,並提供具體的解決方案。

10-7-1 首字大寫及全部大寫提示範例

在處理文字資料時,我們經常需要對文本進行格式調整,例如將文本的首字母轉為大寫或將整個文本轉為大寫。本節將示範如何使用函數來實現這些格式轉換,讓您的文本資料更加規範和易於閱讀。

💬 提示詞

> 將工作表的 A 欄「姓名」於 B 欄以首字大寫的方式表示,另外該工作表的 C 欄「國籍縮寫」於 D 欄將「國籍縮寫大寫」以大寫的方式表示。

💬 ChatGPT 回答畫面

驗證回答內容是否正確：（範例檔：proper.xlsx）

在 B2 及 D2 輸入如圖公式。

確認無誤後，分別複製 C 欄及 D 欄公式，就可以得到正確的查詢結果。

10-7-2 資料查閱提示範例

在處理大型資料集時，快速查找和檢索特定資料是非常重要的。本節將介紹一些查閱函數，並通過實際案例示範如何使用這些函數來查找和檢索您需要的資料，節省時間並提高工作效率。

😀 提示詞

生成 Excel 函數公式，A 欄是產品編號；B 欄是產品名稱；C 欄是售價；D 欄是銷售量。我想在 F3 欄輸入產品編號，可以在 G3 欄輸出對應 D 欄的銷售量。

06 字串的相關函數

07 財務與會計函數

08 查閱與參照函數、資料驗證、資訊、

09 綜合商務應用範例

10 函數提示技巧與範例 實戰 ChatGPT 大師級

A 工作技巧 資料整理相關

ChatGPT 回答畫面

驗證回答內容是否正確:(範例檔:資料查閱 .xlsx)

按 ChatGPT 的建議於 G3 儲存格輸入公式,如下圖所示:

但公式中的欄位範圍有所不符,請接著修正公式範圍為「A:D」,因為 F3 欄沒有任何輸入的資料,所以查詢結果為「N/A」,如下圖所示:

請在 F3 欄輸入產品編號，例如下例中的 P006，就可以在 G3 查詢到正確的銷售量。

06 字串的相關函數

07 財務與會計函數

08 查閱與參照函數、資訊、資料驗證、資訊、

09 綜合商務應用範例

10 函數提示技巧與範例　實戰 ChatGPT 大師級

A 工作技巧相關　資料整理

10-7-3 個資保護提示範例

隨著個人資訊的重要性日益突出，保護個人資料變得至關重要。本節將探討一些函數，用於處理和保護個人資訊。我們將介紹如何對資料進行隱藏，以確保個人資料的安全性。

💬 提示詞

> A 欄是姓名；B 欄是電話，請提供 Excel 函數公式可以將 A 欄進行個資保護，如果姓名是兩個字以上，請保留第一個字及最後一個字，中間以 " ＊ " 取代。如果姓名是兩個字，請將第二個字以 " ＊ " 取代。另外 B 欄行動電話的後 6 個字，請以半形字體 "*" 取代。

💬 ChatGPT 回答畫面

驗證回答內容是否正確：

請在 C 欄複製貼上公式，如下圖：

06
字串的相關函數

07
財務與會計函數

08
查閱與參照函數、資料驗證、資訊、

09
綜合商務應用範例

10
函數提示技巧與範例
實戰 ChatGPT 大師級

A
工作技巧
資料整理相關

然後拖曳複製 C 欄的公式，就可以將姓名達到個資保護的效果。接著請在 D 欄
複製貼上公式，如下圖：

01
....
公式與函數的基礎

02
....
數值運算的相關函數

03
....
邏輯與統計函數

04
....
常見取得資料的函數

05
....
日期與時間函數

然後拖曳複製 D 欄的公式，就可以將行動電話達到個資保護的效果。如下圖：

10-7-4 單一及多重條件式加總提示範例

在進行資料分析時，我們經常需要對符合特定條件的資料進行加總計算。本節將介紹單一及多重條件式加總的函數應用，讓您能夠靈活地進行資料篩選和計算，從而獲取所需的統計結果。

範例 1 單一條件式加總：計算 Alice 的數學分數總和。

 提示詞

> A 欄是姓名；B 欄是科目；C 欄是分數，請提供 Excel 函數公式可以計算
> Alice 的數學分數總和。

ChatGPT 回答畫面

驗證回答內容是否正確：

範例 2 多重條件式加總：計算所有英文科目的分數總和。

提示詞

> A 欄是姓名；B 欄是科目；C 欄是分數，請提供 Excel 函數公式可以計算所有英文科目的分數總和。

06 字串的相關函數

07 財務與會計函數

08 查閱與參照函數、資料驗證、資訊、

09 綜合商務應用範例

10 函數提示技巧與範例
實戰 ChatGPT 大師級

A 工作技巧、資料整理相關

ChatGPT 回答畫面

驗證回答內容是否正確：

 範例 3 多重條件式加總：計算 Bob 在英文科目的分數總和。

提示詞

A 欄是姓名；B 欄是科目；C 欄是分數，請提供 Excel 函數公式可以計算 Bob 在英文科目的分數總和。

ChatGPT 回答畫面

若要計算 Bob 在英文科目的分數總和，您可以使用 SUMIFS 函數來指定多個條件。

以下是計算 Bob 在英文科目的分數總和的 Excel 函數公式：

```less
=SUMIFS(C:C, A:A, "Bob", B:B, "英文")
```

在此公式中，C:C 是分數的範圍，A:A 是姓名的範圍，B:B 是科目的範圍。條件 "Bob" 指定只有當姓名為 "Bob" 且科目為 "英文" 時，相應的分數才會被加總起來。

請將此公式放置在適當的儲存格中，以獲得 Bob 在英文科目的分數總和。

驗證回答內容是否正確：

10-7-5 單一及多重篩選提示範例

資料篩選是資料分析中常見的操作，用於從大量資料中提取符合特定條件的資料。本節將介紹單一及多重篩選的函數應用，讓您能夠輕鬆篩選出需要的資料，從而進行進一步的分析和處理。

06 字串的相關函數

07 財務與會計函數

08 查閱與參照函數、資料驗證、資訊、

09 綜合商務應用範例

10 函數提示技巧與範例 實戰 ChatGPT 大師級

A 工作技巧、資料整理相關

以下是一些可能的練習：

範例 1 單一篩選：篩選出所有英文科目的資料。

😀 提示詞

A 欄是姓名；B 欄是科目；C 欄是分數，請提供 Excel 函數公式可以篩選出所有英文科目的資料。

😀 ChatGPT 回答畫面

驗證回答內容是否正確：

範例 2 多重篩選：篩選出 Bob 在所有科目的資料。

💬 提示詞

A 欄是姓名；B 欄是科目；C 欄是分數，請提供 Excel 函數公式篩選出 Bob 在所有科目的資料。

💬 ChatGPT 回答畫面

若您要篩選出 Bob 在所有科目的資料，可以使用Excel的篩選功能與函數結合。假設A欄是姓名、B欄是科目、C欄是分數，您可以使用下列公式結合篩選功能：

```less
=FILTER(A:C, (A:A="Bob")*(B:B<>""))
```

這個公式將會篩選出姓名欄（A欄）中為"Bob"，並且科目欄（B欄）不為空白的資料，同時將姓名、科目和分數一併顯示出來。

請注意，這個公式僅適用於Excel 365、Excel 2019以及Excel Online版本。如果您使用的是舊版Excel，可能無法使用這個函數。在舊版Excel中，您可以考慮使用自動篩選或透過排序功能篩選出 Bob 在所有科目的資料。

驗證回答內容是否正確：

06 字串的相關函數

07 財務與會計函數

08 查閱與參照函數 資料驗證、資訊、

09 綜合商務應用範例

10 函數提示技巧與範例 實戰 ChatGPT 大師級

A 工作技巧 資料整理相關

範例 3 多重篩選：篩選出數學科目中分數大於 90 的資料。

😀 提示詞

A 欄是姓名；B 欄是科目；C 欄是分數，請提供 Excel 函數公式可以篩選出數學科目中分數大於 90 的資料。

😀 ChatGPT 回答畫面

驗證回答內容是否正確：

通過這些實戰案例的學習，您將更深入地掌握如何運用 ChatGPT 以及 Excel 函數來解決實際問題，提升您的資料處理能力和效率。

A
資料整理相關
工作技巧

Excel 非常適合資料整理的前置工作，尤其它提供許多資料快速輸入的技巧，另外也可以透過尋找及取代快速找到所需的資料，並進行取代工作。當遇到空白列或資料重複時，都能協助各位快速刪除。如果結合公式或函數的應用，也可以讓資料整理的工作更加得心順手。對於不需要看到的資料也可以透過資料篩選來過濾掉，其他種種與資料整理的實用技巧，都會在本附錄中摘要說明。

A-1

儲存格及工作表實用技巧

儲存格是 Excel 軟體中，最基本的工作對象，在輸入或執行運算時，每個儲存格都是一個獨立的單位。這個章節收納了各種儲存格的操作技巧，只要與儲存格有關的問題，都可以在此找到答案。另外本章節也將 Excel 的一些實用小技巧歸納在一起，方便各位查詢使用。像是移除重複、尋找目標文字、取代目標文字、匯入文字檔、儲存格顯示與隱藏…等，讓各位資料整理的工作更為順利。

A-1-1 儲存格的新增、刪除與清除

新增儲存格

選取要新增儲存格的位置，由「常用」標籤按下「插入」鈕下的「插入儲存格」指令，再決定插入的方式。

刪除儲存格

選取要刪除的儲存格，「常用」標籤按下「插入」鈕下的「刪除儲存格」指令，再決定刪除的方式。

🎯 清除儲存格

按下「Del」或「Backspace」鍵來刪除資料，但若要清除儲存格格式或註解，則必須透過「常用」標籤中的「清除」鈕。

A-1-2　各種快速輸入資料的技巧

🎯 以數值填滿儲存格

❶ 儲存格輸入「1」，並將滑鼠移到儲存格右下方填滿控點上

❷ 按滑鼠右鍵拖曳填滿控點到 M10 儲存格，放開滑鼠右鍵會出現智慧標籤，按下標籤清單鈕，改選「以數列方式填滿」選項。完成後，就會看到儲存格按照數值順序填滿

06 字串的相關函數

07 財務與會計函數

08 查閱與參照函數、資訊、資料驗證、

09 綜合商務應用範例

10 函數提示技巧與範例實戰 ChatGPT 大師級

A 工作技巧資料整理相關

預測趨勢填滿儲存格

同一欄中只要有兩個數字，Excel 就會預測未來的趨勢將儲存格填滿，預測的趨勢可分成等比趨勢和等差趨勢兩種方式。

❶ 在 M4 及 M5 輸入「2 與 4」，選取 M4:M5 儲存格，按滑鼠右鍵向下拖曳

❷ 放開滑鼠右鍵選擇「等差趨勢」

❸ 完成後，數列以 2 為差數填滿儲存格

06
字串的相關函數

07
財務與會計函數

08
查閱與參照函數、資料驗證、資訊、

09
綜合商務應用範例

10
函數提示技巧與範例實戰 ChatGPT 大師級

A
工作技巧相關資料整理

填滿控點應用

「填滿控點」功能,能夠省去資料輸入時間。

❶ 將滑鼠移至此儲存格的右下角,讓指標變為 ➕ 圖示

❷ 按住滑鼠左鍵往下拖曳至適當位置後,放開滑鼠左鍵,即可填滿儲存格

利用數列填滿方式輸入資料

❶ 在 A1 儲存格中輸入數列的起始值,接著選取要進行數位填滿的儲存格,由「常用」標籤按下「填滿」鈕中的「數列」指令

❷ 選擇「欄」、「等差級數」，並設定間距值
與終止值，按「確定」鈕離開即可

🏆 使用自動完成

「自動完成」可在輸入文字時，若同一欄內已有相同的資料，只要在輸入第一個字的同時，文字後方即會自動出現同一欄中相同字首的後方文字（數值資料除外）。在自動出現後方文字後按下「Enter」鍵，或將作用儲存格移至其他儲存格即可完成輸入。

🏆 在同一儲存格內強迫換行

設定儲存格「自動換列」時，只有當文字超過儲存格長度時才會發揮作用，若希望能自己控制儲存格文字換行的位置，可將插入點移到要換至下一行的文字前，按下「Alt」+「Enter」鍵即可強迫文字換行。

🏠 運用清單輸入

從清單輸入文字與自動填滿功能的相同處在於可快速於同一欄中輸入相同的資料。

❶ 在作用儲存格按滑鼠右鍵,執行「從下拉式清單挑選」指令

❷ 當出現下拉式清單後,選擇要填入的資料,即可於選取的儲存格內輸入所選資料

06 字串的相關函數

07 財務與會計函數

08 查閱與參照函數、資料驗證、資訊、

09 綜合商務應用範例

10 函數提示技巧與範例 實戰 ChatGPT 大師級

A 工作技巧相關 資料整理相關

01
....
公式與函數的基礎

02
....
數值運算的相關函數

03
....
邏輯與統計函數

04
....
常見取得資料的函數

05
....
日期與時間函數

🎁 自訂清單

除了預設的清單項目外，也可以將常用的排列順序自訂於 Excel 的清單中，方便填滿時使用。

❶ 由「檔案」標籤按下「選項」鈕，切換到「進階」類別，按一下「編輯自訂清單」鈕使開啟「自訂清單」視窗，即可發現預設的清單種類

❷ 將自己常用的文字清單加入自訂清單項目中，可於「清單項目」的欄位中輸入個人常用的清單文字，並以「Enter」鍵隔開各文字，或於各文字間以逗點隔開亦可。按下「新增」鈕後，按「確定」鈕離開即可

06 字串的相關函數

07 財務與會計函數

08 查閱與參照函數、資訊、資料驗證、資訊、

09 綜合商務應用範例

10 函數提示技巧與範例 實戰 ChatGPT 大師級

A 工作技巧相關 資料整理

🎯 建立資料驗證的下拉式清單

運用資料驗證的功能來建立清單，可方便使用者進行選取。

❶ 選取儲存格後，由「資料」標籤按下「資料驗證」鈕，並點選「資料驗證」指令

❷ 切換至「設定」標籤，按下拉鈕選擇「清單」，來源處選擇儲存格範圍，按下「確定」鈕離開

A-1-3 儲存格資料類型與格式設定

🎯 設定儲存格數值類別

儲存格的數值類別分為通用格式、數值、貨幣、日期、時間、百分比、分數…等。

❶ 由「常用」標籤按下「數值」群組中的 ▣ 鈕，切換到「數值」標籤，再由「數值」類別中做設定

🏂 設定日期顯示格式

Excel 中的「日期」為一特定格式，由「常用」標籤按下「數值」群組中的 ▣ 鈕，切換到「數值」標籤，選擇「日期」類別，即可選擇日期的類型。

06 字串的相關函數

07 財務與會計函數

08 查閱與參照函數 資料驗證、資訊、

09 綜合商務應用範例

10 函數提示技巧與範例 實戰 ChatGPT 大師級

A 工作技巧相關 資料整理

🎯 新增格式化規則

此功能是設定當儲存格內的資料達到某一條件時，就自動更換成設定的格式，以達醒目標示的作用。

❶ 請由「常用」標籤按下「設定格式化的條件」鈕，並下拉「新增規則」指令

❷ 設定條件後，按「確定」鈕離開，如此一來，符合條件的儲存格數值都套上設定的格式了

🏆 醒目提醒儲存格規則

「格式化儲存格」是將儲存格設定指定的條件，當儲存格內容符合這些條件，就以設定的儲存格格式顯示，用意在提醒儲存格的特殊。

❶ 選取儲存格範圍後，由「常用」標籤按下「設定格式化的條件」鈕，再下拉「醒目提示儲存格規則／大於」指令

❷ 輸入數值標準，按「顯示為」清單鈕選擇儲存格格式，再按「確定」鈕離開

06 字串的相關函數

07 財務與會計函數

08 查閱與參照函數 資料驗證、資訊、

09 綜合商務應用範例

10 函數提示技巧與範例 實戰 ChatGPT 大師級

A 工作技巧 資料整理相關

A-1-4 工作表資料整理實用功能

尋找目標文字

「尋找」功能可在一堆資料中，找出特定的文字或字彙。

❶ 由「常用」標籤的「尋找與取代」鈕，下拉選擇「尋找」指令

❷ 輸入尋找目標，按「找下一個」繼續尋找。如此一來，工作表內隨即將搜尋到的儲存格變為作用中的儲存格

除了單純文字的搜尋外，如果要設定搜尋目標的格式、範圍 ... 項目，可按下「選項」鈕。

取代目標文字

當資料清單中的某一字彙需要更改時，使用「取代」功能可快速且毫無遺漏的更改所有資料。由「常用」標籤的「尋找與取代」鈕，並下拉選擇「取代」指令。出現如圖視窗時，輸入尋找目標及取代文字，按「找下一個」繼續尋找，當找到要取代的資料時，按下「取代」鈕即可取代。

🎯 匯入文字檔

❶ 遇到文字類型的檔案,不用重新將資料輸入成 Excel 檔案,可先選取儲存格後,由「資料」標籤按下「從文字檔(或從文字 / CSV)」鈕

❷ 檔案類型設為所有檔案(或文字檔),選擇文字檔後按下「匯入」鈕

06
字串的相關函數

07
財務與會計函數

08
查閱與參照函數
資料驗證、資訊、

09
綜合商務應用範例

10
函數提示技巧與範例
實戰 ChatGPT 大師級

❸ 選擇「分隔符號」選項，從第一筆資料開始匯入，按「下一步」鈕

❹ 選擇使用「Tab 鍵」，按「下一步」鈕

❺ 選取第 3 欄，將欄位格式改為日期，按「完成」鈕

❻ 確認匯入資料開始接續的位置，按下「確定」鈕

🎯 儲存格顯示與隱藏

完成工作表內容後，發現有些儲存格內容不適合或不方便顯示出來，卻因捨不得刪除或有其存在必要時，可使用隱藏儲存格功能，將不想顯示出來的儲存格隱藏。

06
字串的相關函數

07
財務與會計函數

08
查閱與參照函數、
資料驗證、資訊、

09
綜合商務應用範例

10
函數提示技巧與範例
實戰 ChatGPT 大師級

A
工作技巧相關
資料整理

選取要隱藏的儲存格
（整列或整欄）後，
由「常用」標籤按下
「格式」鈕，再下拉
「隱藏列」指令

TIPS

取消隱藏儲存格

選取隱藏儲存格的上方與下方列（整列）並按下滑鼠右鍵，執行「取消隱藏」指令。

移除重複

兩份檔案資料要整理成同一工作表，最麻煩的工作大概就是找出資料重複的部分加以刪除，而「移除重複」功能可快速比對工作表的資料，將重複的部分自動刪除。

❶ 由「資料」標籤按下「移除重複」鈕

❷ 使用預設的重複條件
（全部標題），按下
「確定」鈕

❸ 顯示被移除的相關資訊，按「確定」
鈕離開即可

06 字串的相關函數

07 財務與會計函數

08 查閱與參照函數、資訊、資料驗證、

09 綜合商務應用範例

10 函數提示技巧與範例 實戰 ChatGPT 大師級

A 工作技巧 資料整理相關

A-2

合併彙算

合併彙算

當要執行加總、平均、乘積…等運算的儲存格數值位於不同的工作表上時,「合併彙算」可快速計算出合併欄位內所要計算的數值結果。

❶ 先選定要做合併彙算的儲存格,由「資料」標籤按下「合併彙算」鈕

❷ 選擇「加總」的函數類別,依序將選取的參照位址,透過「新增」鈕新增至「所有參照位址」欄位中,按下「確定」鈕即可完成設定

📊 手動更新合併彙算內容

合併彙算更新內容的方式分為二種，一種為手動更新，另一種為自動更新。要手動更新，請由「資料」標籤按下「合併彙算」鈕，當開啟「合併彙算」對話框後按下「確定」鈕即可完成

📊 自動更新合併彙算內容

自動更新必須於「合併彙算」視窗中勾選「建立來源資料的連結」項目，當修改參照位址中的儲存格數值時，就會於合併彙算結果欄位中自動更改為正確的結果

06
字串的相關函數

07
財務與會計函數

08
資料驗證、資訊、

09
綜合商務應用範例

10
函數提示技巧與範例
實戰 ChatGPT 大師級

A
工作技巧相關
資料整理

A-3

資料排序與資料篩選

在業務推廣與行銷方面，資料的排序與篩選經常被運用。因為除了可以了解產品的銷售情形與排名外，也可以了解業務人員的績效，而設定排序後，還能透過「小計」功能來了解每樣產品的銷售情況。此章節除了介紹常用的排序技巧外，針對各種的篩選方式也多做說明，讓各位可以輕鬆篩選出所要的資訊。

A-3-1 資料排序

📊 資料排序

點選要排序欄位的任一儲存格，由「資料」標籤中點選「從A到Z排序」鈕，可讓最小值出現在欄的頂端，若按下「從Z到A排序」鈕，可讓最大值出現在欄的頂端

📊 建立排序順位

要將資料依指定的項目作排序，可由「資料」標籤按下「排序」鈕，使開啟「排序」視窗。

❶ 由下方設定排序條件。如需新增多個排序方式，請按下「新增層級」鈕

❷ 以同樣方法新增多個排序條件,設定完成按下「確定」鈕離開即可

刪除排序層級

如果想要取消某一個排序條件,只需選取該條件並按下「刪除層級」鈕即可

A-3-2 資料篩選

自動篩選資料

❶ 由「資料」標籤點選「篩選」鈕,每個欄位上都出現了「自動篩選」鈕

❷ 下拉篩選鈕，可直接篩選符合某一個條件的資料

📦 進階篩選

❶ 按下篩選下拉鈕後，會依照儲存格數值格式不同出現「文字篩選」或「數字篩選」指令，在此可設定更為進階的篩選設定。例如執行「前10項」指令，將會產生「自動篩選前10項」對話視窗

❷ 如選擇「數字篩選 / 自訂篩選」或「文字篩選 / 自訂篩選」指令，則會出現「自訂自動篩選」視窗，讓使用者自行訂定條件

06 字串的相關函數

07 財務與會計函數

08 查閱與參照函數、資料驗證、資訊、

09 綜合商務應用範例

10 函數提示技巧與範例 實戰 ChatGPT 大師級

A 工作技巧 資料整理相關

清除所有篩選條件

如果已經設定多個篩
選條件，要一次清除
所有的篩選條件，則
由「資料」標籤按下
「清除」鈕

顯示全部資料

如果想要顯示全部資
料，只要按下篩選的
下拉鈕，並選擇「清
除篩選」指令，或重
新勾選「全部」資料
即可

讀者回函

讀者回函

感謝您購買本公司出版的書,您的意見對我們非常重要!由於您寶貴的建議,我們才得以不斷地推陳出新,繼續出版更實用、精緻的圖書。因此,請填妥下列資料(也可直接貼上名片),寄回本公司(免貼郵票),您將不定期收到最新的圖書資料!

購買書號: _____ **書名:** _____

姓　　名:_____

職　　業:□上班族　　□教師　　　□學生　　　□工程師　　□其它

學　　歷:□研究所　　□大學　　　□專科　　　□高中職　　□其它

年　　齡:□10~20　　□20~30　　□30~40　　□40~50　　□50~

單　　位:_____　部門科系:_____

職　　稱:_____　聯絡電話:_____

電子郵件:_____

通訊住址:□□□ _____

_____

您從何處購買此書:

□書局 _____　□電腦店 _____　□展覽 _____　□其他 _____

您覺得本書的品質:

內容方面:　□很好　　　　□好　　　　□尚可　　　　□差

排版方面:　□很好　　　　□好　　　　□尚可　　　　□差

印刷方面:　□很好　　　　□好　　　　□尚可　　　　□差

紙張方面:　□很好　　　　□好　　　　□尚可　　　　□差

您最喜歡本書的地方:_____

您最不喜歡本書的地方:_____

假如請您對本書評分,您會給(0~100分):_____ 分

您最希望我們出版那些電腦書籍:

請將您對本書的意見告訴我們:

您有寫作的點子嗎?□無　□有　專長領域:_____

博碩文化網站　　http://www.drmaster.com.tw

歡迎您加入博碩文化的行列哦!

✂請沿虛線剪下寄回本公司

Give Us a Piece Of Your Mind

221

博碩文化股份有限公司　產品部

台灣新北市汐止區新台五路一段112號10樓A棟

博碩文化

博碩文化